metro

Michael Dibdin
Vendetta

metro wurde begründet
von Thomas Wörtche

Zu diesem Buch

Kommissar Aurelio Zen steht vor einem Rätsel: ein vierfacher Mord in der festungsartig ausgebauten Villa eines reichen Sarden, in die eigentlich niemand unbemerkt eindringen kann. Ein Ding der Unmöglichkeit? Nicht nur die Leichen bezeugen das Gegenteil. Die Bluttat ist verewigt, da es zu den Gepflogenheiten des Hausherrn Oscar Burolo gehörte, sein Leben auf Video aufzuzeichnen – jetzt dokumentiert die Anlage seinen Tod. Als Aurelio Zen mit den Ermittlungen in Sardinien beginnt, findet er sich in einer brutalen, abweisenden Welt wieder.

»Mit Aurelio Zen hat Michael Dibdin eine der literarisch fruchtbarsten Serienfiguren der neueren Kriminalliteratur geschaffen.«
Tobias Gohlis, Die Zeit

Der Autor

Michael Dibdin, geboren 1947 in Wolverhampton, studierte englische Literatur in England und Kanada. Vier Jahre lehrte er an der Universität von Perugia. Bekannt wurde er durch seine Figur Aurelio Zen, einen in Italien ermittelnden Polizeikommissar. Michael Dibdin starb 2007 in Seattle.

Im Unionsverlag sind außerdem lieferbar: *Entführung auf Italienisch; Tödliche Lagune* und *Così fan tutti.*

Als E-Book erhältlich: *Entführung auf Italienisch; Vendetta; Himmelfahrt; Tödliche Lagune; Schwarzer Trüffel; Sizilianisches Finale; Roter Marmor; Im Zeichen der Medusa; Tod auf der Piazza* und *Sterben auf Italienisch.*

Die Übersetzerin

Ellen Schlootz arbeitet als Übersetzerin aus dem Englischen. Sie hat u. a. Werke von Ian Rankin und David Hosp ins Deutsche übertragen.

Mehr über den Autor und sein Werk auf *www.unionsverlag.com*

Michael Dibdin

Vendetta

Aurelio Zen ermittelt in Sardinien

Kriminalroman

Aus dem Englischen von Ellen Schlootz

Unionsverlag

Die Originalausgabe erschien 1990
unter dem Titel *Vendetta*
im Verlag Faber and Faber, London.
Die deutsche Erstausgabe erschien 1993
im Goldmann Verlag, München.

Im Internet
Aktuelle Informationen, Dokumente und Materialien
zu Michael Dibdin und diesem Buch
www.unionsverlag.com

Unionsverlag Taschenbuch 731

Neptunstrasse 20, CH-8032 Zürich
Telefon +41 44 283 20 00
mail@unionsverlag.ch

Reihengestaltung: Heinz Unternährer
Umschlaggestaltung: Martina Heuer
Umschlagfoto: seraficus/istock
Druck und Bindung: CPI – Clausen & Bosse, Leck
ISBN 978-3-293-20731-8
2. Auflage, Juli 2017

Der Unionsverlag wird vom Bundesamt für Kultur mit einem
Verlagsförderungs-Strukturbeitrag für die Jahre 2016–2020 unterstützt.

Auch als E-Book erhältlich

Rom

Mittwoch, 01.50–02.45

Aurelio Zen lag wie ein gelangweilter Gott auf dem Sofa und erweckte die Toten zum Leben. Mit einem Fingerdruck ließ er sie wieder auferstehen. Eins nach dem anderen regten sich die formlosen, blutdurchtränkten Bündel, schüttelten sich, krochen ein bisschen herum und richteten sich dann auf, bis sie wieder auf den Füßen standen. Ihren Gesichtern nach zu urteilen, schien ihnen diese im ganz wörtlichen Sinne stattfindende Auferstehung überraschend zu kommen, oder vielleicht war es auch nur der Anblick der anderen Körper, der sie so sehr schockierte, die grauenhaften Verletzungen und Entstellungen und die Blutspritzer und -lachen, die überall zu sehen waren. Doch sowie Zen mit seinem wundersamen Eingreifen fortfuhr, wurde auch das in Ordnung gebracht, die klaffenden Risse in Körper und Kleidung heilten von alleine, das Blut wischte sich von selbst auf, und im Nu glich die Szene wieder jener ganz normalen Dinner-Party, die sie gewesen war, bevor das Unmögliche geschah. Von den vier Personen schien keine zu bemerken, was an diesem illusorischen Leben nach dem Tod so verblüffend war, nämlich dass alles rückwärts ablief.

»Er wars.«

Zens Mutter stand in der Tür, ihr Nachthemd hatte sich um ihren ausgemergelten Körper gewickelt.

»Was gibts, Mamma?«

Sie deutete auf den Fernsehschirm, auf dem man jetzt einen strahlend weißen Sandstrand sah, der von sanft geschwungenen Felsen eingerahmt war. Ein Mann schwamm rückwärts durch die flachen Wellen. Er tauchte lässig aus dem Wasser auf, landete elegant auf einem der Felsen und schlenderte rückwärts zu den Liegestühlen im Schatten, wo die anderen saßen und Rauch aus der Luft sogen und in ihre Zigaretten bliesen.

»Der mit der Badehose. Er hats getan. Er war in seine Frau verliebt, deshalb hat er ihn getötet. Er war noch in einem anderen Film, letzte Woche auf Kanal 5. Man hielt ihn für einen Spion, aber das war sein Zwillingsbruder. Er spielte alle beide. Die machen das mit Spiegeln.«

Mutter und Sohn warfen sich einen Blick quer durch den Raum zu, der von dem elektronisch konservierten Sonnenlicht eines Sommers, der nun seit mehr als drei Monaten vergangen war, beleuchtet wurde. Es war fast zwei Uhr morgens, und selbst in den Straßen von Rom herrschte Stille. Zen drückte die Pause-Taste an der Fernbedienung und brachte damit das Video zum Stillstand. »Warum bist du auf, Mamma?«, fragte er und bemühte sich, sich seine Verärgerung nicht anmerken zu lassen. Dies war ein Verstoß gegen die Regeln. Wenn sich seine Mutter am Abend erst einmal in ihr Zimmer zurückgezogen hatte, blieb sie auch dort. Das gehörte zu den ungeschriebenen Gesetzen, die ihr Zusammenleben aus seiner Sicht gerade eben erträglich machten.

»Ich dachte, ich hätte etwas gehört.«

Sie sahen sich weiterhin an. Die Frau, die Zen das Leben geschenkt hatte, hätte jetzt genauso gut das Kind sein können, das er nie gehabt hatte, das von einem Albtraum aufgewacht war und nun getröstet werden wollte. Er stand auf und ging zu ihr hin. »Es tut mir leid, Mamma. Aber ich habe den Ton ganz leise gestellt …«

»Ich meine nicht das Fernsehen.«

Er sah ihr forschend in die verschlafenen und verwirrt dreinblickenden Augen. »Was denn?«

Sie zuckte verdrießlich mit den Schultern. »Eine Art Kratzen.«

»Kratzen? Wie meinst du das?«

»Wie das Boot vom alten Umberto.«

Zen war oft verblüfft über die Anspielungen seiner Mutter auf eine Vergangenheit, die für sie unermesslich realer war, als es die Gegenwart je sein würde. Er selbst hatte Umberto so gut wie vergessen, den stattlichen und würdevollen Besitzer eines Lebensmittelgeschäfts in der Nähe der San-Geremia-Brücke. Er benutzte das Boot, um Obst und Gemüse vom Rialto-Markt zu holen, und um Kartons, Kisten, Flaschen und Gläser in die Keller seines Hauses oder von dort wegzutransportieren. Diese Keller hatte sich der zehnjährige Zen immer wie Aladins Höhle vorgestellt, vollgestopft mit exotischen Köstlichkeiten. Wenn er es nicht brauchte, war das Boot an einem Pfahl in dem kleinen Kanal gegenüber dem Haus der Zens festgemacht. Der Pfahl war mit einem Stück Blech verkleidet, um das Holz zu schützen, und jedes Mal, wenn ein Vaporetto den Cannaregio heruntergefahren kam, erreichte dessen Kielwasser kurze Zeit später Umbertos Boot und ließ dessen obere Planke gegen das Blech reiben, wodurch ein metallisch kratzendes Geräusch entstand.

»Wahrscheinlich hast du mich hier rumgehen hören«, sagte Zen. »Jetzt geh zurück ins Bett, bevor du dich erkältest.«

»Es kam nicht von hier. Es kam von der anderen Seite. Vom Kanal. Genau wie das verdammte Boot.«

Zen nahm ihren Arm, der sich beängstigend gebrechlich anfühlte. Durch den Krieg zur Witwe geworden, hatte seine Mutter sich um seinetwillen ganz allein durchs Leben geschlagen, Geschäftsleuten und Bürokraten Zugeständnisse abgerungen, in schlecht bezahlten Jobs geschuftet, um ihre

Rente aufzubessern, gekocht, geputzt, genäht, gestopft und sich immer irgendwie beholfen und durch ihren unermüdlichen Einsatz einen sicheren Ort geschaffen, an dem ihr Sohn aufwachsen konnte. Kein Wunder, dachte er, dass diese Plackerei sie vollkommen ausgelaugt hatte, sodass von ihr nur noch ein unscheinbares Wesen übrig geblieben war, das Angst vor Geräuschen und vor der Dunkelheit hatte und sich für nichts mehr interessierte außer den Fernsehserien, die sie sich ansah und deren Handlungen und Figuren sich allmählich in ihrem Kopf verwirrten. Wie sie ihre Mutterrolle ausgeführt hatte, war vergleichbar mit Jobs in der Industrie, aus denen die Arbeiter krank und gebrochen entlassen werden, mit dem einen Unterschied, dass Mütter niemanden auf Schadenersatz verklagen können.

Zen führte sie zurück in das modrig riechende Schlafzimmer, das im hinteren Teil der Wohnung lag. Es war vollgestopft mit Möbeln, die sie aus ihrem Zuhause in Venedig mitgebracht hatte. Die einzelnen Stücke waren kunstvoll aus einem Holz gearbeitet, das so hart, dunkel und schwer wie Eisen war. Jeder Zentimeter Wand war zugestellt, wodurch sogar die Feuertreppe und der größte Teil des Fensters, das sie ohnehin immer fest zugezogen hatte, blockiert waren.

»Bleibst du noch auf und siehst dir den Film zu Ende an?«, fragte sie, als er sie zudeckte.

»Ja, Mamma, mach dir keine Sorgen. Ich bin da drinnen. Wenn du etwas hörst, bin das nur ich.«

»Das kam nicht von da drinnen! Jedenfalls hab ich dir ja schon gesagt, wers war. Der Dünne mit der Badehose.«

»Ich weiß, Mamma«, murmelte er müde. »Das denken alle.«

Er ging zurück ins Wohnzimmer, als es gerade zwei Uhr von den Kirchen im Vatikan schlug. Zen blieb stehen und sah sich die vertrauten Gesichter an, die auf dem flimmernden Bildschirm zur Unbeweglichkeit verdammt waren. Sie waren nicht nur ihm vertraut, sondern jedem, der in diesem Herbst ferngesehen oder Zeitung gelesen hatte. Seit Monaten wurden die Nachrichten beherrscht von den dramatischen Ereignissen und den noch sensationelleren Verwicklungen um die »Burolo-Affäre«.

In gewisser Weise war es ganz verständlich, dass Zens Mutter die beteiligten Personen mit der Besetzung eines Films verwechselt hatte, den sie gesehen hatte. Was Zen sich da ansah, war tatsächlich ein Film, aber ein ganz besonderer Film, der nur ihm als einem Beamten der Criminalpol beim Innenministerium zur Verfügung stand, und zwar im Zusammenhang mit einem Bericht, den er vorlegen und worin er den Fall bis zum gegenwärtigen Stand zusammenfassen sollte. Eigentlich war es ihm nicht erlaubt, den Film mit nach Hause zu nehmen, doch das Ministerium stellte keine Videogeräte für seine Angestellten zur Verfügung, auch nicht für die im Rang eines Vice-Questore. Wie sollte er das denn machen, hatte Zen gefragt, als ihm noch nicht klar war, was ein Videofilm eigentlich war, es Bild für Bild gegen das Licht halten?

Er setzte sich wieder auf das Sofa, griff nach der Fernbedienung, drückte auf die Play-Taste und ließ die verschwommenen Figuren wieder lachen, plaudern und sich ganz einfach vor der Kamera produzieren. Natürlich wussten sie, dass die Kamera da war. Oscar Burolo hatte kein Geheimnis aus seiner Manie gemacht, die Highlights seines Lebens aufzuzeichnen. Ganz im Gegenteil, jeder, der den Unternehmer in seinem sardischen Refugium besuchte, war beeindruckt von dem unterirdischen Kellergewölbe, in dem sich Hunderte von Videobändern befanden, ebenso Computerdisketten, alles sorgfältig abgelegt und registriert. Wie alle guten Bibliotheken wuchs auch Oscars Sammlung ständig. Kurz vor seinem Tod war sogar ein ganz neuer Regalabschnitt eingebaut worden, um die Neuzugänge unterzubringen.

»Siehst du dir die überhaupt jemals an?«, wurde er gelegentlich von einem Gast gefragt.

»Ich brauche sie mir nicht anzusehen«, antwortete Oscar darauf mit einem merkwürdigen Lächeln. »Es reicht mir zu wissen, dass sie da sind.«

Falls den sechs Leuten, die es sich dort am Wasser gut gehen ließen, die Vorstellung, dass ihr Geplänkel für die Nachwelt festgehalten wurde, in irgendeiner Weise unangenehm gewesen sein sollte, ließen sie sich das nicht im Geringsten anmerken. Eine Einladung in die Villa Burolo war so begehrt, dass sich niemand wegen der Bedingungen herumstreiten würde. Denn abgesehen von der Erfahrung an sich war es etwas, womit man anschließend monatelang bei Dinnerpartys angeben konnte. »Sie wollen sagen, dass Sie tatsächlich dort waren?«, fragten die Leute dann gewöhnlich, und ihr Neid war so augenscheinlich wie ein schlecht sitzender Slip. »Sagen Sie, stimmt es, dass er Löwen und Tiger frei auf dem Grundstück herumlaufen lässt und dass man nur mit dem Hubschrauber hineinkommen kann?« In dem sicheren Wissen, dass ihm wahrscheinlich niemand widersprechen würde, konnte Oscar Burolos Ex-Gast frei entscheiden, ob er die Tatsachen verzerren (»… und ich schwöre Ihnen, ich, der ich da war und es mit eigenen Augen gesehen habe, Burolo hat mehr als dreißig Bedienstete – oder eher Sklaven –, die er mit Cash dem Präsidenten eines bestimmten afrikanischen Staates abgekauft hat …«) oder – in etwas anspruchsvollerer Gesellschaft – nur andeuten sollte, dass in Wahrheit alles noch viel seltsamer sei als die diversen reißerischen und ordinären Geschichten, die im Umlauf waren.

Rein oberflächlich betrachtet war gerade dieses Ausmaß an Interesse das Merkwürdigste an der ganzen Geschichte. Denn was könnte schon banaler sein, als dass ein reicher Italiener sich eine Villa in Sardinien kauft. Bei »Sardinien« denkt man natürlich an die Costa Smeralda an der Nordküste der Insel, die Aga Khan für einen Spottpreis von einheimischen Bauern gekauft und in ein Ferienparadies für die Superreichen verwandelt hatte, einen Mini-Staat, der jedes Jahr im Sommer für zwei Monate zum Leben erwachte. Seine Bürger kamen aus allen Teilen der Welt und aus allen Sparten: Filmstars, Industrielle, Scheichs, Politiker, Kriminelle, Popsänger und Banker. Ihre kosmopolitische Enklave wurde von einer äußerst tatkräftigen Privatpolizei geschützt, doch die innere Ordnung war bemerkenswert demokratisch und egalitär. Es gab keinerlei religiöse, politische oder rassistische Diskriminierung. Das Einzige, was verlangt wurde, war Geld, haufenweise.

Als Gründer und Besitzer eines Bauunternehmens, dessen rasanter Erfolg schon fast unheimlich war, erfüllte Oscar Burolo zweifellos diese Voraussetzung. Doch anstatt sich brav wie alle anderen in die Costa einzukaufen, tat er etwas Unerhörtes, etwas so Bizarres und Merkwürdiges, dass einige Leute im Nachhinein behaupteten, sie hätten von Anfang an gewusst, dass das Ganze unter einem ungünstigen Stern stände. Oscar machte ein verlassenes Bauernhaus auf halber Höhe an der fast unbewohnten Ostküste der Insel zu *seinem* sardischen Refugium, und das noch nicht einmal am Meer, Gott bewahre, sondern mehrere Kilometer landeinwärts!

Italiener haben nicht sehr viel für exzentrisches Verhalten übrig, und diese Art von Spinnerei hätte sehr gut nichts weiter als Spott und Verachtung hervorrufen können. Doch es war ein Zeichen für die großkotzige Art, mit der Oscar seine Launen in die Tat umsetzte, dass genau das Gegenteil der Fall war. Sämtliche Reserven von Burolo Costruzioni wurden auf dieses armselige Bauernhaus verwandt, das rasch bis zur Unkenntlichkeit verändert wurde. So wurden nach und nach alle Argumente gegen Oscars Entscheidung als engstirnig und unhaltbar entlarvt.

Dem Sicherheitsaspekt, so wichtig in einer Gegend, die für Entführungen berüchtigt ist, wurde Rechnung getragen, indem man die Spitzenfirma des Landes beauftragte, die Villa einbruchssicher zu machen, koste es, was es wolle. Da er normalerweise immer Abstriche machen musste, um die Sicherheitsmaßnahmen kostengünstig zu halten, war der Berater hocherfreut, endlich einmal die Gelegenheit zu haben, ein System ohne jegliche Kompromisse entwerfen zu können. »Wenn es jemals jemand schafft, in dieses Grundstück einzudringen, dann fange ich an, an Geister zu glauben«, hatte er seinem Auftraggeber versichert, als die Arbeiten beendet waren. Nachdem er sich so seinen Seelenfrieden mit harter Münze erkauft hatte, fügte Oscar dem Ganzen eine persönliche Note hinzu, indem er ein Paar reichlich mottenzerfressener Löwen einem bankrotten Safaripark außerhalb von Cagliari abkaufte und sie auf dem Grundstück frei herumlaufen ließ. Er ging davon aus, dass das genügend Wirbel verursachen würde, um ebenso wie all die High-Tech-Maßnahmen Eindringlinge abzuschrecken.

Doch selbst Oscar konnte nichts an der Tatsache ändern, dass die Villa fast 200 Kilometer vom nächsten Flughafen und von den glitzernden Nachtlokalen der Costa Smeralda entfernt war, und zwar eine 200 km lange, nur notdürftig instand gehaltene Folterstrecke, auf der keine elektronischen Zäune ihn vor Entführern schützen konnten. War das kein großer Nachteil? Das könnte es schon sein, entgegnete Oscar, für jemanden, der bei Personentransport immer noch ausschließlich an Autos dachte. Doch die Entfernung zwischen Olbia und der Costa war nur halb so weit, wenn man es wie die Krähen machte, und wenn die spezielle Krähe dann auch noch 220 Kilometer pro Stunde zurücklegen konnte … Um die Diskussion zu beenden, packte Oscar seine Gäste üblicherweise in die »Krähe« – einen Agusta-Hubschrauber – und flog sie persönlich nach Palau oder Porto Cervo zum Aperitif.

Und was das Schwimmen betraf, da Oscar nicht wie ein gewöhnlicher Sterblicher ans Meer fahren wollte, musste das Meer halt zu ihm kommen. Zu diesem Zweck ließ er ein großes, unregelmäßiges Loch von den Ausmaßen eines kleinen Sees aus der verdorrten roten Erde hinter dem Bauernhof ausschachten. Das wurde dann mit Beton ausgegossen, mit Wasser gefüllt und durch einen Sandstrand mit sanft geschwungenen Felsen verziert, alles aus dem Küstenvorland herausgesprengt und mit Bulldozern herbeigeschafft, einschließlich der Muscheln und anderem Kleinzeug. Gerade die Muscheln gediehen prächtig, denn eine der größten Überraschungen für Burolos Gäste, wenn sie sich zu ihrem ersten Bad aufmachten, war, dass das Wasser salzig war. »Frisch aus dem Mittelmeer«, pflegte Oscar dann stolz zu erklären, »durch ein 5437 Meter langes Rohr mit einem Durchmesser von 60 Zentimetern hier hochgepumpt, alle Verunreinigungen herausgefiltert, von sechs asynchronen Wellensimulatoren bewegt und ständig überwacht, damit der Salzgehalt konstant bleibt.« Oscar benutzte gern Wörter wie »asynchron« und »Salzgehalt« und ließ gerne Zahlenkolonnen aufmarschieren. Das machte die Wirkung perfekt, die die Villa bereits anfing, auf seinen Zuhörer zu haben. Aber er wusste genau, wann er aufhören musste, und an diesem Punkt schlug er seinem Gast gewöhnlich auf den Rücken – oder, wenn es eine Frau war, legte er seine Hand vertraulich auf das Ende ihrer Wirbelsäule, gerade oberhalb ihres Hinterns – und sagte: »Also was fehlt, außer 'ner Menge Fische, Krabben und Hummer? Ich meine, die haben wir natürlich auch, aber die wissen hier genau, wo sie hingehören – nämlich auf den Teller!«

Zen hielt das Video erneut an, weil auf der Straße Schritte zu hören waren. Eine Autotür schlug zu. Doch anstatt des erwarteten Geräuschs eines startenden und wegfahrenden Wagens kehrten die Schritte dahin zurück, wo sie hergekommen waren, und verstummten ganz in der Nähe.

Er ging ans Fenster und zog die Jalousie hoch. Die hölzernen Läden hinter der Scheibe waren geschlossen, doch wenn er zwischen den schräg gestellten Leisten hindurchguckte, konnte er Bruchstücke von dem erkennen, was sich da draußen abspielte. Beide Straßenseiten waren mit Autos zugestellt, die auf der Straße selbst, auf beiden Seiten der Bäume, die die Straße säumten, und überall auf dem Gehweg parkten. Etwas entfernt vom Haus stand eine rote Limousine, abseits von den übrigen Autos und dem Haus zugewandt. Es schien niemand drin zu sitzen.

Plötzlich wurde alles dunkel, weil die Straßenlaterne direkt unter Zens Fenster ausging. Irgendwas an der automatischen Schaltung war nicht in Ordnung, sodass die Lampe ständig ihr eigenes Licht für die Morgendämmerung hielt und sich deshalb ausschaltete. Nach einiger Zeit fing sie dann wieder schwach an zu leuchten, wurde allmählich immer heller, bis sich der gleiche Zyklus wiederholte.

Zen ließ die Jalousie wieder runter und ging zum Sofa zurück. Als sein Blick auf den großen Spiegel über dem Kamin fiel, blieb er stehen, als ob die Person, die er dort sah, möglicherweise den Schlüssel zu dem in Händen hielt, was ihn irritierte. Die vorstehenden Knochen und die etwas straffe Haut, besonders um die Augen herum, gaben seinem Gesicht ein leicht exotisches Aussehen, was wahrscheinlich auf slawisches oder gar semitisches Blut irgendwann in der venezianischen Vergangenheit seiner Familie zurückzuführen war. Es war ein Gesicht, das nichts verriet, aber immer so aussah, als ob es etwas zum Ausdruck bringen wollte, was dann doch nicht kam. Seinem Gesicht hatte Zen seinen Ruf als Vernehmungsbeamter zu verdanken, denn es war eine perfekte Leinwand, auf die der andere seine eigenen Zweifel, Ängste und Befürchtungen projizieren konnte. Während andere Polizisten, wenn sie mit Kriminellen zu tun hatten, je nach Situation Zuckerbrot oder Peitsche benutzten, drängte sich Zens Kandidaten der Eindruck auf, dass sie mit einem Mann konfrontiert waren, der kaum zu existieren schien und ihnen doch ihre tiefsten Geheimnisse entgegenhielt. Sie konnten selbst ihre flüchtigsten Emotionen von diesen vollkommen leeren Zügen ablesen und wussten, sie waren verloren.

Wie alle Möbelstücke in der Wohnung war auch der Spiegel alt, aber nicht wertvoll, und die Versilberung war an einigen Stellen matt geworden. Eine besonders große abgenutzte Stelle verdeckte sehr viel von Zens Brust und erinnerte ihn an die letzten furchtbaren Szenen aus dem Video, das er sich gerade angesehen hatte: wie Oscar Burolo unter den Gewehrschüssen taumelte, die aus dem Nichts gekommen waren, die den ausgeklügelten elektronischen Schutzwall seines Grundstücks durchbrochen hatten, als ob er nicht existierte.

Mit einem Schaudern trat Zen einen Schritt zur Seite und rückte so den unheimlichen blinden Fleck von sich weg. Der Fall Burolo hatte etwas an sich, was ihn von allen anderen Fällen, mit denen er jemals zu tun gehabt hatte, unterschied. Es hatte Fälle gegeben, die ihn beruflich dermaßen vereinnahmten, dass sie sein ganzes Leben beherrschten, bis er nicht mehr richtig schlafen oder überhaupt an etwas anderes denken konnte. Aber dieser Fall war noch beunruhigender. Es war so, als ob die Aura von Geheimnis und Schrecken, die diese Morde umgab, auf ihn selbst übergriffe, als ob auch ihm von der gesichtslosen Macht, die in der Villa Burolo gewütet hatte, Gefahr drohe. Das war natürlich absurd. Der Fall war abgeschlossen, es war jemand verhaftet worden, und Zens Beschäftigung damit war nur vorübergehend, aus zweiter Hand sozusagen und oberflächlich. Trotzdem blieb dieses Gefühl von Bedrohung, und das Geräusch von Schritten reichte aus, um ihn ans Fenster stürzen zu lassen, und ein Auto, das auf halber Höhe vor seinem Haus geparkt war, schien eine Gefahr darzustellen.

Das änderte jedoch nichts an der Tatsache, dass es Zeit war, ins Bett zu gehen, das heißt eigentlich überfällig war. Er ging zurück zum Sofa, nahm sein zerknittertes Päckchen Nazionali-Zigaretten, überlegte kurz, ob er vor dem Schlafengehen noch eine rauchen sollte, entschied sich dagegen und zündete sich dann doch eine an. Er gähnte und sah auf seine Armbanduhr. Viertel nach zwei. Kein Wunder, dass er sich so seltsam fühlte. Durch die Nebel der Schlaflosigkeit schien alles so unwirklich und fließend wie in einem Traum. Er griff zur Fernbedienung, drückte die Play-Taste und versuchte, sich noch einmal auf den Bildschirm zu konzentrieren.

Eins musste man Oscar schon lassen! Natürlich hatte man die Kamera an einer günstigen Stelle aufgebaut, aber es war wirklich kaum zu glauben, dass dieser Strand, diese Felsen und diese kleinen, plätschernden Wellen keine natürliche Küste waren, sondern ein Swimmingpool, der fünf Kilometer landeinwärts lag. Was die Gruppe anging, die im Schatten eines riesigen, grün-blau gestreiften Sonnenschirms um einen Tisch saß und sich bei eisgekühlten Drinks mit Kartenspielen und Rätselmagazinen amüsierte, so war sie ziemlich typisch für die Art von Leuten, die man an einem beliebigen Tag im Juli oder August dieses Sommers in der Villa hätte antreffen können. Abgesehen von Oscar und seiner Frau gab es nur vier Gäste, denn Burolo war peinlich darauf bedacht, den Nimbus der Villa zu bewahren, indem er die Zahl seiner Gäste klein hielt und damit bei ihnen das Gefühl verstärkte, zum inner circle zu gehören. Seine Entschuldigung dafür war, dass sein Haushalt nicht in der Lage sei, große Gesellschaften auszurichten. Trotz der großartigen Geschichten über eine dort lebende Sklavengemeinschaft beschränkte sich Oscars Personal in Wirklichkeit auf einen älteren Hausmeister und dessen Frau, sowie einen jungen Mann, der mit den Löwen gekommen war und sich außerdem um den Garten kümmerte. Oscar betonte immer wieder, er sei ein Selfmademan und lege keinen Wert darauf, seinen Reichtum auf protzige Art zur Schau zu stellen. »Ich bin nur ein einfacher Baumeister, nichts weiter«, erklärte er oft. In Wahrheit war es jedoch so, dass er festgestellt hatte, dass man kleine Gruppen leichter dominieren und manipulieren konnte als große. Das Video machte das sehr deutlich. In jeder Szene, ob drinnen oder draußen, stand stets der Gastgeber selbst im Mittelpunkt. Wie er dort mit seinen silbrigen Shorts und dem nicht dazu passenden pink und blau gestreiften Seidenhemd an dem von ihm geschaffenen Strand lag, sein Kopf so übertrieben groß, als ob er aus der Feder eines Karikaturisten stammte, sah Oscar wie das uneheliche Kind des Michelin-Mannes und einer übergewichtigen Gorilla-Frau aus. Einer seiner erfolglosen Rivalen hatte mal gesagt, dass jeder, der noch Zweifel an der Evolutionstheorie hatte, offenbar nie Oscar Burolo begegnet war. Doch auf Oscars Kosten Witze zu machen, war reine Zeitverschwendung. Er griff die Geschichte sofort auf, erzählte sie selbst mit großem Vergnügen weiter und beendete sie mit der Bemerkung: »Aus diesem Grund habe ich überlebt, während Roberto den Löffel abgegeben hat, sieht ihm ganz ähnlich, diesem Dinosaurier!« Das war Oscar, der überschäumende und durch nichts zu erschütternde Oscar! Nichts konnte ihm etwas anhaben, oder zumindest schien das so.

Die Aura, die Burolo verbreitete, war so stark, dass man sich nur mit Mühe der übrigen Anwesenden bewusst wurde. Der etwas finstere Mann mit den sich lichtenden grauen Haaren und dem keilförmigen Gesicht, der links neben Oscar saß, war ein sizilianischer Architekt mit Namen Vianello, der mit Burolo Costruzioni an den Plänen für ein neues Elektrizitätswerk bei Rieti gearbeitet hatte. Leider war ihr Angebot aus technischen Gründen abgelehnt worden – etwas, das noch nie vorgekommen war –, und eine andere Firma hatte den Zuschlag erhalten. Dottor Vianello trug einen makellosen cremefarbenen Baumwollanzug und lächelte leicht angestrengt, was vermutlich damit zu tun hatte, dass er sich anhören musste, wie Oscars Frau von einem gescheiterten Einkaufstrip nach Olbia erzählte. Rita Burolo war früher eine außergewöhnlich attraktive Frau gewesen, und das Gefühl von Macht, das ihr das gegeben hatte, war immer noch da, auch wenn ihre Reize deutlich nachließen. Ihre törichten Reden hatten so lange absolute Aufmerksamkeit gefunden, dass Rita schließlich selbst glaubte, sie hätte den Leuten mehr zu bieten als ihre Beine und ihre Brüste, was ein Trost war, jetzt, wo Letztere nicht mehr ganz erstklassiges Material waren. Ihr gegenüber saß die Frau des sizilianischen Architekten, ein zartes, elfenhaftes Wesen mit ängstlichen Augen und einem leichten Schnurrbart. Maria Pia Vianello beobachtete mit einer Art andächtigen Entzückens das Schauspiel, das ihre Gastgeberin da ablieferte, wie ein Schulmädchen, das für seine Lehrerin schwärmt. *Sie* würde ganz bestimmt nie versuchen, eine Gruppe in dieser Weise zu dominieren.

Trotz dieser oberflächlichen Verschiedenheiten hatten die Vianellos und die Burolos jedoch grundsätzlich viel gemeinsam. Sie waren nicht mehr jung, aber reich genug, um das Alter noch ein paar Jahre in Schach zu halten. Die Männer waren wichtige und gewichtige Geschäftsleute. Sie erinnerten an jene Spielzeugfigürchen, die man nicht umstoßen kann, weil sie ein Bleigewicht enthalten, während die Frauen die mürrische Gereiztheit von Leuten ausstrahlten, denen jeder Luxus gewährt wurde bis auf Freiheit und Verantwortung. Das dritte Paar in der Runde war allerdings anders.

Zen ließ das Band noch einmal kurz zurücklaufen und holte die Schwimmer wieder aus dem Wasser. Dann hielt er das Bild an und betrachtete den Mann, der die Nachrichten der letzten drei Monate beherrscht hatte. Mit seinen scharfen, frettchenhaften Zügen und seinem schmächtigen Körper, zusammen mit dem fettigen Haar und einem übereifrigen Lächeln, sah Renato Favelloni wie ein Kleinstadt-Playboy aus, mal aufsässig, mal kriecherisch, immer davon überzeugt, für die Welt im Allgemeinen und die Frauen im Besonderen ein Geschenk des Himmels zu sein, gleichzeitig aber zu jeder schmutzigen Arbeit bereit, wenn es seiner Karriere diente. Zunächst war es Zen nahezu unbegreiflich erschienen, wie solch ein Mann der Drahtzieher bei den Absprachen hatte sein können, die angeblich zwischen Oscar Burolo und einem prominenten Politiker stattgefunden hatten, der in der Presse immer als »l'Onorevole« bezeichnet wurde, eine Formulierung, die Oscar angeblich in seinem geheimen Memorandum über ihre Beziehung benutzt hatte. Erst allmählich war Zen klar geworden, dass es gerade Favellonis offensichtliche Schmierigkeit war, die ihn zum Vermittler prädestinierte. Selbst bei den allerzynischsten Fällen von Korruption und Manipulation gibt es Abstufungen. Dadurch, dass Favelloni selbst die verabscheuungswürdigste Stufe verkörperte, konnten sich seine Klienten vergleichsweise relativ anständig fühlen.

Seine Frau war wie Renato selbst gut zehn Jahre jünger als die übrigen Anwesenden und genau die umwerfende Rassefrau, die Rita Burolo im gleichen Alter gewesen sein musste. Das konnte Oscars Frau nicht sonderlich für Nadia Favelloni eingenommen haben, ebenso wenig die Angewohnheit der jüngeren Frau, halb nackt herumzulaufen. Da sie inzwischen in dem Alter war, in dem die Kleidung der Frauen eher der Kaschierung als der Zurschaustellung dient, hüllte sich Signora Burolo diskret in ein wallendes Umhängetuch aus einem Material, das sehr viel weniger durchsichtig war, als es auf den ersten Blick wirkte.

Ein Gefühl von Ekel überkam Zen plötzlich bei dem Gedanken an das, was jetzt gleich mit diesem verwöhnten, verhüllten Fleisch passieren würde. Eitelkeit, Lust, Eifersucht, Langeweile, Biestigkeit, Schönheit, Witz – was spielte das alles für eine Rolle? Während die dem Tode geweihten Gesichter kokett in die Kamera blickten und sich fragten, wie sie wohl rüberkamen, hatte Zen das Bedürfnis, sie anzubrüllen: »Haut ab! Verschwindet sofort aus diesem Haus!«

Genau das hatten die Favellonis natürlich getan, und das war einer der Gründe, weshalb in Italien jeder, angefangen vom Richter, der den Fall untersuchte, bis zum Stammtischpolitiker mit Zens Mutter darin übereinstimmte, dass Renato Favelloni »es war«. Nachdem dieser schleimige Schieber und seine barbusige Frau gegangen waren, hatten sich die beiden älteren Paare zu einem ruhigen Dinner in das Esszimmer der Villa zurückgezogen mit seinem grob gefliesten Boden und dem riesigen, auf Böcken stehenden Tisch, der einst das Refektorium eines Franziskanerklosters geschmückt hatte. Als man mit dem Essen fertig war und Kaffee und Cognac serviert worden waren, hatte Oscar die Kamera wieder eingeschaltet, um die anschließende Unterhaltung aufzuzeichnen, die er wie immer mit seiner dröhnenden, emphatischen Stimme beherrschte und durch Schläge seiner haarigen Faust auf die Tischplatte akzentuierte.

Abgesehen von einem leisen metallischen Geräusch, dessen Quelle und Bedeutung umstritten waren, war das erste Zeichen dafür, dass gleich etwas passieren würde, in den nervösen Augen von Signora Vianello zu sehen. Die Frau des Architekten saß neben dem Gastgeber, der gerade eine etwas schlüpfrige Geschichte zum Besten gab. Dabei ging es um einen bekannten Fernsehmoderator und eine Stripperin, die jetzt als Abgeordnete im Parlament saß und in dessen Talkshow aufgetreten war, und darum, was die beiden angeblich in der Werbepause getrieben hatten. Maria Pia Vianello hatte mit einem vagen, verschwommenen Lächeln zugehört, als ob sie sich nicht sicher sei, ob sie sich den Anschein geben sollte zu verstehen. Dann wurde ihr Blick durch etwas auf der anderen Seite des Zimmers abgelenkt, etwas, das derartige Überlegungen belanglos machte. Ganz unvermittelt verschwand das vage Lächeln, und sie saß mit leerem Gesichtsausdruck da.

Sonst hatte niemand etwas bemerkt. Das einzige Geräusch im Raum war Oscars Stimme. Was immer Signora Vianello gesehen hatte, es schien sich zu bewegen, und sie folgte ihm mit den Augen durch das Zimmer, bis auch Oscar es sah. Er brach mitten im Satz ab, warf seine Serviette auf den Tisch und stand auf. »Was willst du?«

Man hörte keine Antwort, ja überhaupt kein Geräusch. Oscars Frau und Dottor Vianello, die mit dem Rücken zur Kamera saßen, sahen sich um. Rita Burolo stieß einen panischen Schrei aus. Vianellos Gesichtsausdruck blieb unverändert, außer dass er vielleicht ein wenig härter wurde.

»Was willst du?«, wiederholte Burolo mit einem irritierten und zornigen Stirnrunzeln. Ganz unvermittelt stieß er seinen Stuhl zur Seite und ging auf den Eindringling zu, wobei er gebieterisch nach unten sah, als ob er ein ungezogenes Kind einschüchtern wollte. Man konnte ja sagen, was man wollte, dachte Zen, aber der Mann hatte Mumm. Oder war er ganz einfach tollkühn und versuchte, vor seinen Gästen sein wagemutiges Image bis zum bitteren Ende aufrechtzuerhalten? Auf jeden Fall trat erst im allerletzten Moment Angst in Oscars Augen, als er instinktiv die Arme hochriss, um sein Gesicht zu schützen.

Eine brutale Geräuschexplosion kam durch den Lautsprecher. Von dieser Explosion im wahrsten Sinne des Wortes auseinandergerissen, verschwanden Oscars Hände. Stattdessen erschienen bei ihm überall auf Gesicht und Hals hellrote Flecken wie bei einer plötzlich ausbrechenden Infektion. Er taumelte zur Seite und hielt seine Armstümpfe hoch. Irgendwie gelang es ihm, wieder ins Gleichgewicht zu kommen und sich umzudrehen. In diesem Moment bekam er jedoch die zweite Ladung ab, die ihm den halben Brustkorb wegriss und ihn gegen die Kante des Esstischs schleuderte. Dort brach er als blutiges Bündel zu Füßen seiner Frau zusammen.

Rita Burolo hastete verzweifelt von der Leiche fort, während Vianello unter den Tisch tauchte und plötzlich eine Pistole in der Hand hielt. Das schnappende Geräusch einer Schrotflinte, die repetiert wird, mischte sich mit einem zweimaligen, leichten, kurzen Knallen aus der Pistole des Architekten. Dann war noch zweimal ein ohrenbetäubender Knall zu hören. Die erste Schrotsalve ging unter den Tisch, zersplitterte das Holz, zertrümmerte Teller und Gläser und verletzte Signora Vianello ganz übel an den Beinen. Ihr Mann war nur noch eine albtraumhafte Gestalt, die wie ein gequältes Tier auf dem Boden herumkroch. Die zweite Ladung erwischte Rita Burolo, die verzweifelt versuchte, aus dem Fenster zu klettern, das auf die Terrasse hinausging. Da sie weiter von der Waffe entfernt war als die anderen, waren die Verletzungen, die sie erlitt, mehr verstreut und bedeckten sie so fein und gleichmäßig wie Sprühregen eine Windschutzscheibe. Mit einem Verzweiflungsschrei stürzte sie aus dem Fenster und fiel auf den mit Steinplatten belegten Terrassenboden, wo sie langsam verblutete.

Trotz ihrer stark verletzten Beine gelang es Maria Pia Vianello irgendwie, sich aufzurichten. Obwohl sie selbst so klein war, erweckte auch sie den Eindruck, als ob sie auf den Eindringling herabblickte. »Einen Augenblick, bitte«, murmelte sie synchron zu dem trockenen, klinischen Geräusch, mit dem die Schrotflinte wieder geladen wurde. »Ich fürchte, ich bin noch nicht so weit. Es tut mir leid.«

Der Schuss kam aus ganz kurzem Abstand und zerfetzte sie so fürchterlich, dass an einigen Stellen Darmschlingen aus ihrem Unterleib heraustraten. Dann wurde sie von der zweiten Ladung herumgerissen. Sie griff kurz nach der Wand, dann fiel sie zu einem zerfledderten Bündel zusammen und hinterließ ein komplexes Muster von dunklen Streifen auf dem weiß getünchten Putz.

Es hatte weniger als zwanzig Sekunden gedauert, den Raum in ein Schlachtfeld zu verwandeln. In weiteren fünfzehn Sekunden würde der Hausmeister da sein, der von der Zweizimmer-Bedienstetenwohnung herbeigeeilt kam, wo er sich mit seiner Frau eine Unterhaltungssendung im Fernsehen angesehen hatte. Bis dahin war abgesehen von dem Wein, der aus einer zerbrochenen Flasche an der Tischkante tropfte, und einem Rascheln, das durch das krampfartige Zucken im Arm des sterbenden Vianello ausgelöst wurde, kein Laut zu hören. »Wenn es jemals jemand schafft, in dieses Grundstück einzudringen, dann fange ich an, an Geister zu glauben«, hatte der Sicherheitsberater Oscar Burolos versichert. Dennoch, jemand oder etwas war hineingekommen, hatte alle Anwesenden abgeschlachtet und war dann spurlos verschwunden, das alles in weniger als einer Minute und ohne jegliches Geräusch. Selbst am helllichten Tag und in Gesellschaft anderer Leute war es schwer, diese fast übernatürliche Dimension der Morde zu ignorieren. Doch in der unheimlichen Stille der Nacht und so ganz allein schien es unmöglich, an eine rationale Erklärung zu glauben.

Die Stille von dem laufenden Videoband wurde durch ein leises kratzendes Geräusch unterbrochen. Zen spürte, wie er eine Gänsehaut bekam und seine Kopfhaut zu kribbeln anfing. Er griff nach der Fernbedienung und hielt das Video an. Das Geräusch war immer noch da, ein leises, anhaltendes Kratzen. »Wie das Boot vom alten Umberto«, hatte seine Mutter gesagt.

Zen ging lautlos durch den Flur, öffnete die Tür zum Schlafzimmer seiner Mutter und sah hinein.

»Hörst du das?«, murmelte eine Stimme aus der Dunkelheit.

»Ja, Mamma.«

»Das ist gut. Ich dachte schon, ich würde mir das einbilden. Weißt du, manchmal bin ich nicht ganz richtig im Kopf.«

Er starrte zu dem im Dunkel verborgenen Bett hin. Das war das erste Mal, dass sie so etwas zugegeben hatte. Sie waren beide eine Zeit lang still, aber das Geräusch kehrte nicht wieder.

»Wo kommt das her?«

»Aus dem Kleiderschrank.«

»Aus welchem Kleiderschrank?«

In dem Zimmer standen insgesamt drei Stück, alle voller Kleider, die niemand mehr tragen würde, sorgfältig vor Motten geschützt durch großzügige Dosen Naphthalin, weshalb es in dem Raum immer wie bei einer Beerdigung roch.

»Dem großen«, antwortete seine Mutter.

Der größte Kleiderschrank nahm das mittlere Drittel der Wand ein, die zum Innenhof des Gebäudes lag. Seine Aufstellung hatte Zen damals einige Kopfschmerzen bereitet, weil er den Zugang zur Feuertreppe blockierte. Doch der Kleiderschrank war so groß, dass er nirgendwo anders hinpasste.

Zen ging zu dem Bett und strich die Steppdecke und die Laken glatt. Dann tätschelte er die Hand, die unter den Decken hervorkam. Ihre vom Alter gezeichneten Muskeln und Adern schimmerten auf beunruhigende Weise durch die pergamentartige Haut. »Das war nur eine Ratte, Mamma.«

Die beste Möglichkeit, ihre diffusen, kindlichen Ängste zu zerstreuen, war, ihre Gedanken auf etwas konkret Unangenehmes zu lenken, worüber sie sich aufregen konnte.

»Aber es hörte sich an wie Metall.«

»Die Fußleisten sind mit Zink abgesetzt«, erläuterte er aus dem Stegreif. »Damit sie sich nicht durchbeißen können. Ich werde morgen früh mit Giuseppe sprechen, und dann lassen wir den Kammerjäger kommen. Versuch jetzt, ein bisschen zu schlafen.«

Als er wieder im Wohnzimmer war, stellte er den Fernseher aus und ließ das Videoband zurücklaufen. Dabei versuchte er seine vage Beklommenheit zu zerstreuen, indem er an den Bericht dachte, den er am nächsten Tag schreiben musste. Es lag an der späten Stunde, dass alles jetzt so seltsam und bedrohlich schien, es war die Zeit, wo – wie sein Onkel ihm erzählt hatte – ein Haus nicht mehr den Leuten gehört, die zufällig gerade darin wohnen, sondern all denen, die ihnen durch die Jahrhunderte vorangegangen sind. Morgen früh würde alles wieder seine gewohnten Proportionen annehmen, und die unheimlichen Aspekte des Falls Burolo würden nur noch wie die Ausgeburten einer überreizten Fantasie erscheinen. Die eigentliche Frage war, ob man sie überhaupt erwähnen sollte. Nun war es keineswegs so, dass er etwas verbergen wollte oder musste. In diesem Fall hätte er auch gar nicht gewusst, wo er hätte anfangen sollen, da er keine Ahnung hatte, für wen der Bericht bestimmt war. Das Problem bestand darin, dass man gewisse Aspekte des Falls Burolo nur schwer erwähnen konnte, ohne sich selbst dem Vorwurf auszusetzen, ein leichtgläubiger Trottel zu sein. Das galt beispielsweise für die Aussage der siebenjährigen Tochter von Oscar Burolos Anwalt, die Ende Juli in der Villa zu Besuch gewesen war. Um ihr eine Freude zu machen, durfte sie mit den Erwachsenen zu Abend essen, und in der ganzen Aufregung hatte sie etwas vom Kaffee ihres Vaters stibitzt, mit dem Ergebnis, dass sie nicht schlafen konnte. Es war eine helle Sommernacht, und schließlich verließ das Kind sein Zimmer und machte sich auf den Weg, um das Haus zu erkunden. Sie sagte später aus, sie habe in einem der Zimmer im älteren Teil der Villa eine Gestalt herumschleichen sehen. »Zuerst habe ich mich gefreut«, sagte sie. »Ich dachte, es wäre ein Kind, und ich fühlte mich einsam und suchte jemanden zum Spielen. Aber dann fiel mir ein, dass keine Kinder in der Villa waren. Da habe ich Angst bekommen und bin in mein Zimmer zurückgelaufen.«

Wenn er solche Dinge mit einbezog, könnte er sich leicht zum Gespött der ganzen Abteilung machen, wenn er sie allerdings wegließ, setzte er sich eventuell dem Vorwurf aus, Beweismaterial zu unterschlagen. Glücklicherweise gehörte es nicht zu Zens Aufgabe, Schlussfolgerungen zu ziehen oder seine Meinung zu sagen. Was erwartet wurde, war ein knapper Bericht, der die verschiedenen Ermittlungsansätze beschrieb, die von der Polizei und den Carabinieri durchgeführt worden waren, und das Beweismaterial gegen die einzelnen Verdächtigen darlegte. Mit anderen Worten, eine reine

Schreibarbeit, für die er keine besondere Eignung besaß außer der Fähigkeit, bei offiziellen Dokumenten zwischen den Zeilen lesen zu können, die Weizenkörner dessen, was nicht gesagt wurde, aus dem riesigen Spreuhaufen dessen, was gesagt wurde, herauszupicken. Sich das Video anzusehen, war der letzte Schritt bei dieser ganzen Angelegenheit. Jetzt musste er sich nur noch hinsetzen und das Ding runterschreiben, und das würde er gleich am nächsten Morgen tun, solange er alles noch frisch in Erinnerung hatte. Bis zum Nachmittag würde die Burolo-Affäre für ihn keine größere Bedeutung mehr haben als für die breite Öffentlichkeit.

Erneut waren unten auf der Straße Schritte zu hören. Ein paar Minuten später wurde die Stille plötzlich unterbrochen, als ein Auto angelassen wurde und mit quietschenden Reifen davonjagte. Bis Zen am Fenster war, hatte es längst den Bereich der Straße verlassen, der durch die geschlossenen Läden sichtbar war. Das Motorengeräusch wurde allmählich leiser und war dann nur noch als entferntes Echo in dem Gewirr der Straßenschluchten zu hören. Die Straßenlaterne befand sich gerade in der zunehmenden Phase, und während das Licht allmählich heller wurde, konnte Zen erkennen, dass das rote Auto, das weiter unten auf der Straße geparkt hatte, nicht mehr da war. Er schloss die Jalousie und fragte sich, weshalb ihn die Tatsache, ob das Auto nun da stand oder nicht, etwas angehen sollte. Weil er darauf keine Antwort wusste, beschloss er, dass es Zeit sei, ins Bett zu gehen.

Es ist fast vorbei. Alles verschwindet, die Zweifel, die Ängste, die Sorgen, das Chaos, selbst der Schmerz. Alles zieht sich wie von selbst zurück. Es gibt nichts mehr, was ich tun muss, nichts mehr, was getan werden müsste.

Als ich ihn dort stehen sah mit dem Gewehr in der Hand, war es, als ob ich mich selbst im Spiegel sähe. Er hatte meine

Rolle übernommen, wie er da aus dem Nichts auftauchte, unversöhnlich, selbstsicher, ohne überrascht zu sein. Er hörte sich ungeduldig an, verspottete mich mit einem seltsamen Namen und drohte mir. »Es hat keinen Sinn, sich zu verstecken«, sagte er. »Bringen wir es hinter uns.« Wie gewohnt, tat ich, was man mir sagte.

Er schrie vor Zorn und Fassungslosigkeit. Was auch immer er erwartet hatte, das jedenfalls nicht. Dann wurde ich von etwas überwältigt, es schlug mich zu Boden, riss mich auseinander. Ich hätte mich nicht wehren können, auch wenn ich es gewollt hätte. Es war nicht wie beim ersten Mal, als der Mann unter dem Tisch mich mit seiner Pistole verwundete. Er hat mir nur Schmerzen zugefügt. Das hier war anders. Ich wusste sofort, dass ich den Tod in mir trug.

Jetzt wird es nicht mehr lange dauern. Ich fühle mich schon ganz leicht und körperlos, als ob ich mich auflöste. Die Dunkelheit kommt näher, sie ballt sich zusammen, um mich einzuhüllen, mich in ihre endlosen Falten zu wickeln. Alles fließt. Das feste Gestein gibt unter meiner Berührung nach, der Boden unter mir gerät in Bewegung, als ob der Fluss in seinen Lauf zurückgekehrt wäre, unerforschte Höhlen explodieren wie Feuerwerk, während ich voranschreite. Ich bin verloren, ich, die ich diesen Ort besser kenne als meinen eigenen Körper!

Mittwoch, 07.20–12.30

Als Zen die Wohnungstür hinter sich zuzog, quietschte sie wie immer in den Angeln, was sofort von einem Echo eine Etage höher beantwortet wurde. Einer der Mieter dort hielt einen Vogel, der offenbar meinte, bei Zens Wohnungstür handele es sich um einen gefiederten Kollegen, und ihren klagenden Ruf stets mit einem aufmunternden Zwitschern beantwortete.

Zen polterte die Treppe hinunter, immer zwei Stufen auf einmal nehmend, und ließ den uralten Aufzug mit seinem schmiedeeisernen Käfig links liegen. Gott sei Dank für die Arbeit, dachte er, da die ihm einen unanfechtbaren Grund gab, seiner dunklen, vollgestopften Wohnung und der alten Frau zu entfliehen, die davon in einer Weise Besitz ergriffen hatte, dass er sich wieder wie ein Kind vorkam, ohne Rechte und ohne eigenständiges Leben. Was würde passieren, wenn er diese willkommene Möglichkeit, seine Tage auszufüllen, nicht mehr hätte? Die Regierung hatte in letzter Zeit mehrmals lautstark verkündet, dass es notwendig sei, den aufgeblähten öffentlichen Dienst zu verkleinern. Dazu bot sich die frühzeitige Pensionierung von älteren Beamten an. Doch glücklicherweise würde es beim bloßen Gerede darüber bleiben. Für eine Regierung, die aus einer Koalition von fünf Parteien bestand, von denen jede ihre Interessen vertreten und ihre Wähler glücklich machen musste, war es praktisch unmöglich, Gesetze zu erlassen, die auch nur bei irgendjemandem ein wenig unbeliebt sein könnten, geschweige denn, die bürokratische Hydra in Angriff zu nehmen, die fast einem Drittel der arbeitenden Bevölkerung eine gesicherte Stelle garantierte. Dennoch würde er eines Tages in den Ruhestand gehen müssen. Dieser Gedanke suchte ihn immer wieder heim wie die Aussicht auf eine chronische Krankheit. Wie würde er den Tag herumkriegen? Was würde er tun? Sein Leben war in eine Sackgasse geraten.

Giuseppe, der Hausmeister, warf vom Fenster seiner Wohnung im Zwischengeschoss aus ein aufmerksames Auge auf das Kommen und Gehen der Leute. Zen nahm sich nicht die Zeit, ihm etwas von den kratzenden Geräuschen zu sagen, die er in der vergangenen Nacht gehört zu haben glaubte. Bei Tageslicht schien das Ganze so unwirklich wie ein Traum.

Die Straßen waren in das milde Licht der Novembersonne getaucht, und es herrschte geräuschvolle Betriebsamkeit. Gruppen lärmender Schulkinder zogen vorüber und stellten den Teil ihrer Persönlichkeit zur Schau, der während der nächsten fünf Stunden lebendig begraben sein würde. Das metallische Getöse von Rollläden kündigte an, dass die Geschäfte in der Gegend gerade aufmachten. Ein abgehacktes Hämmern und das Pfeifen eines Lackiergerätes kam aus den offenen Fenstern der ebenerdigen Werkstätten, wo Handwerker geheimnisvolle Operationen an Metern und Abermetern nach Maß geschnittener Holzplanken vollzogen. Doch der Verkehr beherrschte alles: das gleichförmige Summen der neuen Autos, das individuelle Lärmen der alten, das raue Tuckern der Dieselmotoren, das zornige Knattern der Motorroller und dreirädrigen Lieferwagen, das dumpfe Brummen der Busse, das kettensägenartige Kreischen eines Trail-Bikes ohne Auspuff, das Quietschen der Bremsen und der schrille Missklang streitender Hupen.

Der Händler an der Ecke legte gerade letzte Hand an die Zeitungen und Zeitschriften, die in einer komplizierten, überlappenden Anordnung um seinen Stand herum drapiert waren. Wie gewohnt kaufte Zen dort seine Zeitung, aber er warf noch nicht einmal einen Blick auf die Schlagzeilen. Er fühlte sich gut, gelassen und sorglos, befreit von jener schwarzen Magie, die während der vergangenen Nacht auf eigenartige Weise von seiner Seele Besitz ergriffen hatte. Er würde später noch genügend Zeit haben, um von Katastrophen und Skandalen zu lesen, die absolut nichts mit ihm zu tun hatten.

Gegenüber dem Zeitungsstand lag an der Ecke des nächsten Häuserblocks das Café, in das Zen immer ging, hauptsächlich deshalb, weil es die immer mehr um sich greifende Unsitte nicht mitmachte, entrahmte Milch für den Cappuccino zu verwenden, die statt der dicken Schaumkrone nur ein paar fade Bläschen produzierte. Der Barmann, der mit einem prächtigen Schnurrbart als Ausgleich für seinen kahlen Schädel protzte, begrüßte Zen mit respektvoller Herzlichkeit und wandte sich dann unaufgefordert um, um ihm seinen Kaffee zu machen.

»Barbaren!«, rief ein gedrungener Mann im Tweedanzug und sah von der Zeitung auf, die er vor sich auf der Bar ausgebreitet hatte. »Die sind ja total verrückt! Was hat das für einen Sinn? Was wollen die damit erreichen?«

Zen nahm sich ein duftendes Brioche, bevor er sich an den mit Kakao besprenkelten Schaum auf dem Cappuccino heranmachte, den Ernesto vor ihn hinstellte. Erst nachdem sie sich mehrere Jahre lang jeden Morgen in dieser Bar getroffen hatten, hatte Zen – dank eines entzündeten Backenzahns, der dringend behandelt werden musste – festgestellt, dass es sich bei dem aufgebrachten Zeitungsleser um den Zahnarzt handelte, dessen Name auf einem der beiden Messingschilder stand, die Giuseppe jeden Morgen gewissenhaft polierte. Er war froh, dass er der Versuchung widerstanden hatte, in die Zeitung zu gucken. Zweifellos gab es wieder eine neue dramatische Enthüllung in der Burolo-Affäre. Es verging kaum ein Tag ohne. Doch während solche Dinge für den Zahnarzt eine

Art Unterhaltung waren, ein Vorwand, seine moralische Entrüstung zum Ausdruck zu bringen, bedeuteten sie für Zen Arbeit, und die begann für ihn erst in einer halben Stunde. Müßig dachte er darüber nach, was wohl die anderen Männer in der Bar sagen würden, wenn sie wüssten, dass er ein Videoband bei sich hatte, auf dem die Burolo-Morde in allen schaurigen Einzelheiten zu sehen waren.

Bei diesem Gedanken stellte er seine Kaffeetasse ab und klopfte leicht auf seine Manteltasche, um sich zu vergewissern, dass die Videokassette noch da war. Das wäre ein Fehler, den er sich auf keinen Fall erlauben durfte. Es hatte bereits eine undichte Stelle gegeben, als Standfotos aus dem Band, das Burolo aufgenommen hatte und auf dem Liebesszenen zwischen seiner Frau und dem jungen Löwenhüter zu sehen waren, in einem billigen Skandalblättchen veröffentlicht worden waren. Solch eine Zeitschrift oder einer von den skrupelloseren privaten Fernsehsendern wäre sicher bereit, ein kleines Vermögen für ein Video mit den Morden selbst zu zahlen. Das verschwundene Band könnte in so einem Fall sofort bis zu Zen zurückverfolgt werden, der es aus dem Archiv entliehen hatte. Jeder würde annehmen, dass Zen das Band verkauft hätte, und die gegenteiligen Beteuerungen seitens der Zeitschrift oder des Fernsehsenders – falls die sich überhaupt diese Mühe machen sollten – würden als Teil des Deals abgetan werden. Vincenzo Fabri wartete seit Monaten auf so eine Gelegenheit. Er würde sie nicht ungenutzt verstreichen lassen!

Zen war inzwischen klar, dass er seit seiner unerwarteten Beförderung aus seiner bisherigen untergeordneten Tätigkeit in eine höhere Position bei der Criminalpol, der Vorzeigeabteilung des Ministeriums, so ziemlich alles falsch gemacht hatte. Das hing mit der weitverbreiteten, aber falschen Vorstellung von der Arbeit dieser Gruppe zusammen. Die Presse, die sich vom Zauberwort der Eliteeinheit hinreißen ließ, stellte sie als ein Team von hoch qualifizierten »Supercops«

dar, die über die Halbinsel fegten und die Fälle knackten, die sich für die Provinzbeamten als zu schwierig erwiesen hatten. Zen hatte sich seitdem oftmals reuevoll gesagt, dass er es besser hätte wissen müssen. Gerade ihm hätte klar sein müssen, dass es bei der Polizeiarbeit nie auf individuelle Fähigkeiten ankam. Es ging einzig und allein darum, gewisse Maßnahmen durchzuziehen. Gelegentlich führten diese dazu, dass Verbrechen geklärt wurden, aber das war nur ein Nebenprodukt des eigentlichen Zwecks, der darin bestand, die Machtverteilung innerhalb der Institution selbst zu erhalten beziehungsweise wieder in Ordnung zu bringen. Das Ergebnis war ein ständiges Hin und Her, eine unaufhörliche frenetische Aktivität, die man für sinnvolle Arbeit hätte halten können.

Dennoch war das ein Fehler, den Zen niemals hätte machen dürfen und der ihm teuer zu stehen kam. Wenn er nach Bari oder Bergamo oder sonst wohin geschickt wurde, hatte er sich stets voller Energie auf die jeweiligen Fälle gestürzt, die er bearbeiten sollte, hatte prüfende Fragen gestellt, Kritik ausgeteilt, die Untersuchung neu organisiert und überhaupt versucht, die Dinge so weit wie möglich in Bewegung zu bringen. Er hatte die kühne Vorstellung gehabt, dass er auf diese Weise am schnellsten zu Ergebnissen käme, und sich nicht klargemacht, dass die vom Ministerium erwünschten Ergebnisse sich automatisch aus der Tatsache ergaben, dass man ihn geschickt hatte. Er brauchte keinen Finger zu rühren, ganz im Gegenteil, es war sogar wichtig, dass er das nicht tat. Weit entfernt davon, der »007 aus dem Ministerium« zu sein, den die Presse so gern porträtierte, waren die Mitarbeiter von Criminalpol eher vergleichbar mit Schulräten oder Flughafeninspektoren. Ihre Besuche gaben dem Ministerium die Chance, ein relativ zuverlässiges Bild davon zu bekommen, was so vor sich ging, die Provinzbehörden daran zu erinnern, dass alle Macht letztlich in Rom lag, und den betroffenen Pressuregroups zu signalisieren, dass etwas unternommen wurde. Niemand wollte, dass Zen den Fall, dem seine Mission eigentlich galt, auch tatsächlich löste. Weder die örtliche Polizei, die sich dann die Frage gefallen lassen müsste, warum sie nicht ohne Hilfe zu ähnlichen Ergebnissen gekommen sei, noch das Ministerium, für das jede Lösung lediglich eine Reihe weiterer Probleme bedeutete. Das Einzige, was er tun musste, um es allen recht zu machen, war, nach Schema F vorzugehen.

Als ihm das endlich klar wurde, hatte Zen es sich unglücklicherweise mit den meisten seiner neuen Kollegen bereits verdorben. Zugegebenermaßen hatte er mit einem ziemlich starken Handicap angefangen, was mit der Art seiner Ernennung zusammenhing. Die war nämlich von einem der Verdächtigen im Entführungsfall Miletti eingefädelt worden, in dem Zen in Perugia ermittelt hatte. Zens anschließende Beförderung hatten natürlich viele Leute als eine Art Bestechung angesehen, und damit war der Ärger vorprogrammiert. Doch das wäre ihm vielleicht irgendwann verziehen worden, wenn der Neuling nicht in taktloser Weise seine Energie zur Schau gestellt hätte; dazu hatte er noch das Pech, sich einen der redegewandtesten und beliebtesten Männer der Belegschaft zum Feind zu machen. Vincenzo Fabri hatte bei zahlreichen Gelegenheiten bereits vergeblich versucht, seine Beförderung durch politischen Druck durchzusetzen, und er konnte es Zen nicht verzeihen, dass diesem etwas gelungen war, wo er selbst versagt hatte. Fabri war zu einer Art Brennpunkt für die Abneigung geworden, die Zen hervorgerufen hatte, und er schürte diese Stimmung durch zahlreiche witzige und bösartige Anekdoten, die Zen immer erst dann zu Ohren kamen, wenn der Schaden bereits angerichtet war. Und weil Fabris Groll vollkommen irrational war, war Zen sicher, dass er umso beständiger sein würde.

Er knüllte seine Papierserviette zu einer Kugel zusammen, warf sie in den Mülleimer und ging zur Kasse, die sich in der

Ecke zwischen den beiden Eingängen des Cafés befand. Die Zeitung, in der der Zahnarzt gelesen hatte, lag noch aufgeschlagen auf der Bar, und Zen konnte die reißerische Schlagzeile: »DIE ROTEN BRIGADEN KEHREN ZURÜCK« einfach nicht übersehen. Als er den darunter stehenden Artikel überflog, erfuhr er, dass am vergangenen Abend ein Richter in seiner Wohnung in Mailand niedergeschossen worden war.

Darauf hatten sich also die rhetorischen Fragen des Zahnarztes bezogen. Ja, wirklich, was hatte das alles für einen Sinn? In früheren Zeiten schienen solche hirnlosen terroristischen Akte, so schockierend sie auch waren, zumindest heroische Gesten von unbestreitbarer Bedeutung darzustellen. Aber diese Zeiten waren lange vorbei, und Wiederauflagen waren nicht nur moralisch genauso abscheulich wie die Originale, sondern außerdem noch antiquiert und sozusagen aus zweiter Hand.

Während er zur Bushaltestelle ging, las Zen in seiner eigenen Zeitung über die Schießerei. Der ermordete Richter, ein gewisser Bertolini, war niedergeschossen worden, als er von der Arbeit nach Hause kam. Sein Chauffeur, der ebenfalls getötet wurde, hatte auf die Angreifer geschossen und wahrscheinlich einen von ihnen verwundet. Bertolini war keine besonders herausragende Persönlichkeit, auch hatte er anscheinend mit den Prozessen gegen die Aktivisten der Roten Brigaden nichts zu tun. Es entstand der Eindruck, dass er ausgesucht worden war, weil er ein leichtes Ziel darstellte, was an sich schon ein beschämender Kommentar über den Machtverfall der Terroristen war, verglichen mit den Zeiten, wo sie offenbar zuschlagen konnten, wo sie wollten.

Zens Augen schweiften zu den kleineren Schlagzeilen weiter unten auf der Seite. »WEGEN EHEBRUCH LEBENDIG VERBRANNT« lautete eine von ihnen. Die Geschichte schilderte, wie ein Ehemann in Genua seine Frau mit einem anderen Mann erwischt, beide mit Benzin übergossen und angezündet hatte. Er faltete die Zeitung abrupt zusammen und schob sie unter seinen Arm. In dieser Hinsicht brauchte er sich allerdings keine Sorgen zu machen. Da konnte er wirklich froh sein!

Als der Bus auf die Haltestelle zugefahren kam, setzten sich mehrere Gestalten, die bisher untätig in der Gegend herumgestanden hatten, in Richtung Straße in Bewegung, um bei der Lotterie, wo denn diesmal die hinteren Türen des Busses zum Stehen kommen würden, ihr Glück zu versuchen. Zen lag heute Morgen einigermaßen richtig, mit dem Ergebnis, dass er rücksichtslos von allen Seiten angerempelt wurde, als die weniger Glücklichen versuchten, ihr Los zu verbessern. Hinter ihm setzte jemand seine Ellbogen so dreist ein, dass Zen sich umdrehte, um zu protestieren, wobei er beinahe seinen Platz einbüßte. Doch am Ende siegte die Gerechtigkeit, und Zen schaffte es, sich noch, kurz bevor die Türen zugingen, in den Bus zu quetschen.

Die Ereignisse, von denen in der Zeitung die Rede war, zeigten ihre Auswirkungen bereits am Viminale. Die Zufahrtsstraßen zum Ministerium wurden von gepanzerten Mannschaftswagen mit Geschütztürmen auf dem Dach bewacht. Die Schranken waren heruntergelassen, und alle Fahrzeuge wurden sorgfältig durchsucht. Wer zu Fuß kam, musste von der Piazza aus über eine Treppe durch ein schweres Metallgitter gehen, dessen Pforte normalerweise offen stand. Doch heute wurde jeder in dem Käfig angehalten und musste unter den wachsamen Augen von zwei Posten, die kugelsichere Westen trugen und mit Maschinenpistolen bewaffnet waren, seinen oder ihren Ausweis vorzeigen.

Nachdem er die Sicherheitskontrolle passiert hatte, ging Zen in den dritten Stock, wo Criminalpol auf der vorderen Seite des Gebäudes eine Reihe von Zimmern belegte. Der Kontrast zu der fensterlosen Zelle, in der man Zen bei seiner früheren Tätigkeit hatte sitzen lassen, hätte kaum verblüffender sein können. Durch geschmackvolle Renovierung, ergänzt durch hier und da aufgestellte Topfpflanzen und ein paar alte Stiche, war eine angenehme Arbeitsatmosphäre geschaffen worden, ohne die bedrückenden hierarchischen Abstufungen, die man normalerweise mit Regierungseinrichtungen verbindet.

»Ganz wie in alten Zeiten!«, bemerkte Giorgio De Angelis, als Zen an ihm vorbeikam. »Die Jungs da oben lieben das natürlich. Noch ein paar mehr von der Sorte, und sie können sich wieder all die Sondervollmachten an Land ziehen, die man ihnen abgenommen hat, seit sich die Lage beruhigt hat.«

De Angelis war ein großer, stämmiger Mann, dessen Haaransatz so drastisch nach hinten gerutscht war, dass er nun jene große, glänzende Stirn aufwies, die man im Allgemeinen mit edlen und weltfremden Geistern verbindet. Dieser Eindruck wurde jedoch durch seine Knollennase verdorben, deren Löcher fast negroide Proportionen hatten und aus denen Haare wie Pflanzen sprossen, die eine Nische in einem bröckligen Mauerwerk gefunden haben. Er stammte aus der Stadt Crotone, östlich des Sila-Gebirges mitten in Kalabrien. Einer der zusammenhanglosen Fakten, die Zen noch von der Schule im Kopf hatte, war, dass Crotone der Heimatort von Pythagoras war. Das erklärte vielleicht, weshalb De Angelis ihm wie eine Mischung aus einem griechischen Philosophen und einem barbarischen Piraten vorkam, was ganz treffend Zens Unsicherheit bezüglich des Charakters und der Motive seines Kollegen zusammenfasste.

»Ehrlich gesagt, es würde mich kein bisschen wundern, wenn die das Ganze arrangiert hätten«, fuhr der Kalabrese munter fort. »Die Roten Brigaden haben offenbar jegliche Verantwortung abgestritten. Davon mal abgesehen, hatte dieser Bertolini überhaupt nichts mit Terrorismus zu tun. Weshalb sollten die gerade auf ihn verfallen?«

Zen zog seinen Mantel aus und ging ihn aufhängen. Er wäre froh gewesen, wenn er De Angelis hätte sympathisch finden können, den einzigen von seinen neuen Kollegen, der sich bemühte, freundlich zu ihm zu sein. Aber gerade diese Tatsache zusammen mit den politisch provokanten Kommentaren, die De Angelis gern von sich gab, hatten bei Zen den Verdacht geweckt, dass der Kalabrese ausdrücklich darauf angesetzt war, ihn auszuhorchen und zu kompromittierenden Bekenntnissen zu verleiten. Selbst angesichts der gegenseitigen Animositäten zwischen den Angehörigen der Kriminalpolizei und ihren politischen Kollegen »eine Etage höher«, fiel De Angelis' letzte Bemerkung völlig aus dem Rahmen.

»Hast du die Zeitung gelesen?«, fragte De Angelis. »›Die Terroristen kehren zurück‹. ›Angst geht in den Fluren der Mächtigen um‹. Lauter Scheiße, wenn du mich fragst. Die verdammten Roten Brigaden rennen nicht rum und durchsieben die Leute mit Schrotkugeln. Für unsere Yuppie-Terroristen kommt nur das beste Material infrage. M42er, Armalites, Kalaschnikows, ganz modernes Zeug. Schrotflinten gehören zum Verbrechen im alten Stil oder sind Heimwerkerprodukte.«

Er sah Zen an, der stirnrunzelnd seinen Mantel abklopfte. »Hast du was verloren?«

Zen blickte zerstreut um sich. »Was? Ich glaub, ja. Aber in diesem Fall hätten es die Politischen auch kaum gewesen sein können.«

»Wie meinst du das?«

Zen suchte gründlich in allen Manteltaschen, doch seine Hände kamen immer wieder leer hervor. »Nun, die hätten wahrscheinlich die richtige Waffe benutzt.«

De Angelis machte einen verdutzten Eindruck. Dann verstand er und pfiff bedeutungsvoll. »Oh, du meinst … Hör mal, Aurelio, ich würde an deiner Stelle nicht so laut sprechen, wenn du so etwas sagst.«

Zu spät erkannte Zen, dass er in eine Falle getappt war.

»Ich habe nicht gemeint, dass sie ihn getötet haben«, erklärte De Angelis, »nur dass sie die Reaktion der Medien auf seinen Tod manipuliert haben. Ich meine, du glaubst doch nicht etwa …«

»Nein, natürlich nicht.«

Er wandte sich mit einem matten Lächeln ab. Er hatte sich soeben auf übelste Art bloßgestellt, indem er etwas aussprach, was zweifellos jeder dachte, was aber kein Angestellter des Ministeriums, der es zu etwas bringen wollte, sich leisten konnte, laut zu sagen. Aber das machte nichts, jedenfalls im Moment. Das Einzige, was im Augenblick zählte, war, dass die Videokassette mit den Burolo-Morden aus seiner Manteltasche verschwunden war.

Zen ging zwischen den mit Leinen bezogenen Trennwänden hindurch, die den Arbeitsplatz eines jeden Beamten abteilten, ließ sich auf den Stuhl hinter seinem Schreibtisch fallen und zündete sich eine Zigarette an. Mit erschreckender Klarheit vergegenwärtigte er sich, was passiert war, als er in den Bus stieg. Es war ein klassischer Trick von Taschendieben, heftige Schläge an einer »sicheren« Stelle wie Rücken oder Schultern auszuteilen, damit die leichte Bewegung, mit der die Brieftasche oder das Portemonnaie weggezogen wird, unbemerkt bleibt. Der Dieb musste die Ausbuchtung in Zens Manteltasche bemerkt und sich einiges davon versprochen haben.

Optimistisch betrachtet bestand eine gute Chance – oder zumindest eine Chance –, dass der Dieb, nachdem er seinen Irrtum bemerkt hatte, das Band einfach wegwerfen würde. Selbst wenn die Neugier ihn dazu veranlasste, sich das Band anzusehen, dann waren die ersten Szenen nicht sonderlich interessant. Sofern man nicht zufällig Burolo und die anderen erkannte, sah das Ganze einfach wie eins von diesen Heimvideos aus, ein Andenken an die Sommerferien von jemand X-Beliebigem. Alles hing davon ab, ob der Dieb erkannte, dass sein »Irrtum« ihm etwas in die Hand gegeben hatte, das mehr wert war als alle Brieftaschen, die er je im Leben stehlen könnte. Eins war allerdings klar, Zen konnte absolut nichts tun, um den Ausgang in irgendeiner Weise zu beeinflussen.

Er hatte das Abfassen des Berichts als lästige Schreibarbeit angesehen, doch nach dem, was passiert war, war es eine absolute Wohltat, sich die Schreibmaschine heranzuziehen, ein Blatt einzuspannen und sich in die Arbeit zu vertiefen. Der erste Teil, der die Ergebnisse der Untersuchungen am Tatort zusammenfasste, ging sehr schnell. Aufgrund des Beweismaterials auf der Videoaufnahme und des sofortigen Eintreffens des Hausmeisters bestand keinerlei Zweifel hinsichtlich Mordart und Tatzeit. Die Mordwaffe war nicht gefunden worden, aber man nahm an, dass es sich um die Remington-Schrotflinte handelte, die in der Sammlung fehlte, die Oscar auf einem Ständer in dem Raum neben dem Esszimmer stehen hatte. Die Patronenhülsen, die man am Tatort gefunden hatte, entsprachen nach Fabrikat, Typ und Seriennummer denen, die in der Kommode unter dem Waffenständer aufbewahrt wurden. An den Verletzungen der Opfer konnte man erkennen, dass die Schüsse nach oben abgegeben worden sein mussten, woraus man schließen konnte, dass die Waffe offenbar aus der Hüfte abgefeuert worden war. Bei einer solchen Entfernung war es nicht nötig, genau zu zielen, was das Video nur zu deutlich demonstrierte.

Die beiden Pistolenkugeln, die Vianello abgefeuert hatte, waren gefunden worden, und an einer waren Spuren, die zur gleichen Blutgruppe gehörten wie die Blutflecken an der Stelle, an der der Mörder schätzungsweise gestanden hatte. Eine Reihe von Blutflecken derselben Blutgruppe – die auch Oscar Burolo, Maria Pia Vianello und Renato Favelloni hatten – führte, wie man feststellte, zu dem Gewölbe unterhalb des Hauses, wo Oscars Sammlung von Videokassetten und Computerdisketten untergebracht war. Beim Durchsuchen der Villa stellte man fest, dass sich dieser Raum in totalem

Chaos befand; das neue Regal, das Oscar erst vor Kurzem hatte einbauen lassen, war umgeworfen worden, und überall verstreut lagen Videokassetten und Floppy Disks. Die Fingerabdrücke, die man auf dem Waffenständer gefunden hatte, waren auch hier reichlich vertreten.

Zen hielt mit dem Tippen inne, um seine Zigarette auszudrücken. Hinter der Trennwand konnte er Männerstimmen hören, die sich lautstark über die Vor- und Nachteile des neuen Fiat-Hecktürmodells stritten. Er konnte die Stimme von Vincenzo Fabri und die eines anderen Beamten, Bernardo Travaglini, heraushören. Dann bemerkte er eine leichte Bewegung in seiner unmittelbaren Umgebung und stellte fest, dass Tania Biacis neben seinem Schreibtisch stand.

»Wie bitte?«, murmelte er.

»Ich habe nichts gesagt.«

»Oh.«

Er sah sie hilflos an, gelähmt von seinem Verlangen, die Hand nach ihr auszustrecken und sie zu berühren. Diese Art Wortwechsel voller Missverständnisse und Sackgassen war typisch für ihre Gespräche. Vermutlich nahm Tania nur an, dass Zen ein bisschen schusselig sei, und dachte nicht weiter darüber nach. Das hoffte er jedenfalls.

»Das ist für dich.« Sie gab ihm einen Briefumschlag aus dem Stapel Hauspost, den sie verteilte.

»Was gabs denn gestern Abend?«, fragte Zen. »Die Oper oder den neuen Fellini?«

»Die Oper streikt«, sagte sie nach kurzem Zögern. »Und was Federico angeht, den haben wir nach dem letzten Film aufgegeben. Der Mann war ein Genie, das muss man ihm lassen, doch was zu viel ist, ist zu viel. Nein, wir sind in diesem kleinen Restaurant da draußen in der Nähe vom Tivoli essen gegangen. Bist du schon mal da gewesen? Das ist im Moment ganz in. Enrico Montesano war da mit der merkwürdigsten Frau, die ich je gesehen habe, falls das überhaupt eine Frau war. Aber du solltest bald mal hingehen. Das Essen geht schon den Bach runter. Noch ein paar Wochen, dann kannst dus vergessen.«

Zen sah sie an und hörte kaum, was sie sagte. So groß, wie sie war, ziemlich breitschultrig und mit kleinen Brüsten, mit Augenbrauen, die sich hoch über ihren dunkelbraunen Augen wölbten, vorstehenden Backenknochen, einem kräftigen Hals und einem leichten Flaum auf ihrer vorstehenden Oberlippe, die gewöhnlich gekräuselt war, als ob sie ihre Belustigung unterdrücken müsste, sah Tania Biacis wie eine byzantinische Madonna aus, die ihrem Mosaik in einer kühlen Apsis entstiegen war, keine Madonna des Leidens, sondern der Freude, des heimlichen Vergnügens, die wusste, dass das Universum in Wirklichkeit der allergrößte Witz ist, und kaum glauben konnte, dass irgendjemand das ernst nehmen könne. Wie er selbst stammte auch Tania aus dem Norden, aus einem Ort in der Region Friaul, östlich von Udine. Das hatte sie sogleich miteinander verbunden, und mit der Zeit erfuhr Zen von ihrem Interesse an Film, Musik, Segeln, Skifahren, Essen, Reisen und Fremdsprachen. Er stellte außerdem fest, dass sie vierzehn Jahre jünger war als er – und verheiratet.

»Ist mir ganz egal, was dein Händler dir erzählt hat«, verkündete Vincenzo Fabri lautstark. »Solange ein Getriebe keine 100.000 Kilometer gelaufen ist – und zwar unter wirklichen Straßenbedingungen und nicht auf irgendeiner Teststrecke in Turin –, weiß nicht einmal Agnelli selbst, wie viel es aushält.«

»Na und?«, erwiderte Travaglini. »Bei dem Rabatt, den ich kriege, kann ich ihn so lange fahren, bis die Garantie ausläuft, und ihn dann immer noch ohne Verlust verkaufen. Das bedeutet ein Jahr umsonst fahren.«

»Würdest du mir einen Gefallen tun?«, flüsterte Tania hastig.

»Natürlich.«

»Du weißt doch noch gar nicht, was.«

»Das macht nichts.«

Zen konnte nichts Verrücktes oder Ungewöhnliches in dieser Behauptung sehen, die die reine Wahrheit war. Doch als sie sich mit einem leicht irritierten Blick abwandte, wurde ihm klar, dass alles ganz falsch geklungen hatte, entweder zu überschwänglich oder zu beiläufig.

»Vergiss es«, sagte sie und verschwand zwischen den Trennwänden, wie ein Schauspieler, der die Bühne verlässt.

Zen saß da und wurde sich ihrer Abwesenheit mit einem deutlichen Schmerz bewusst, wie er ihn längst vergessen geglaubt hatte, nämlich die Art von Schmerz, der mit Verliebtheit verbunden ist, um den man nicht gebeten hat und den man noch nicht einmal unbedingt möchte, der einen aber einfach überfällt. In der Jugend war es natürlich normal, so zu leiden, aber womit hatte er in seinem Alter ein solches Schicksal verdient?

Er riss die Mitteilung auf, die sie ihm gebracht hatte.

Von: Dogliotti, Stellvertretender Abteilungsleiter, Archiv.
An: Zeno, Vice-Questore, Polizia Criminale.
Betr.: 46429 BUR 433/K/95 (eine Videokassette)
Sie werden gebeten, den oben genannten Gegenstand so bald wie möglich zurückzugeben, da er ....

In die freie Zeile hatte jemand etwas Unleserliches hineingeschrieben.

Zen stopfte die Mitteilung mit einem müden Seufzen in die Tasche. Er hatte sich solche Sorgen darum gemacht, was passieren würde, falls das Video in die falschen Hände geriete, dass er die naheliegenden Probleme völlig vergessen hatte. Das Exemplar, das das Ministerium von dem Burolo-Video hatte, war natürlich nur eine Kopie, da das Original beim Gericht in Nuoro aufbewahrt wurde. Genau genommen war sein Verlust also nichts weiter als eine Unannehmlichkeit, aber das bedeutete nicht, dass Zen ganz einfach unten im Archiv vorbeigehen und den Leuten dort sagen könnte, was passiert war. Rein theoretisch durften offizielle Unterlagen nur mit einer vom zuständigen Abteilungsleiter unterzeichneten, schriftlichen Genehmigung mit nach Hause genommen werden. In der Praxis kümmerte sich kein Mensch darum, doch in dem Moment, wo etwas schiefging, würden die Vorschriften ganz streng ausgelegt.

Erneut machte sich Zen an die vor ihm liegende Aufgabe, um diesen Problemen zu entfliehen. Der nächste Teil des Berichts war erheblich komplizierter als der, den er gerade geschrieben hatte. Denn während die Fakten im Fall Burolo relativ klar waren, war ihre mögliche Auslegung politisch hochexplosiv. Zens kompletter Bericht würde in der zentralen Datenbank des Ministeriums gespeichert werden und damit jedem, der über das entsprechende Terminal und Codewort verfügte, zugänglich sein. Seine Ansichten und Schlussfolgerungen würden also für die Ewigkeit elektronisch konserviert werden. Zumindest brauchte er sich nicht selbst mit den gefürchteten leuchtenden Bildschirmen herumzuschlagen! Der Gebrauch von Computern setzte sich unaufhaltsam in den einzelnen Gesetzesvollzugsbehörden durch, wenn auch der Traum von einem einheitlichen elektronischen Datenpool ausgeträumt war, als man feststellte, dass die Systeme, für die sich die Polizei und die Carabinieri jeweils entschieden hatten, nicht kompatibel waren, weder miteinander noch mit dem vollkommen anderen System, das von den Gerichtsbehörden benutzt wurde. Es war ein Zeichen für ihren elitären Status, dass man den Criminalpol-Beamten, die das wünschten, erlaubt hatte, ihre lädierten Olivetti-Maschinen zu behalten, die mit dem geschwungenen Fünfzigerjahre-Design, das jetzt wieder in Mode war.

Zen zündete sich noch eine von seinen streng aromatischen einheimischen Zigaretten an, starrte inspirationsheischend an die niedrige Decke mit ihren rechteckigen Platten und begann wieder, in die Tasten zu hauen.

»Aufgrund der außerordentlichen Schwierigkeiten, unbefugt in die Villa zu gelangen, war die Zahl der Verdächtigen äußerst begrenzt. Dennoch sind im Laufe der Zeit fünf Möglichkeiten für untersuchenswert erachtet worden. Die erste – chronologisch betrachtet – betrifft Alfonso und Giuseppina Bini. Bini fungierte als Hausmeister und Faktotum in der Villa, während seine Frau kochte und putzte. Beide standen seit mehr als zehn Jahren in Burolos Diensten. Das Paar behauptet, zur Zeit der Morde in seiner Wohnung im nördlichen Flügel des Anwesens ferngesehen zu haben. Die Entfernung zwischen dieser Wohnung und dem Esszimmer macht die gesamte Breite des Gebäudes aus, einschließlich der massiven Mauern des ursprünglichen Bauernhofs. Da Giuseppina Bini ein wenig schwerhörig ist, war der Fernseher ziemlich laut eingestellt. Spätere Tests haben die Geschichte des Paares bestätigt, dass die Schüsse zunächst kaum hörbar waren. Erst als sie sich wiederholten, ging Alfonso nachsehen.

Die Vorwürfe gegen die Binis beruhten zu keinem Zeitpunkt auf mehr als auf der Tatsache, dass sie sich zum fraglichen Zeitpunkt in der Villa aufhielten, aber da alle übrigen Anwesenden tot waren und es für einen Außenstehenden anscheinend unmöglich war, in das Grundstück einzudringen, war es verständlich, dass sie in Verdacht gerieten. Doch die Argumente gegen sie, bei denen es von vorneherein an einem einsichtigen Motiv fehlte, wurden noch weiter geschwächt, als man das Videoband entdeckte, auf dem deutlich wird, dass Alfonso Bini offensichtlich wirklich schockiert war, als er die massakrierten Körper entdeckte, außerdem durch die Tatsache, dass eine gründliche Durchsuchung keine Spur von der Mordwaffe innerhalb der Villa ergab, wo sich das Paar die ganze Zeit über aufgehalten hatte.«

Zen machte eine Pause, damit sich seine tauben Finger

wieder erholen konnten. Der nächste Punkt auf seiner Liste war die Vendetta-Theorie, bei der er die notwendige Hintergrundinformation über die gescheiterte Entführung von Oscar Burolo mitliefern musste. Dass so etwas versucht worden war, hatte niemanden überrascht, eher die Tatsache, dass das auserkorene Opfer mit ein paar Schrammen an der Schulter davongekommen war. Verdammt noch mal, hatten die Leute aufgebracht und bewundernd zugleich geflüstert, wie macht der das bloß. Entführungen waren in Sardinien bekanntlich eine Art, sich seinen Lebensunterhalt zu verdienen, und was hatte Burolo getan, indem er sich sein Anwesen genau am Rande des Barbagia-Massivs aussuchte, Hochburg der Entführerbanden und Zentrum der unterirdischen Höhlen, in denen sie ihre Opfer versteckten? Er hatte es förmlich herausgefordert!

Und es programmgemäß bekommen. Allerdings hatte Oscar das Glück, dass der Lincoln Continental, den er damals fuhr, ein ganz besonderes Modell war, das für den afrikanischen Präsidenten gebaut worden war, der in der fiktiven »Sklavengeschichte« eine Rolle spielte. Oscar arbeitete viel in Afrika, das er als ein »Land zahlreicher Möglichkeiten« bezeichnete, wobei er wie ein Clown mit den Augen rollte, um anzudeuten, was für Möglichkeiten er im Sinn hatte. Der fragliche Präsident wurde unglücklicherweise gestürzt, nachdem das Fahrzeug gerade geliefert worden war und kurz bevor Oscar für den Vertrag kassieren konnte, den der Präsident zum Bau eines neuen Flughafens in der zweitgrößten Stadt des Landes unterzeichnet hatte, ein Geschäft, das noch viel lukrativer ausgesehen hatte als die meisten, in die Oscar verwickelt war.

Wo andere Firmen normalerweise mit einem Profit von 20 bis 30 Prozent rechneten, und alles, was darüber lag, als außerordentlichen Glücksfall betrachteten, schienen die Projekte, die Burolo Costruzioni in die Hand nahm, in der Lage zu sein, Profite zu erzielen, die häufig noch über das gesamte ursprüngliche Budget hinausgingen. Oscar hatte sich den Spitznamen »König Midas« zu Recht verdient wegen seiner Fähigkeit, den härtesten Felsen, den dürrsten Boden und den stinkendsten Sumpf in reines Gold zu verwandeln. Im Fall des afrikanischen Flughafens war seine Rechnung bereits auf eine Summe angestiegen, die fast vier Prozent des Bruttosozialprodukts des Landes ausmachte, aber diesmal war Oscar gezwungen, realistisch zu sein. Selbst wenn das neue Regime bereit gewesen wäre, die Verpflichtungen des vorherigen Präsidenten einzulösen, hätte es dabei erhebliche Schwierigkeiten gehabt, da der Letztere wohlweislich eine weitere beträchtliche Scheibe vom Bruttosozialprodukt des Landes auf ein Schweizer Bankkonto umgeleitet hatte, mit dem er jetzt seinen vorzeitigen Ruhestand finanzierte. Das war alles sehr bedauerlich, aber Oscar war Realist. Er wusste, wenn auch die Regierungen kommen und gehen, die Geschäfte gehen immer weiter. Anstatt also seine Chance, auf gewinnbringende Weise in die Zukunft des Landes einzugreifen, durch sinnlose Streitereien aufs Spiel zu setzen, stimmte er widerwillig einer Übereinkunft zu, die kaum seine Ausgaben deckte. Als Trostpflaster bat er um den Lincoln Continental und erhielt ihn auch.

Damals hatte Oscar das Auto nur als ein weiteres schickes Spielzeug angesehen, mit denen er sich gern umgab, aber zweifellos rettete es ihm das Leben, als die Entführer versuchten, ihn zu fassen. Er war gerade auf dem Rückweg von der Kirche im nächsten Dorf, als es passierte. Zur großen Überraschung vieler Leute ließ sich Oscar nie die Sonntagsmesse entgehen. Die Erfahrung hatte ihn gelehrt, dass es wichtig ist, sich mit den Mächtigen auf guten Fuß zu stellen, und verglichen mit den Provisionen, Gefälligkeiten und generellen Aufmerksamkeiten, die seine Kunden erwarteten, schien Gott wirklich bescheiden in seinen Forderungen. Zugegeben, man konnte nie absolut sicher sein, ob er wirklich da war, und wenn dies der Fall war, ob er bereit war, einem seine Wohltaten zu gewähren, aber fast das Gleiche konnte man auch von den Leuten in Rom sagen. Solange nichts weiter nötig war, als jeden Sonntag die Kommunion zu empfangen, um ihn gewogen zu halten, glaubte Oscar, dass das der Mühe wert war. Leider hatte die Dorfkirche keinen geeigneten Landeplatz für die Agusta, deshalb musste er mit dem Auto fahren.

Als er an jenem Sonntag um eine der vielen scharfen Kurven bog, stellte Oscar fest, dass die Straße anscheinend infolge eines kleineren Unfalls blockiert war. Ein Auto lag auf der Seite im Graben, während der Lkw, der es offenbar von der Straße gedrängt hatte, mit der vollen Breitseite der herankommenden Limousine gegenüberstand. Drei Männer knieten neben einem vierten, der mit dem Gesicht nach unten auf der Straße lag.

Als Oscar ausstieg, um zu helfen, wandten sich die Männer ihm zu.

»Ich wusste sofort Bescheid!«, erzählte er später zahllosen Zuhörern. »Fragt mich nicht, wieso, ich wusste es einfach!«

Er sprang ins Auto zurück, während das »Unfallopfer« auf die Seite rollte, wobei die Gewehre und Schrotflinten sichtbar wurden, auf denen der Mann gelegen hatte. Mehrere Schüsse wurden abgefeuert, von denen einer Oscar leicht an der Schulter verletzte, was er noch nicht einmal bemerkte. Er warf den Rückwärtsgang ein, gab Gas und raste die Straße zurück.

Die Entführer jagten zu Fuß hinter ihm her und schossen dabei. Doch der afrikanische Präsident, der noch ein größerer Realist war als Burolo selbst, hatte ausdrücklich Panzerplatten und kugelsichere Scheiben verlangt, und die Schüsse der Entführer prallten wirkungslos ab. Als er an die Ecke kam, fuhr Oscar rückwärts gegen den Seitenstreifen, um das Auto zu wenden. In dem Moment sprintete der jüngste der vier Männer vor, sprang auf die Motorhaube, presste die Mündung seines Gewehrs gegen die Windschutzscheibe und drückte ab. Letztendlich kratzte der Schuss das gepanzerte Glas kaum an, aber Oscar hatte einen Augenblick lang dem Tod ins Gesicht gesehen. Als Reaktion trat er voll auf die Bremse, wodurch der Mann auf die Straße rutschte, und fuhr dann mit Karacho über ihn.

Bis die Polizei am Ort des Geschehens eintraf, war nichts mehr zu sehen als ein paar Reifenspuren und ein bisschen Blut zwischen dem losen Schotter mitten auf der Straße. Einige Tage später wurde in einem Gebirgsdorf etwa 40 Kilometer weiter nordöstlich ein junger Schäfer namens Antonio Melega beerdigt. Nach Angaben seiner grimmig blickenden, wortkargen Verwandten war er, als er von der Weide nach Hause kam, von einem Auto überfahren worden, dessen Fahrer Fahrerflucht beging.

Die missglückte Entführung machte Oscar auf der Stelle zum Helden innerhalb der Bruderschaft der Villenbesitzer auf der Insel, die alle ausgesprochen entführungsgefährdet waren. Ein gewiefter Händler machte für kurze Zeit ein schwunghaftes Geschäft mit T-Shirts mit der Aufschrift: »Italien – Sardinien 1:0«, bis der Bürgermeister des Ortes dagegen einschritt. Doch obwohl Burolo es irgendwie genoss, gefeiert zu werden, hatte er im Stillen doch Angst, denn die Erinnerung an den dumpfen Aufschlag neben dem Wagen und den erstickten Schrei des Mannes, als die tonnenschweren Panzerplatten das Leben aus ihm herausquetschten, ließ ihn nicht los. Er wusste, dass er, als er einen der Entführer tötete, eine Rechnung eröffnet hatte, die erst mit seinem Tod beglichen sein würde. Burolo selbst war im Norden geboren, doch sein Vater stammte aus einem kleinen Ort in der Provinz Matera, und er hatte seinem Sohn von Blutfehden erzählt und von der furchtbaren Pflicht, Vendetta zu üben, die einem Mann gegen seinen Willen aufgezwungen werden konnte und die ihn und alle, die ihm nahestanden, zerstörte, und das wegen einer Sache, mit der er nichts zu tun hatte und die er vielleicht sogar missbilligte. Den jungen Oscar hatten diese Geschichten tief beeindruckt. In seinen Kinderohren klangen sie wie die absolute Wahrheit, weil sie ganz den brutalen und willkürlichen Ritualen der Welt entsprachen, in der er mit anderen Jungen seines Alters lebte. Und ebenso, wie er die Entführer auf den ersten Blick durchschaut hatte, wusste er jetzt, dass sie nicht eher ruhen würden, bis sie den Tod ihres Gefährten gerächt hätten.

Angesichts dieser Erkenntnis hätte ein weniger selbstbewusster Mann klein beigegeben, die Villa verkauft – wenn er dafür einen Käufer gefunden hätte! – und in Zukunft anderswo seine Ferien verbracht. Aber Oscars Realismus hatte seine Grenzen und endete da, wo seine Eitelkeit anfing. Wenn es um ein Geschäft gegangen wäre, das nur ihn und seinen Partner etwas anging, hätte er sich vermutlich aus dem Staub gemacht. Doch er hatte sein ganzes Selbstwertgefühl in die Villa gesteckt, ganz zu schweigen von mehreren Milliarden Lire, und da musste schon etwas mehr als ein Haufen armseliger Schafficker – wie er sie höhnisch nannte – kommen, um ihn von dannen zu jagen.

Dennoch, jemand hatte ihn von dannen gejagt, und natürlich gerieten die Freunde und Verwandten des verstorbenen Antonio Melaga in Verdacht. Abgesehen von der absoluten Rohheit der Morde, schien ein weiteres äußeres Merkmal diese Hypothese zu unterstützen. Sarden, insbesondere die aus den ärmeren Gebirgsgegenden, sind am kleinsten von allen Menschen im Mittelmeerraum. Die Fingerabdrücke, die man auf den ausgestoßenen Patronenhülsen gefunden hatte, waren außergewöhnlich klein – »wie die eines Kindes«, hatte der Experte von den Carabinieri gesagt, eine unglückliche Formulierung, die viel Heiterkeit bei der rivalisierenden Truppe auslöste. Aber ein erwachsener Schütze von kleiner Statur war etwas anderes und würde auch den niedrigen

Schusswinkel erklären, den man zunächst darauf zurückgeführt hatte, dass das Gewehr in Hüfthöhe gehalten worden sei. Außerdem mussten Schafdiebe zwangsläufig darin geübt sein, sich lautlos zu bewegen, daher diese unheimliche Stille, die jeden, der das Video gesehen hatte, so sehr beeindruckt hatte.

»Leider«, tippte Zen, »gab es bei dieser attraktiven Hypothese ein unüberwindliches Problem, nämlich die Frage des Zugangs. Die Schutzmaßnahmen für die Villa Burolo waren extra so konzipiert worden, einen Einbruch dieser Art zu verhindern. Zugegebenermaßen war der Kontrollraum selbst zur Mordzeit nicht besetzt, doch das System war so angelegt, dass in der gesamten Villa Alarm ausgelöst werden würde, falls jemand versuchen sollte, dort einzudringen. Um die Zuverlässigkeit dieser Alarmanlage zu testen, hatte eine alpine Spezialeinheit der Carabinieri versucht, auf unterschiedliche Weise in die Villa einzudringen, einschließlich der Benutzung von Fallschirmen und Paragleitern. Deshalb musste jeder direkte Angriff auf das Grundstück, sei es durch Entführer aus der Gegend oder durch eine andere Gruppe, ausgeschlossen werden.«

Zen setzte ein Sternchen hinter »Gruppe« und fügte folgende Fußnote hinzu: »Im Anschluss an eine Einschätzung der Situation, die diese Abteilung Ende September vorgenommen hatte, gab Dottor Vincenzo Fabri zu bedenken, ob der Mordanschlag eventuell gar nicht Oscar Burolo gegolten habe, der keine Waffe bei sich trug und dessen Verhalten während der gesamten Videoaufnahme zeigte, dass er keine Angst vor dem Eindringling hatte, sondern seinem Gast Edoardo Vianello. Fabri wies darauf hin, dass die Tatsache, dass der Architekt eine Pistole bei sich hatte, zeige, dass er um seine Sicherheit fürchtete, und zog die Möglichkeit in Erwägung, dass eine Überprüfung von Vianellos geschäftlichen Angelegenheiten eine Verbindung zu der Art von organisiertem Verbrechen zutage bringen könnte, für die seine Heimat Sizilien berüchtigt ist. Um das Problem des Zugangs vom Tisch zu räumen, äußerte Fabri die Vermutung, dass Giuseppina Bini eventuell heimlich für die Mafia arbeiten könnte, und verwies auf die Tatsache, dass ihr Großvater mütterlicherseits 1861 in Agrigento geboren worden war. Aus irgendeinem Grund jedoch erhielt diese geniale Theorie nicht die zweifellos verdiente Aufmerksamkeit.«

Zen lächelte säuerlich. Er erhielt selten eine Gelegenheit, Vincenzo Fabri eins auszuwischen. Was, zum Teufel, hatte sich dieser Mann dabei gedacht, als er diese wilden und jeder Grundlage entbehrenden Gerüchte lancierte.

Der nächste Kandidat auf Zens Liste fiel unter die Kategorie unterhaltsame Abwechslung.

»Furio Pizzoni wurde zwei Stunden, nachdem die Morde stattgefunden hatten, bei seiner Rückkehr in die Villa festgehalten. Auf die Frage, wo er vorher gewesen sei, behauptete er, dass er den Abend in einer Bar im Dorf verbracht habe. Dieses Alibi wurde später vom Besitzer der Bar und von einigen Gästen bestätigt. Pizzoni hatte zweifellos Zugang zu der weiter unten beschriebenen Fernbedienungsvorrichtung (siehe Favelloni, Renato), doch angesichts seines Alibis und der Tatsache, dass er kein erkennbares Motiv hatte, verblasste das Interesse an ihm schon bald, auch wenn es kurz wieder aufflackerte, als man Videofilme entdeckte, auf denen Liebesszenen zwischen ihm und Rita Burolo zu sehen waren.«

Zen zog die letzten duftenden Rauchwölkchen aus seiner Zigarette und drückte sie aus. Nach kurzem Nachdenken entschied er sich, hier nicht weiter in die Einzelheiten zu gehen. Selbst die Zeitschrift, die so viel Geld für die Fotos bezahlt hatte, die aus diesen Videobändern hergestellt worden waren, hatte einen diskreten Wortschleier über den genauen Charakter dieser Dreiecksbeziehung gehüllt. Es war schwierig, ohne Verletzung des guten Geschmacks über die Tatsache zu berichten, dass die ermordete Frau sich gewöhnlich bei Mondschein mit Pizzoni in der Hütte traf, die die Löwen tagsüber benutzten, und sich mit ihm nackt im Stroh wälzte, das feucht vom Schweiß und den Exkrementen der Tiere war, wobei der junge Mann ihr auf mannigfaltige und im Tierreich völlig unbekannte Weisen gefällig war. Was einige Leute allerdings noch viel schwerer akzeptieren konnten, war, dass Oscar Burolo über diese Orgien Bescheid gewusst und rein gar nichts dagegen unternommen hatte, außer eine kleine Videokamera zwischen den Dachsparren zu installieren, um die Szenen zu seinem späteren Vergnügen aufzuzeichnen.

Plötzlich vernahm Zen Tanias Stimme zwischen den Trennwänden. »Versprichst dus?«

Sie klang besorgt.

»Aber natürlich!« Die schwerfällige, monotone Stimme gehörte einem Beamten namens Romizi.

»Sonst bekomme ich eine Menge Ärger«, betonte Tania.

»Mach dir keine Sorgen! Ich kümmer mich schon drum.«

Zen sank nach vorne, bis er mit der Stirn das kühle Metallgehäuse der Schreibmaschine berührte. Sie hatte also jemand anders gefunden, den sie um einen Gefallen bitten konnte, nachdem er sie mit seiner taktlosen Impulsivität verschreckt hatte. Er holte tief Luft, stieß sie in einem langen Seufzer wieder aus und begann erneut, auf die widerspenstigen Tasten der Olivetti einzuhauen.

»Angesichts der Notwendigkeit, dass der Mörder detaillierte Kenntnisse über die Sicherheitsvorrichtungen in der Villa besitzen musste, war es unvermeidlich, dass der einzige überlebende nahe Verwandte von Oscar Burolo, sein Sohn Enzo nämlich, in Verdacht geriet. Die Beziehungen zwischen Enzo und seinem Vater waren angeblich seit einiger Zeit gespannt, was größtenteils auf die Weigerung des jungen Mannes zurückzuführen war, seine Ambitionen als professioneller Geigenspieler zugunsten einer Karriere in Jura oder Medizin aufzugeben. Im fraglichen Monat August studierte Enzo Burolo an einer Musikhochschule in Amerika, und Nachforschungen des FBI ergaben, dass er sich in der Zeit unmittelbar vor und nach den Morden in der Nähe von Boston aufgehalten hatte. Daraufhin wurden keine weiteren Ermittlungen in dieser Richtung geführt.«

Zen bog seine Finger nach außen, sodass seine Gelenke wie altes Holz knackten. Er hatte nun die Verdächtigen abgehandelt, die die Justizbehörden ausgeschlossen hatten. Jetzt musste er nur noch etwas über denjenigen sagen, der zuletzt übrig geblieben war und zurzeit im Gefängnis von Nuoro auf seinen Prozess wartete. Und hier musste er wirklich äußerst behutsam vorgehen.

»Die verbleibende Möglichkeit konzentrierte sich auf Renato Favelloni«, schrieb er. »Favelloni war ein häufiger Gast in der Villa Burolo, und er hatte sich unmittelbar vor den Morden dort aufgehalten. Am frühen Abend hatte Oscar Burolo ihn und seine Frau zum Flughafen nach Olbia geflogen, von wo aus sie mit dem Alisarda Flug IG 113 nach Rom fliegen wollten. Nach Aussagen von Nadia Favelloni sagte ihr Mann, kurz bevor der Flug aufgerufen wurde, zu ihr, dass er ein sehr wichtiges Dokument in der Villa vergessen hätte und dorthin zurückmüsse, um es zu holen. Sie solle ruhig die Reise nach Rom fortsetzen, während er einen späteren Flug nehmen würde. Nadia Favelloni flog auch ordnungsgemäß mit dem IG 113, doch eine Überprüfung der Passagierlisten ergab, dass Favelloni überhaupt keinen späteren Flug gebucht hatte. Bei der Vernehmung behauptete Favelloni zunächst, er sei stattdessen nach Mailand geflogen. Als man ihn jedoch darauf hinwies, dass sein Name auch nicht auf der Passagierliste für den Flug nach Mailand auftauchte, erklärte er, dass er dorthin geflogen sei, um seine Geliebte zu besuchen. Aus diesem Grund hätte er seiner Frau die erlogene Geschichte von dem in der Villa Burolo vergessenen Dokument erzählt und unter einem falschen Namen gebucht. Seine Frau sei eifersüchtig und habe schon einmal einen Privatdetektiv engagiert, um ihn beschatten zu lassen. Es war jedoch niemand vom Personal oder von den Passagieren auf dem Flug nach Mailand in der Lage, Favelloni zu identifizieren, und da die Aussage seiner Geliebten suspekt ist, gibt es keinen Beweis, dass er Sardinien in der Nacht, als die Morde stattfanden, überhaupt verlassen hat.

Der Schlüssel zum Fall Burolo lag die ganze Zeit über in der Frage des Zugangs. Oscar Burolo hatte enorme Summen ausgegeben, um sein Eigentum in eine Festung zu verwandeln, und dennoch hatte der Mörder es geschafft, das Grundstück zu betreten und wieder zu verlassen, ohne die Alarmanlage auszulösen, und das Ganze innerhalb weniger Minuten. Wie war das möglich?

Die wahrscheinlichste Erklärung verlangt eine kurze Betrachtung der Vorrichtung, die den Anwohnern der Villa selbst das Kommen und Gehen erlaubte. Da Burolo es ablehnte, die Eingangstore und den Kontrollraum mit Sicherheitsposten zu besetzen, musste diese Aufgabe automatisch ausgeführt werden, und zwar mithilfe einer Fernbedienung, vergleichbar mit denen, die zum Öffnen von Garagentoren verwendet werden. Doch während die im Handel befindlichen Modelle in puncto Sicherheit wenig taugen, da ihre Codes leicht duplizierbar sind, war das System in der Villa Burolo praktisch nicht zu knacken, da sich der Code jedes Mal, wenn er benutzt wurde, änderte. Zusammen mit dem gerade gültigen Code für das Öffnen der Tore übertrug das Fernbedienungsgerät eine neue, von einem Zufallsgenerator erzeugte Kombination, die den bisherigen Code ersetzte und beim nächsten Mal den Mechanismus auslöste. Da jedes Signal einmalig war, war es einem potenziellen Eindringling nicht möglich, es zu duplizieren. Doch jeder, der in die Villa hereingelassen worden war, konnte natürlich ohne Weiteres die Fernbedienung mitnehmen und dazu benutzen, wieder in das Grundstück hineinzukommen, ohne die Alarmanlage auszulösen.«

So weit, so gut, dachte Zen. Technisches Geschwafel über Fernbedienungen war kein Problem. Wo die Favelloni-Geschichte anfing, heikel zu werden, war da, wo es nicht mehr um Mittel und Wege ging, sondern um das Motiv. Es wurde allgemein angenommen, Renato Favelloni habe deshalb der Villa Burolo in jenem Sommer so viele Besuche abgestattet, weil er bei Verhandlungen zwischen Oscar Burolo und dem Politiker mitmischte, den man als l'Onorevole bezeichnete und dessen Einfluss Burolo Costruzioni angeblich seine lukrativen Aufträge im öffentlichen Sektor zu verdanken hatte. Gerüchten zufolge, die in der Presse und anderswo kursierten, hatten sich die beiden Männer vor Kurzem überworfen, und Oscar hatte gedroht, die Aufzeichnungen zu veröffentlichen, die er im Einzelnen über ihre für beide Seiten einträglichen Geschäfte über die Jahre hinweg gemacht hatte. Doch bevor er diese Drohung in die Tat umsetzen konnte, war er mit seinen Gästen niedergeschossen worden, seine auf Videobändern und Floppy Disks gespeicherte Dokumentation war geplündert worden, und l'Onorevole blieb in dieser Hinsicht jede weitere Peinlichkeit erspart.

Dieser Aspekt des Falles beanspruchte wahrscheinlich die Aufmerksamkeit des Untersuchungsrichters, doch Aurelio Zen, der nicht durch die Macht und Würde des Richterstandes geschützt war, wollte einen weiten Bogen um dieses Thema machen. Und dafür hatte er zum Glück auch eine gute Begründung. Denn obwohl diese Theorien in weiten Kreisen als heißer Tipp gehandelt worden waren, blieben sie dennoch, aufgrund der strengen Geheimhaltung, unter der die strafrechtliche Verfolgung vorbereitet wurde, reine Theorien, denen jede stichhaltige Bestätigung fehlte. Wenn Renato Favelloni erst einmal vor Gericht stand – was eventuell in ein paar Wochen der Fall war –, dann würde sich all das rapide ändern, doch bis dahin konnte niemand das genaue Ausmaß oder die Beweislast dieser Vorwürfe gegen ihn kennen. Also brauchte Zen nichts weiter zu tun, als sich auf seine Unwissenheit zu berufen.

»Wie bereits betont, muss über die einzelnen Anklagepunkte noch verhandelt werden«, kam Zen allmählich zum Schluss. »Doch die Tatsache, dass die Anklage auf Verschwörung zum Mord lautet, lässt erkennen, dass man glaubt, dass noch eine oder mehrere weitere Personen in den Fall verwickelt sind. Diese Schlussfolgerung ergibt sich aus der Tatsache, dass Dottor Vianello den Mörder offensichtlich verwundet hat, vermutlich am Bein, während bei einer medizinischen Untersuchung des Angeklagten keine Verletzungen aus jüngster Zeit festgestellt wurden. Nach dieser Hypothese müsste Renato Favelloni die Fernbedienung aus der Villa mitgenommen und sie an einen Komplizen weitergegeben haben, vermutlich an einen professionellen Killer, der sie benutzt hat, um in die Villa Burolo einzudringen und wieder hinauszukommen, nachdem er die Morde verübt hatte. Man würde natürlich erwarten, dass ein Profi-Killer seine eigene Waffe benutzt hätte, wahrscheinlich mit einem Schalldämpfer. Es gibt aber auch gute Gründe für die Annahme, dass diese Besonderheit die Vorwürfe gegen Favelloni sogar noch erhärtet, weil sie zeigt, dass man versucht hat zu verschleiern, dass es sich bei dem Verbrechen um ein vorsätzlich geplantes Komplott gegen das Leben von Oscar Burolo handelte.«

Zen schob die Seiten säuberlich zusammen und las noch einmal, was er geschrieben hatte, wobei er hier und da ein paar Korrekturen anbrachte. Dann steckte er den Bericht in eine Aktenmappe und ging damit zwischen den Trennwänden hindurch, die zwischen seinem Arbeitsplatz und dem von Carlo Romizi standen. »Na, wie läufts?«, fragte er.

Romizi sah von dem Eisenbahnfahrplan auf, den er gerade

studierte. »Wusstest du, dass hier ein Zug drinsteht, der gar nicht existiert?«

In jeder Organisation gibt es mindestens einen, von dem alle Kollegen denken: »Wie um alles in der Welt ist der an den Job gekommen?« Bei Criminalpol war das Carlo Romizi, ein Umbrier mit einem Gesicht wie ein Mondkalb. Selbst nach einem strapaziösen Arbeitstag sah Romizi immer noch so frisch aus wie ein gerade gelegtes Ei, und der Ausdruck kindlichen Erstaunens, der auf seinem Gesicht lag, blieb stets unverändert.

»Nein, das wusste ich nicht«, antwortete Zen.

»Hat mir De Angelis gerade erzählt.«

»Welcher ist es denn?«

»Das ist es ja gerade! Die sagen das nicht. Jedes Jahr erfinden sie einen Zug, der einfach quer durch den Fahrplan läuft. Jedes einzelne Stück sieht ganz okay aus, aber wenn man alles zusammentut, stellt man fest, dass der Zug immer nur im Kreis herumfährt und nie irgendwo ankommt. Angeblich hat das in einem Jahr angefangen, als ihnen ein Fehler unterlaufen ist. Jetzt machen sie es absichtlich, als eine Art Witz. Ich habe ihn noch nicht gefunden, aber er muss da sein. De Angelis hat mir davon erzählt.«

Zen nickte unverbindlich. »Was wollte denn die Biacis?«, fragte er beiläufig.

Romizi musste angestrengt nachdenken. »Ach so, sie hat mich wegen einer Spesenabrechnung angemeckert, die ich eingereicht habe. Offenbar glaubt Moscati, sie sei übertrieben, ich meine übertrieben übertrieben. Ich hatte gesagt, ich würde eine neue Abrechnung einreichen, und habs dann vergessen.«

Die Jugend ist bloß eine Sache des Gefühls, dachte Zen, als er beschwingt wie ein Vogel weiterging, und das nur, weil Tania Romizi doch nicht ins Vertrauen gezogen hatte.

In krassem Gegensatz zu den Räumen der Criminalpol waren die Verwaltungsbüros im Erdgeschoss im alten Stil eingerichtet mit massiven, in Reih und Glied aufgestellten Schreibtischen wie Panzer bei einer Militärparade. Tania war nirgendwo zu sehen. Eine ihrer Kolleginnen schickte Zen in die Haushaltsabteilung, wo er einige Zeit brauchte, um einen Angestellten auf sich aufmerksam zu machen, der dort saß und vor sich hinstarrte, an jedes Ohr einen Telefonhörer geklemmt, und ständig wiederholte, »Aber natürlich!« und »Aber natürlich nicht!«. Ohne aufzublicken, überreichte er Zen ein Formular mit der Aufschrift: »Nicht knicken, rollen oder beschädigen«, auf das er »Personal?« gekritzelt hatte.

In der Personalabteilung im vierten Stock verriet Franco Ciliani, dass die Dame Biacis ihn soeben verlassen hatte, nachdem sie ihm dermaßen auf die Eier gegangen sei, dass er zweifelte, ob die sich jemals davon erholen würden. »Weißt du, was ihr Problem ist?«, fragte Ciliani rein rhetorisch. »Sie kriegt nicht genug. So ist das mit den Frauen, wenn du sie nicht alle paar Tage ordentlich durchbumst, dann verlieren sie jedes Maß und Ziel. Wir sollten ihrem Mann ein paar Zeilen schreiben und ihn an seine Pflichten erinnern.«

Abgesehen von diesen weisen Worten, konnte Ciliani ihm allerdings auch nicht weiterhelfen, doch als Zen niedergeschlagen die Treppe wieder hinunterging, tauchte Tania plötzlich neben ihm auf.

»Ich hab dich überall gesucht«, sagte er.

»Aber vermutlich nicht auf der Damentoilette.«

»Ach so.«

Er gab ihr die Aktenmappe, während sie zusammen weiter nach unten gingen. »Das ist der Bericht, den Moscati haben wollte. Könntest du vor dem Mittagessen ein paar Kopien dort vorbeibringen?«

»Natürlich!«, antwortete Tania ein wenig bissig. »Dafür bin ich ja wohl da.«

»Was ist los? Hat Ciliani irgendwas zu dir gesagt?«

Sie zuckte mit den Achseln. »Nein, er geht mir einfach auf

die Nerven, das ist alles. Das ist nicht seine Schuld. Er erinnert mich an meinen Mann.«

Diese Bemerkung war so seltsam, dass Zen sie ignorierte. Nach allem, was Tania bisher erzählt hatte, schienen sie und ihr Mann überaus glücklich miteinander zu sein, ein perfektes Paar.

Als sie den Treppenabsatz zum dritten Stock erreichten, wandte Zen sich ihr zu und nahm ihren Arm. »Was wolltest du vorhin von mir?«

Sie sah ihn an, dann sah sie zur Seite. »Nichts. Ist egal.«

Sie ging jedoch nicht weiter, und er ließ ihren Arm nicht los. Mit seiner freien Hand gestikulierte er in Richtung Treppe. Wer auch immer das Gebäude des Innenministeriums entworfen hatte, war fest davon überzeugt gewesen, dass das Prestige einer Institution in einer direkten Beziehung zur Größe seiner Haupttreppe stehe, die in einem Maßstab angelegt worden war, der heroische Gesten und aufwendige Kostüme zu verlangen schien.

»Vielleicht geht es besser, wenn wir singen«, schlug Zen mit einem leicht hysterischen Lächeln vor.

»Singen?«, antwortete Tania verständnislos.

Er wusste, er hätte den Mund halten sollen, aber er fühlte sich so leichtsinnig, nur weil sie in seiner Nähe war. »Dieses Gebäude erinnert mich an ein Opernhaus. Ich meine, reden scheint einfach nicht genug zu sein. Weißt du, was ich meine?«

Er ließ sie los, streckte einen Arm aus, legte den anderen auf seine Brust und intonierte: »Was wolltest du, dass ich für dich tue?«

Tanias Gesicht entspannte sich zu einem Lächeln. »Und was würde ich sagen?«

»Du würdest eine Arie singen, in der du es mir sagst. Ungefähr zwanzigmal.«

Sie sahen sich einen Augenblick lang an. Dann kritzelte Tania etwas auf ein Stück Papier. »Wähl diese Nummer heute

Abend um sieben. Sag, dass du von hier aus anrufst und dass wegen dem Mord an diesem Richter der Ausnahmezustand ausgerufen wurde und ich bis Mitternacht gebraucht würde.«

Zen nahm ihr den Zettel aus der Hand. »Das ist alles?«

»Das ist alles.«

Er nickte bedächtig, als ob er verstünde, und wandte sich ab.

Überall Blut, mein Blut. Ich falle zusammen, wie ein Sack Getreide, in den die Ratten ein Loch genagt haben. Niemand wird mich je finden. Niemand weiß von diesem Ort. Ich werde verschwunden sein.

Ich habe Dinge verschwinden lassen. Auch Menschen, aber das kam später und hat nicht so viel Aufsehen erregt. Menschen fallen immer mal wieder tot um. Dinge sind dauerhafter. Eine Schüssel oder ein Stuhl, ein Spaten oder ein Messer, so etwas kann so lange in einem Haus herumliegen, dass sich niemand mehr daran erinnert, wo es herkam. Es scheint schon immer da gewesen zu sein. Wenn es dann plötzlich verschwindet, versucht jeder, den Skandal zu vertuschen. »Es muss irgendwo sein! Keine Sorge, das taucht schon wieder auf, wartet mal ab.« Ihre Welt hatte einen Riss bekommen, und durch ihn hindurch spürten sie einen Augenblick lang die Kälte und warfen einen Blick auf die Dunkelheit, die auch sie erwartete.

Ich habe eine ganz nette Sammlung zusammengekriegt, auf die eine oder andere Weise. Was wird nun daraus werden, frage ich mich. Tassen, Federhalter, Kordel, Bänder, Spielkarten, Brieftaschen, Nägel, Kleidungsstücke, Werkzeug, alles hier im Dunkeln aufgeschichtet, wie die Opfergaben an einen Gott, dessen Abwesenheit ich nachts spüre, in dem Raum zwischen den Sternen, unergründlich und weit.

Dinge verschwinden nicht einfach grundlos. »Es gibt für alles einen Grund«, wie der alte Tommaso zu sagen pflegt, wobei er mit seinem unförmigen Kopf wackelt, der aussieht wie ein Felsbrocken auf einem Feld, den die Bauern verfluchen und um den sie herumpflügen oder den sie in die Luft jagen. Am liebsten würde ich seinen weisen alten Kopf in die Luft jagen. »Was ist denn der Grund hierfür?«, würde ich fragen, während ich abdrücke. Doch dafür ist es nun zu spät.

Vielleicht hätte er es am Ende sogar verstanden. Vielleicht haben die anderen das auch. Vielleicht war der Ausdruck auf ihren Gesichtern nicht nur Schmerz und Entsetzen, sondern Verständnis. Auf jeden Fall war der Riss da, die Möglichkeit der Gnade, und das hatten sie nur mir zu verdanken. Die Dinge sind nicht so, wie sie scheinen. An diesem Ort gibt es mehr, als das Auge sieht. Ich war der lebende Beweis dafür.

Und sie haben es auch bewiesen, indem sie starben.

Mittwoch, 20.25–22.05

Soll das noch lange so weitergehen?«, fragte der Taxifahrer in klagendem Ton und drehte sich zum Rücksitz um.

Sein Fahrgast sah ihn gleichgültig an. »Was kümmert Sie das? Schließlich werden Sie doch bezahlt, oder?«

Der Fahrer schlug mit der Handfläche auf das Lenkrad, sodass es ein dumpfes Geräusch von sich gab. »Tja, das hoffe ich! Aber es gibt auch noch andere Dinge im Leben, als bezahlt zu werden. Jetzt sitzen wir schon seit fast einer Stunde hier. Um diese Zeit gehe ich normalerweise eine Kleinigkeit essen. Ich meine, wenn Sie mich für den ganzen Abend haben wollten, hätten Sie das sagen müssen.«

Die Straße, in der sie parkten, verlief ganz gerade zwischen den gleichmäßig abgeteilten Wohnblocks, die auf einem Betonsockel errichtet waren und in deren Erdgeschoss sich eine Garage befand. Bei dem Wohnblock in ihrer unmittelbaren Nähe war dieser Bereich zur Hälfte mit Zwischenwänden versehen worden, um Platz für ein paar Geschäfte zu schaffen, die jedoch alle geschlossen waren. Zwischen zwei dieser Läden befand sich ein erleuchtetes Schaufenster, über dem ein blaues Neonschild mit der Aufschrift »BAR« angebracht war.

»Also, was ist?«, fragte der Fahrer.

»Okay. Aber bleiben Sie nicht den ganzen Abend weg.«

Der Fahrer kletterte unbeholfen und heftig schnaufend aus dem Auto. Aufgrund der jahrelangen Anspannung und mangelnden körperlichen Bewegung schienen seine Muskeln und Knochen vollkommen schlaff geworden zu sein. »Ich rede von einem Snack«, beklagte er sich, »weiter nichts! Selbst das verdammte Auto fährt nicht mit leerem Tank.«

Er zog seine viel zu weite Hose hoch und ging watschelnd an drei metallenen Müllcontainern vorbei, aus denen die Plastiktüten schon herausfielen. Zen beobachtete, wie er sich seinen Weg durch das ganze Gerümpel bahnte, das in dem trostlosen Licht der ultramodernen Straßenlaternen wie Haufen von gefrorenem Schnee aussah.

Sonst rührte sich gar nichts. Niemand war unterwegs. Abgesehen von der Bar gab es in diesem Viertel nichts, was die Anwohner nach Einbruch der Dunkelheit noch vor die Tür locken könnte. Die ganze Gegend wirkte irgendwie provisorisch, halb fertig, so als ob die Planer mitten in der Arbeit das Interesse verloren hätten. Der Grund dafür lag zweifellos in einer dieser Ausstiegsklauseln, die in den Verträgen der Burolo Costruzioni stets enthalten waren und es der Firma erlaubten, den Gewinn aus einem Projekt einzustreichen, ohne sich um die zeitraubenden Feinarbeiten kümmern zu müssen.

Wie alle anderen war auch der Block, neben dem sie geparkt hatten, vollkommen neu und sah aus, als sei er in ungefähr fünf Minuten aus vorgefertigten Teilen zusammengesetzt worden, wie ein Kinderspielzeug. Die vier Wohnetagen waren über rechteckige Treppenhäuser zu erreichen, die wie Aufzugsschächte bis in die Garage im Erdgeschoss hinunterführten. Auf dem flachen Dach wimmelte es von Fernsehantennen. Sie erinnerten an das Schilfrohr, das auf dem sumpfigen Gelände hier gestanden hatte, bevor die Städteplaner angerückt waren.

Einige Fenster waren nicht zugezogen, und von Zeit zu Zeit erschienen Gestalten in den erleuchteten Vierecken und gewährten Zen den bisher einzigen Blick auf die Anwohner dieses Bezirks. Es war nicht festzustellen, ob ihre schattenhaften Gesten irgendetwas mit seinem Anliegen hier zu tun hatten oder nicht. Er war die Namen der Anwohner an jedem

Treppenschacht durchgegangen. Der Name Bevilacqua erschien gegenüber von Apartment Nr. 14, doch die Tür zur Treppe war abgeschlossen, und Zen war nicht so weit gegangen zu versuchen, sich Eintritt in den Wohnblock zu verschaffen. Er hatte den Eindruck, dass er schon jetzt weit genug gegangen war.

Den größten Teil des Nachmittags hatte er damit zugebracht, das Problem mit dem gestohlenen Videoband irgendwie zu lösen. Beim Besuch eines Elektronik-Fachgeschäfts sah er sich mit Fragen konfrontiert, von denen er nie etwas geahnt hatte, wie die Wahl von Typ, Hersteller oder Länge des Bandes. Schließlich entschied er sich für eine Videokassette, die den praktischen Vorteil hatte, einzeln verkauft zu werden und nicht im Dreierpack. Eigentlich spielte dies auch gar keine Rolle, sagte er sich. Sie würden es entweder überprüfen oder nicht. Und wenn sie es taten, dann wären sie Zen keineswegs freundlicher gesinnt, ob er nun das verschwundene Video durch ein leeres Band von der richtigen Sorte oder durch einen Bugs-Bunny-Zeichentrickfilm ersetzt hätte.

Als er wieder im Ministerium war, ging er die beiden trostlosen Betontreppen ins Kellergeschoss hinunter, wo das Archiv untergebracht war. Wie erwartet tat um diese Tageszeit nur noch ein Angestellter Dienst, sodass Zens Bitte, Einsicht in die Akte eines willkürlich ausgesuchten älteren Falls nehmen zu dürfen, dazu führte, dass der Schalter mehr als fünf Minuten nicht besetzt war. Das gab Zen genügend Zeit, in der Sammlung von Stempeln nach dem mit der Aufschrift »Eigentum des Innenministeriums – Inventar-Nr. …« zu suchen, ihn auf die Etiketten auf Vorderseite und Rücken der Videokassette zu drücken und die Inventarnummer aus der Mitteilung abzuschreiben, die man ihm geschickt hatte.

Als der Angestellte mit der Akte, die er verlangt hatte, zurückkam, blätterte Zen, um den Schein zu wahren, einige Minuten darin herum. Dieser Fall lag nun schon fast zwanzig

Jahre zurück; damals hatte Zen bei der Questura in Mailand gearbeitet. Er überflog die Seiten mit zärtlichen und nostalgischen Gefühlen und genoss den Kontrast zwischen den altmodischen Berichtsformularen und dem energischen Schwung seiner jugendlichen Handschrift. Doch als ihm die Einzelheiten des Falls allmählich wieder vor Augen traten, wurde dieses harmlose Vergnügen von dunkleren Erinnerungen überschattet. Warum hatte er ausgerechnet nach dieser Akte verlangt?

Die Frage war zugleich die Antwort, denn der Fall Spadola war nicht einfach eine von vielen Ermittlungen, mit denen Zen im Lauf seiner Karriere zu tun gehabt hatte: Er war gleichzeitig sein erster großer Triumph und seine erste große Desillusionierung.

Nach dem Krieg, als die Kämpfe in Italien zu Ende gingen, waren viele linke Partisanen willens und bereit, den bewaffneten Kampf weiter fortzusetzen, die Regierung zu stürzen und einen Arbeiterstaat zu errichten. Einige von ihnen hatten ideologische Motive, andere waren berauscht von der erregenden Vorstellung, Geschichte zu machen, und konnten sich nicht damit abfinden, in ihre langweiligen und schlecht bezahlten Jobs zurückzukehren, gesetzt den Fall, dass es überhaupt Jobs gab. Für diese Männer, und Vasco Spadola war einer von ihnen, bedeutete die Entscheidung des Kommunistenführers Togliatti, den Weg der Reform und nicht den der Revolution zu gehen, Verrat. Als sich dann endgültig abzeichnete, dass keine nationale Erhebung der italienischen Arbeiterschaft stattfinden würde, setzten Spadola und seine Genossen ihre Waffen und ihre Erfahrung sporadisch bei Bankeinbrüchen und bewaffneten Raubüberfällen ein, die sie als »klassenkämpferische Aktionen« zu rechtfertigen versuchten.

Der Erfolg dieser Unternehmungen löste schon bald erhebliche Spannungen und Reibereien innerhalb der Gruppe aus. Auf der einen Seite standen die von Ugo und Carlo Trocchio angeführten Männer, die sich immer noch an die doktrinäre politische Linie hielten, auf der anderen Seite die Anhänger Spadolas, die allmählich Geschmack an dieser Art von freiem Unternehmertum fanden. Das Problem löste sich schließlich dadurch, dass die Brüder Trocchio in einem Café im Mailänder Vorort Rho erschossen wurden.

Nach ihrem Abgang gab die Bande nicht länger vor, einen politischen Kampf zu führen, sondern konzentrierte sich darauf, ihre Position in der kriminellen Szene der Stadt zu festigen. Statt der äußerst riskanten Banküberfälle verlegte man sich jetzt auf weniger spektakuläre Provisionsgeschäfte wie Glücksspiel, Prostitution, Drogen und Erpressung. Spadolas Engagement auf diesen Gebieten war der Polizei durchaus bekannt, doch was er während seiner Partisanenausbildung gelernt hatte, war, wie man eine Organisation aufbauen muss, damit sie die Unterwanderung und Festnahme einzelner Einheiten überlebt. Ganz gleich wie oft seine Operationen durchkreuzt oder seine Komplizen verhaftet wurden, Spadola selbst konnte man nie etwas anhängen, bis zur Tondelli-Affäre.

Bruno Tondelli war zwar nicht gerade eine der angenehmsten Persönlichkeiten in Mailand, aber als er mit einem Schlachtermesser umgebracht wurde, war das immer noch Mord. Die Tondellis hatten seit Längerem einen Kampf mit Spadolas Leuten über die Abgrenzung ihrer jeweiligen Territorien geführt, was zweifellos erklärte, warum Spadola es ratsam fand, sich unmittelbar nach dem Mord aus dem Staub zu machen. Dennoch hätte niemand bei der Polizei auch nur einen gebrauchten Kaugummi darauf verwettet, dass es gelingen würde, ihm das anzuhängen.

Dann erhielt Zen, der mit der undankbaren Aufgabe betraut war, den Mord an Tondelli zu untersuchen, eines Tages eine Nachricht von einem Informanten, der um ein Treffen bat. Zum Schutz der Informanten wurden deren wahre Namen und Adressen in einer geschlossenen Kartei abgelegt, zu der nur einige wenige hochrangige Beamte Zugang hatten;

jeder nannte sie nur mit ihren Codenamen. Der Mann, der Zen angerufen hatte, war als »die Nachtigall« bekannt und eine der bewährtesten und zuverlässigsten Informationsquellen der Polizei.

Das Treffen fand wie verabredet in einem Zweite-Klasse-Abteil eines Zuges der Ferrovia Nord statt, der in Richtung Seveso rollte. Es war ein nebliger Februarabend. An einer der Zwischenstationen stieg ein Mann zu Zen in das vereinbarte Abteil. Blass, mit schütterem Haar, unscheinbar und zurückhaltend, hätte er durchaus als Buchhalter oder Universitätsprofessor durchgehen können. Vasco Spadola, sagte er, verstecke sich auf einem Bauernhof östlich der Stadt. »Ich war dabei an dem Abend, als Tondelli ermordet wurde«, fuhr der Informant fort. »Spadola hat ihn eigenhändig erstochen. ›Das soll diesem ganzen Pack eine Lehre sein‹, hat er gesagt.«

»Das nützt uns sehr viel, wenn du nicht aussagen wirst«, erwiderte Zen gereizt.

Der Mann sah ihn durchtrieben an. »Wer sagt denn, dass ich nicht aussagen werde?«

Und das tat er dann auch brav. Und nicht nur das. Als die Polizei auf dem Bauernhof in der Nähe von Melzo eine Razzia durchführte, fand sie nicht nur Vasco Spadola, sondern außerdem ein Messer, auf dem man Spuren der gleichen Blutgruppe feststellte, die einst in Bruno Tondellis Adern geflossen war.

Spadola wurde zu lebenslänglich Gefängnis verurteilt, und Aurelio Zen konnte sich drei Tage lang in seinem Ruhm sonnen. Dann erfuhr er von einem neidischen Kollegen, dass das Messer mit etwas Blut von Tondelli beschmiert und von der Polizei selbst an diesen Ort geschmuggelt worden war und dass »die Nachtigall« nur deshalb bereit gewesen war, vor Gericht zu erscheinen und zu bezeugen, dass Spadola den Mord verübt hatte, weil die Tondellis ihn reichlich dafür bezahlt hatten.

Zen klappte die Akte zu und gab sie dem Angestellten zusammen mit der leeren Videokassette zurück. »Ach, übrigens, wenn es nicht zu viel Mühe macht, glauben Sie, dass Sie es vielleicht beim nächsten Mal schaffen könnten, meinen Namen richtig zu schreiben?«, fragte er und wedelte mit dem Schreiben.

»Was stimmt denn damit nicht?«, fragte der Angestellte und nahm das Ersatzband, ohne einen weiteren Blick darauf zu werfen.

»Zufällig heiße ich Zen und nicht Zeno.«

»Zen ist nicht italienisch.«

»Ganz recht, es ist venezianisch. Aber da der Name nur aus drei Buchstaben besteht, hätte ich gedacht, dass selbst ihr hier unten in der Lage sein würdet, ihn richtig zu schreiben. Und wo wir schon mal dabei sind, was, zum Teufel, heißt das hier?«

Er zeigte auf die in die freie Zeile gekritzelte Phrase.

»› … da er von einem anderen Beamten benötigt wird‹«, las der Angestellte laut vor. »Vielleicht brauchen Sie eine Brille.«

Zen runzelte die Stirn und ignorierte diese Bemerkung. »Wer hat danach gefragt?«

Der Angestellte zog mit einem tiefen Seufzen einen Aktenschrank auf und blätterte schnell die Karteikarten durch. »Fabri, Vincenzo.«

Selbst jetzt, während er im Taxi saß und auf die verlassenen Straßen dieser Schlafstadt hinausschaute, konnte Zen noch das Gefühl von Panik spüren, das diese Worte in ihm ausgelöst hatten. Warum sollte ausgerechnet Vincenzo Fabri das Burolo-Video bestellt haben. Er hatte nichts mit dem Fall zu tun, also keinen legitimen Grund, sich das Band anzusehen. Wenn nicht noch mehr dahintersteckte, war das zumindest ein äußerst unglückseliger Zufall. Jetzt würde nicht nur herauskommen, dass Zen das Video durch ein leeres Band ersetzt hatte, sondern das würde ausgerechnet mithilfe seines eingeschworenen Feindes geschehen. Nervös zündete Zen sich eine Zigarette an, wobei er das Schild am Armaturenbrett des Taxis ignorierte, das ihm dafür dankte, dies nicht zu tun, und dachte beklommen darüber nach, dass Vincenzo Fabri sich keine bessere Gelegenheit hätte ausdenken können, seinen Rivalen zu kompromittieren, selbst wenn er das geplant hätte.

Der frühe Abend hatte auch nicht gerade dazu beigetragen, Zens Laune zu verbessern. Das Abendessen war für ihn immer der schwierigste Teil des Tages. Am Morgen konnte er zur Arbeit entfliehen, und wenn er am Nachmittag nach Hause kam, war Maria Grazia, die Haushälterin, da und sorgte mit ihrer geschäftigen und geschwätzigen Gegenwart dafür, die Situation zu entspannen. Später am Abend wurde es dann wieder einfacher, wenn seine Mutter das Licht ausschaltete, sich vor dem Fernseher niederließ und nach Lust und Laune von einem Kanal in den anderen schaltete, wobei sie in die einzelnen Serien hineinsprang wie jemand, der für einen kurzen, belanglosen Schwatz bei den Nachbarn vorbeischaut. Aber zunächst einmal musste er das Abendessen hinter sich bringen.

Zu allem Übel hatte seine Mutter heute mal wieder eine von ihren »tauben« Phasen, in denen sie – tatsächlich oder angeblich – nicht in der Lage war zu verstehen, was man zu ihr sagte, bis es drei- oder viermal in immer höherer Lautstärke wiederholt worden war. Da ihre Unterhaltungen sich seit Langem auf den niedrigsten gemeinsamen Nenner beschränkten, sah Zen sich gezwungen, mit voller Lautstärke Bemerkungen herauszuschreien, die so sinnlos waren, dass es schon Mühe machte, sie auch nur vor sich hin zu nuscheln.

Zu Zens ungeheurer Erleichterung brachten die Fernsehnachrichten keinen Hinweis auf die Entdeckung von exklusivem Videomaterial, auf dem alle blutrünstigen Einzelheiten der Burolo-Morde zu sehen waren. Tatsächlich wurde der Fall zum ersten Mal überhaupt nicht erwähnt. Stattdessen wurden die Nachrichten von dem Mord an Richter Giulio Bertolini beherrscht und brachten ein erregtes Interview mit der Witwe des Opfers, in dessen Verlauf sie sich beklagte, dass man ihrem Mann keinen Personenschutz gewährt hatte. »Selbst nachdem Giulio Drohungen erhalten hatte, wurde überhaupt nichts unternommen! Wir baten, wir bettelten, wir …«

»Ihr Mann wurde also gewarnt, dass man ihn ermorden würde?«, unterbrach der Reporter eifrig.

Signora Bertolini machte eine einschränkende Geste. »Nein, nicht so direkt. Aber es gab Anzeichen, Hinweise, merkwürdige und beunruhigende Dinge. Zum Beispiel ein Umschlag, der uns in den Briefkasten geschoben wurde und in dem nichts weiter drin war außer einer Menge winzig kleiner Metallkügelchen, wie Kaviar, nur härter. Und dann wurde Giulios Brieftasche gestohlen, wir haben sie später im Wohnzimmer wiedergefunden, sein Geld und seine Papiere überall auf dem Boden verstreut. Aber als wir den Staatsanwalt verständigten, sagte der, es gäbe keinen Grund, meinem Mann einen bewaffneten Sicherheitsbeamten zuzuteilen. Und nur ein paar Tage später wurde er niedergeschossen, ein hilfloses Opfer, von den Leuten verraten, deren Aufgabe …«

Zen warf einen Blick auf seine Mutter. Bisher hatte keiner von ihnen das geheimnisvolle metallische Kratzen erwähnt, das sie während der vergangenen Nacht beunruhigt hatte und das er als eine Ratte hinter den Fußleisten abgetan hatte. Er hoffte, dass Signora Bertolinis Worte sie nicht auf eine andere mögliche Erklärung brachten, die ihm in den Sinn gekommen war, dass nämlich jemand versucht hatte, in die Wohnung einzubrechen.

»Magst du deine Suppe nicht?«, sagte er zu seiner Mutter, die verdrießlich das Gemüse und die Pasta auf ihrem Teller herumschob.

»Was?«

»DEINE SUPPE! WILLST DU SIE NICHT ESSEN?«

»Da sind Rüben drin.«

»Was ist denn damit?«

»Rüben sind Viehfutter, nicht für Menschen«, erklärte seine Mutter, deren Schwerhörigkeit sich auf wundersame Weise gebessert hatte.

»Du hast sie doch das letzte Mal gegessen.«

»Was?«

Zen holte tief Luft. »SCHIEB SIE AUF SEITE UND ISS DEN REST!«, brüllte er, wobei er wortwörtlich den Spruch wiederholte, den sie früher ihm gegenüber häufig gebraucht hatte.

»Ich habe keinen Hunger«, erwiderte seine Mutter schmollend.

»Das hindert dich aber nicht daran, eine halbe Schachtel Pralinen beim Fernsehen zu essen.«

»Was?«

»NICHTS.«

Zen schob seinen Teller von sich und zündete sich eine Zigarette an. Auf dem Fernsehschirm setzte Signora Bertolini immer noch ihre wirren und leeren Anschuldigungen fort. Obwohl er natürlich Verständnis für sie hatte, empfand Zen doch auch einen gewissen Zorn. Es wurde allmählich zu bequem, immer den Behörden für alles, was passierte, die Schuld zu geben. Bald schon würden die Angehörigen von Autofahrern, die auf der Autobahn ums Leben gekommen waren, im Fernsehen erscheinen und behaupten, deren Tod hätte nichts damit zu tun, dass sie mit 200 Stundenkilometern bei Gegenverkehr über den Mittelstreifen gefahren waren, sondern mit der kriminellen Nachlässigkeit der Behörden, die sich nicht um die Bedürfnisse der Leute kümmerten, die ihr verfassungsmäßiges Recht ausübten, wie die Wahnsinnigen zu fahren.

Um genau eine Minute vor sieben ging Zen in den Flur, wo das Telefon stand, und wählte die Nummer, die Tania ihm gegeben hatte.

Eine Frau war am Apparat. »Ja?«

»Guten Abend. Ich habe eine Nachricht für Signora Biacis.«

»Wer ist da?«

Die Frau sprach abgehackt und so kurz angebunden, als ob sie für jedes Wort bezahlen müsste und sich darüber ärgerte.

»Das Innenministerium.«

Gedämpftes Geschrei drang in die Sprechmuschel, die die Frau mit ihrer Hand zuhielt, während sie mit jemand anderem sprach.

»Wer ist da?«, erklang ganz abrupt die Stimme eines Mannes.

»Ich rufe aus dem Innenministerium an«, sagte Zen sein Sprüchlein auf. »Ich habe eine Nachricht für Signora Biacis.«

»Ich bin ihr Mann. Worum gehts?«

»Sie haben sicherlich von der letzten terroristischen Gräueltat gehört, Signor Biacis ...«

»Bevilacqua, Mauro Bevilacqua«, unterbrach der Mann.

Zen schrieb den Namen auf den Notizblock neben dem Telefon. Offensichtlich hatte Tania Biacis wie viele verheiratete Italienerinnen ihren Mädchennamen behalten.

»Deshalb sind die Mitarbeiter des Ministeriums in Alarmbereitschaft versetzt worden. Ihre Frau ist heute Abend für eine halbe Schicht eingeteilt.«

Der Mann schnaubte ärgerlich. »Das ist ja noch nie passiert!«

»Ganz im Gegenteil, das passiert leider viel zu oft.«

»Ich meine, sie ist noch nie um diese Zeit angerufen worden!«

»Dann hat sie aber Glück gehabt«, erklärte Zen mit Entschiedenheit und hängte ein.

Das war alles, was er hatte tun sollen, überlegte Zen, während er im Taxi saß und darauf wartete, dass der Fahrer zurückkam. Das war alles, worum er gebeten worden war, alles, was er mit Fug und Recht tun konnte. Aber statt ins Wohnzimmer zurückzugehen und seiner Mutter Gesellschaft zu leisten, hatte er den Hörer noch einmal abgehoben und sich ein Taxi bestellt.

Die im Telefonbuch unter »Bevilacqua, Mauro« angegebene Adresse existierte auf Zens Stadtplan von Rom überhaupt nicht. Auch der Taxifahrer wusste nicht, wo das war, aber nach einer Rückfrage bei der Zentrale konnte sie schließlich in einem der neuen Vororte am Stadtrand lokalisiert werden, jenseits der Grande Raccordo Anulare.

Ob nun die Anweisungen der Zentrale ungenau gewesen waren oder der Fahrer sie vergessen hatte, jedenfalls fanden sie die Straße erst nach längeren Exkursionen über ungepflasterte Straßen, die streckenweise voller Schlaglöcher waren und holprige Stufen an den Stellen aufwiesen, wo die einbetonierten Abflussrohre über die ausgewaschene Oberfläche liefen. Bis vor Kurzem war das alles uneingezäuntes Weideland gewesen, offene Campagna, wo Schafe zwischen den rauschenden Aquädukten und den kompakten runden Türmen herumliefen, die jetzt den neuen Vorstädten ihre Namen gaben, welche entstanden waren, seit die Hauptstadt mit ihrem pathologischen Nachkriegswachstum begonnen hatte. Da sie nur stückweise geplant wurden, so wie sich das Gebiet gerade ausdehnte, verliefen die Straßen ziellos in der Gegend und endeten häufig abrupt in einer Sackgasse, was den Fahrer zu langen Umwegen zwang, bei denen man die Orientierung verlor. Dieses Gebiet hier war Opfer einer Fehlentwicklung aus den frühen Sechzigerjahren, eine Slumvorstadt aus vorsintflutlichen Hütten, die notdürftig von Einwanderern aus dem Süden zusammengehauen worden waren, jede von einem eingezäunten Stück Land umgeben, auf dem Hühner und Esel zwischen alten Toilettenbecken und weggeworfenen Paletten herumliefen. Als Nächstes kam ein Abschnitt, auf dem die Villen der Wohlhabenderen standen, umgeben von dichten Pinien und von Hunden bewacht. Daran schloss sich ganz abrupt eine große, freie, asphaltierte Fläche an, die von riesigen Scheinwerfern an Stahlmasten beleuchtet wurde. Dort hatte sich eine Gruppe von Zigeunern mit ihren Wohnwagen niedergelassen, zwischen denen als Überdachung Plastikfolien gespannt waren. Dahinter kam ein Feld, auf dem Schafe weideten, und dann begannen die Mietskasernen, vierzehn Stockwerke hoch, wie die Figuren eines Brettspiels für Riesen gleichmäßig über die Landschaft verteilt, in einem Landstrich, den man brutal geplündert und dann sich selbst überlassen hatte. Schließlich fanden sie auch die Wohnsiedlung, in der Mauro Bevilacqua und Tania Biacis ihr Zuhause gefunden hatten.

Zen ließ sich in seinen Sitz zurückfallen und fragte sich, warum um alles in der Welt er hierhergekommen war. Sobald der Fahrer von seinem Snack zurückkam, würde er sich nach Hause bringen lassen. Tania musste schon längst das Haus verlassen haben, als das Taxi noch in dem chaotischen urbanen Hinterland herumirrte. Nicht dass er tatsächlich die Absicht gehabt hatte, ihr zu folgen. Wenn er ihren Kommentar von heute Morgen über ihren Mann und ihre Bitte an Zen, ihr telefonisch ein Alibi zu verschaffen, damit sie das Haus verlassen könne, zusammenaddierte, dann schien ziemlich klar zu sein, was sie vorhatte. Das Letzte, was er wollte, war der tatsächliche Beweis dafür. Er hatte die Tatsache akzeptiert, dass Tania glücklich und unwiderruflich verheiratet war. Jetzt war er nicht bereit zu akzeptieren, dass sie ganz im Gegenteil eine Affäre hatte, aber nicht mit ihm.

Eine Gestalt zeichnete sich als Silhouette an einem der Fenster des Häuserblocks neben ihm ab. Zen stellte sich vor, wie das Ganze von diesem Fenster aus wirken musste, die verlassene Straße, das parkende Auto. Dabei musste er unwillkürlich an die letzte Nacht denken, und plötzlich wurde ihm klar, was ihn an dem roten Auto irritiert hatte. Wie das Taxi hatte es ungefähr 50 Meter von seinem Haus entfernt auf der gegenüberliegenden Straßenseite gestanden, auf dem klassischen Beobachtungsposten also. Aber er hatte keine Zeit, den Gedanken weiterzuverfolgen, weil in diesem Augenblick eine Frau aus einem der Treppenschächte des Apartmentblocks heraustrat.

Sie setzte sich in Richtung Taxi in Bewegung, blieb dann plötzlich stehen und eilte dahin zurück, wo sie hergekommen war. Im selben Augenblick kam wie auf ein Zeichen der Taxifahrer aus der Bar, und ein dunkelhäutiger Mann in Hemdsärmeln rannte aus dem Haus auf die Garage unter dem Apartmentblock zu, wobei er wild nach allen Seiten um sich blickte. Die Frau wandte sich abrupt nach links und ging in Richtung Bar, doch der Mann schnitt ihr einfach den Weg ab, und sie fingen an, sich gegenseitig herumzustoßen. Der Mann packte sie an den Armen und versuchte, sie zur Haustür zurückzuziehen.

Zen stieg aus dem Taxi, ging auf das Paar zu und zückte seinen Dienstausweis. »Polizei!«

Ganz auf ihr ungeschicktes Gerangel konzentriert, beachteten die beiden ihn überhaupt nicht. Zen zerrte den Mann unsanft an der Schulter und rief: »Lassen Sie sie los!«

Der Mann wirbelte herum und holte zu einem kräftigen Schlag gegen Zen aus, dem dieser aber mit Leichtigkeit auswich. Dann packte er den Mann am Kragen, riss ihn aus dem Gleichgewicht und stieß ihn nach hinten, sodass er zu Boden taumelte.

»Okay, wofür möchten Sie gern festgenommen werden?«, fragte er. »Tätlicher Angriff auf einen Polizeibeamten …«

»Sie haben mich angegriffen!«, fiel ihm der Mann aufgebracht ins Wort, als er wieder auf die Beine kam.

»… oder Belästigung dieser Dame«, fuhr Zen fort.

Der Mann lachte rau. Er war klein und zierlich gebaut, doch als Ausgleich schien sein ordentlich gestutzter Schnurrbart Prahlerei und Draufgängertum auszustrahlen. »Dame?

Was soll das heißen, Dame? Sie ist meine Frau! Verstehen Sie das? Das ist eine Familienangelegenheit!«

Zen wandte sich an Tania Biacis, die ihn absolut entgeistert anstarrte. »Was ist passiert, Signora?«

»Sie wollte von ihrem Zuhause und ihren Pflichten davonlaufen!«, rief ihr Mann. Seine Arme waren zu einem unsichtbaren Publikum hin ausgebreitet.

»Ich ... dieses Taxi ... ich dachte, es wäre frei«, sagte Tania. Zens Anwesenheit brachte sie offenbar vollkommen durcheinander. »Ich wollte es nehmen. Dann sah ich, dass jemand darin saß, deshalb wollte ich in die Bar gehen und eines anrufen.«

Mauro Bevilacqua starrte Zen hasserfüllt an. »Warum, zum Teufel, lungern Sie überhaupt hier herum? Das ist ja so schlimm wie in Russland, an jeder Ecke Polizei!«

»Zufälligerweise hat es einen Terroristenalarm gegeben«, sagte Zen betont kühl.

Tania wandte sich triumphierend ihrem Mann zu. »Da siehst dus! Hab ich dir doch gesagt!«

Nachdem sie ihre Geistesgegenwart wiedergewonnen hatte, versuchte sie, Zen die Situation zu erklären. »Ich arbeite beim Innenministerium. Heute Abend wurde ich wegen der kritischen Situation zu einer Sonderschicht eingeteilt, doch mein Mann wollte mir das nicht glauben. Er wollte mir das Auto nicht geben. Er sagte, das sei alles eine Lüge, ein Komplott, um aus dem Haus zu kommen!«

Zen schüttelte angewidert den Kopf. »So weit ist es also gekommen! Hier steht Ihre Frau, Signore, ein wichtiges Mitglied in einem hingebungsvollen Team, das sich Tag und Nacht aufopfert, um dieses unser Land vor einer Bande skrupelloser Anarchisten zu schützen, und alles, was Sie tun können, ist, ihr unerhörte und kindische Anschuldigungen ins Gesicht zu schleudern! Sie sollten sich schämen.«

»Das ist nicht Ihre Angelegenheit!«, kläffte Bevilacqua zurück.

»Ganz im Gegenteil«, warnte ihn Zen. »Wenn ich es zu meiner Angelegenheit mache, dann können Sie mit einer Gefängnisstrafe wegen Körperverletzung rechnen.«

Er hielt einen Augenblick inne, um das wirken zu lassen.

»Doch Sie können froh sein, dass ich wichtigere Dinge zu tun habe. Genau wie Ihre Frau. Aber damit Sie ganz beruhigt sind, werde ich Ihre Frau persönlich zum Ministerium begleiten. Genügt Ihnen das? Oder möchten Sie, dass ich einen bewaffneten Geleitschutz anfordere, damit sie auch wirklich sicher zu ihrem Arbeitsplatz kommt?«

Mauro Bevilacqua schlug mit den Armen auf und ab wie ein Vogel, der nicht fliegen kann und vergeblich versucht abzuheben. »Was ich möchte! Was ich möchte! Was ich möchte, ist, dass sie endlich anfängt, sich wie eine anständige Ehefrau zu benehmen, und sich nicht zu dieser nachtschlafenden Zeit allein herumtreibt!«

Er drehte sich ruckartig zu ihr um. »Du hättest erst gar nicht dort anfangen sollen! Ich war schon immer dagegen.«

»Wenn du ein anständiges Gehalt von deiner Scheißbank mit nach Hause brächtest, dann brauchte ich das auch nicht!«

Mauro Bevilacqua sah sie mit hasserfüllten Augen an. »Darüber reden wir noch, wenn du nach Hause kommst!«, spuckte er hervor und drehte sich auf dem Absatz um.

Zen hielt Tania die hintere Tür des Taxis auf und setzte sich selbst auf den Beifahrersitz.

»Was hast du nun eigentlich hier gemacht?«, fragte Tania, nachdem sie eine Weile schweigend gefahren waren.

Er gab keine Antwort. Nun, wo ihre kleine Farce zu Ende gespielt war, hatte ihn all sein Selbstvertrauen verlassen. Er fühlte sich unbehaglich, und die ganze Situation war ihm peinlich.

»Du hast doch nicht wirklich jemanden überwacht?«, versuchte sie, ihm auf die Sprünge zu helfen.

Zen machte es normalerweise überhaupt keine Mühe, sich

eine plausible Geschichte auszudenken, um seine wahren Motive zu kaschieren, doch diesmal wusste er nicht weiter. Er konnte Tania nicht die Wahrheit sagen, er wollte sie aber auch nicht anlügen. »Jedenfalls nicht offiziell.«

Er sah sich nach ihr um. Bei jeder Straßenlaterne floss das Licht in einer gleichmäßig streichelnden Bewegung über sie und gab die Konturen ihres Gesichts und ihres Körpers zu erkennen.

»Du klangst sehr überzeugend.«

Er zuckte mit den Achseln. »Wenn man jemandem einen Haufen Lügen erzählen will, dann hat es keinen Sinn, das halbherzig zu tun.«

Mithilfe von Tanias Anweisungen gelangten sie sehr schnell auf die Via Casilina und waren bald wieder mitten in der Stadt. Zen fühlte sich, als ob er gerade aus dem Weltall zurück auf die Erde käme.

»Wie kannst du es nur in dieser Gegend aushalten?«

Sobald er das ausgesprochen hatte, merkte er, wie unhöflich sich diese Frage anhörte. Aber Tania schien das nicht weiter zu kränken. »Das frage ich mich selbst jeden Morgen, wenn ich weggehe, und jeden Abend, wenn ich wiederkomme. Die Antwort ist ganz einfach. Geld.«

Du könntest aber doch weniger für dein gesellschaftliches Leben ausgeben, dachte Zen griesgrämig, auf die exklusiven Dinners verzichten, auf das Opernabonnement und die Ski- und Tauchwochenenden. Er stellte fest, dass sein Interesse an Tania Biacis zusehends nachließ. Aber er sagte nichts. Mauro Bevilacqua hatte recht gehabt. Das war nicht seine Angelegenheit.

»Also, wo gehts nun hin?«, fragte der Fahrer, als sie sich der Porta Maggiore näherten.

Zen sagte nichts. Das sollte Tania entscheiden, und sie sollte dafür so viel Zeit haben, wie sie brauchte. Zen hatte den Betrug an ihrem Mann zwar unterstützt, doch eigentlich ärgerte er sich genauso über ihr Verhalten wie Mauro Bevilacqua, obwohl er sich das natürlich nicht anmerken lassen konnte. Ihm war außerdem bewusst, dass Tania für ihn eine andere Geschichte würde erfinden müssen, da die, die sie ihrem Mann erzählt hatte, ja nicht infrage kam. Er wünschte sich, dass sie sich etwas Gutes einfallen ließe, etwas Überzeugendes, etwas, das seine Gefühle schonte. Schließlich hatte er für sie die Drecksarbeit geleistet. Nun war es an ihr, auch ihm gegenüber für ein Alibi zu sorgen.

»Eh, oh, Signori!«, lamentierte der Fahrer. »Nur ein bisschen Information, mehr brauche ich nicht. Dieses Auto ist nämlich kein Maulesel. Es läuft nicht von allein. Man muss schon am Lenkrad drehen. Also, wo gehts lang?«

Tania lachte verlegen. »Ehrlich gesagt, ich wollte einfach ins Kino gehen.«

Nun, das war besser, als geradeheraus zu sagen, dass sie ihren Liebhaber treffen wollte, dachte Zen. Aber auch nicht viel besser. Nicht nachdem sie ihn monatelang mit ihren Ansichten über die neuesten Filme, so wie sie herauskamen, erfreut und damit geprahlt hatte, dass sie und ihr Mann ins Kino gingen, wie andere Leute den Fernseher einschalteten.

So frech und so offensichtlich zu lügen, das war wirklich eine Beleidigung. Kein Wunder, dass sie sich nun verlegen anhörte. Sie konnte nicht erwarten, dass er ihr glaubte, keinen Augenblick lang. Sicher hatte sie es bewusst getan, um ihrem treudoofen und völlig verknallten Verehrer die Wahrheit nahezubringen. Nun ja, es hatte funktioniert! Er hatte es endlich begriffen!

»Hast du an einen bestimmten Film gedacht?«, fragte er sarkastisch.

»Irgendeinen.«

Sie hörte sich abweisend an, zweifellos war sie entnervt, weil sie dachte, er hätte nichts kapiert. Er wollte das sofort richtigstellen. »Via Nazionale«, erklärte er dem Fahrer und fügte, an Tania gewandt, hinzu: »Ich bin sicher, dass du dort findest, was du suchst. Was auch immer es sein mag.«

Als sich ihre Blicke trafen, hatte er das ungute Gefühl, dass er das Ganze doch irgendwie missverstanden hatte. Aber wie war das möglich? Welche andere Erklärung gab es?

»Halten Sie bitte an«, sagte Tania zu dem Fahrer.

»Wir sind noch nicht da.«

»Das macht nichts! Halten Sie einfach an.«

Das Taxi überquerte zwei Fahrspuren und löste ein Hupkonzert hinter sich aus. Tania gab dem Fahrer einen 10.000-Lire-Schein. »Ziehen Sie das von dem ab, was er Ihnen schuldet.«

Sie stieg aus, knallte die Tür zu und ging davon.

»Wohin jetzt?«, fragte der Fahrer.

»Dahin zurück, wo Sie mich abgeholt haben«, erklärte ihm Zen.

Sie fuhren die Via Nazionale hinunter und überquerten die Piazza Venezia. Der Fahrer wies mit dem Daumen auf das weiße Gebilde des Vittorio-Emanuele-Denkmals. »Wissen Sie, was ich neulich gehört habe? Ich hatte da diesen Stadtrat hinten im Wagen, und wir fuhren hier vorbei. Sie haben doch von dem Unbekannten Soldaten gehört, den sie hier beerdigt haben? Dieser Ratsherr erzählte mir, dass sie vor einigen Jahren bei Instandsetzungsarbeiten den Leichnam ausgraben mussten. Und wissen Sie, was die dabei festgestellt haben? Das arme Schwein war in den Rücken geschossen worden! Muss ein Deserteur gewesen sein, vermuteten sie. Machte sich während der Schlacht aus dem Staub und wurde von der Militärpolizei erschossen. Ist das nicht das Allerletzte? Da haben wir dieses Scheißdenkmal für militärische Tapferkeit, wo die ganze Zeit zwei Posten Wache schieben, und dann stellt sich heraus, dass das arme Arschloch, das da begraben liegt, ein Deserteur war! Das gibt einem doch zu denken, oder?«

Zen stimmte ihm zu, dass solche Dinge einem in der Tat

zu denken gaben, aber eigentlich war er mit seinen Gedanken ganz woanders. Er ließ die Geschichte seiner Beziehungen zu Frauen wie ein Ertrinkender sein Leben vor seinem geistigen Auge vorüberziehen. Und tatsächlich hatte Zen das Gefühl zu ertrinken, in einem Meer schwarzer Gleichgültigkeit und eisiger Trägheit. Seine gescheiterte Ehe konnte auf seinem Erfahrungskonto verbucht werden; er und Luisella hatten zu früh und aus den falschen Gründen geheiratet. So etwas kam häufig vor. Das eigentlich Beunruhigende war, was seitdem passiert war, beziehungsweise nicht passiert war. Denn Zen war schmerzlich bewusst, dass er es in den fünfzehn Jahren, nachdem seine Ehe auseinandergegangen war, nicht geschafft hatte, eine einzige dauerhafte Bindung einzugehen.

Der letzte Tiefschlag war dann die Abreise von Ellen gewesen, der geschiedenen Amerikanerin, mit der er drei Jahre lang eine lockere Beziehung unterhalten hatte. Die Art, wie sie ihn verlassen hatte, war genauso schmerzhaft gewesen wie die Tatsache an sich. Ellen hatte deutlich gemacht, dass Zen sie auf beinah jede erdenkliche Art enttäuscht hatte, und nachdem er erst einmal seinen Zorn über diese Zurückweisung überwunden hatte, musste er feststellen, dass er das kaum leugnen konnte. Die Gelegenheit war da, und er hätte sie nur zu ergreifen brauchen, stattdessen hatte er gezaudert und gezögert und sie hingehalten, indem er seine Mutter als Entschuldigung vorschob, bis es zur Krise kam. Dann hatte er das Fass zum Überlaufen gebracht, als er mit einem unüberlegten Heiratsantrag herausplatzte, der wie eine letzte Beleidigung gewirkt haben musste. Was Ellen gewollt hatte, war nicht die Ehe um ihrer selbst willen, sondern das Gefühl, dass Zen sich ihr verbunden fühlte. Und er war einfach nicht in der Lage gewesen, diese Art von Bindung zu empfinden.

Das war natürlich in seinem Alter nicht weiter erstaunlich. Von Jahr zu Jahr gab es immer weniger Dinge, die ihm wirklich wichtig waren, und Zen war bald selbst davon überzeugt, dass sein Misserfolg bei Ellen nur ein Zeichen dafür gewesen war, dass Liebe für ihn immer mehr zu etwas wurde, das nicht der Mühe wert schien. Weshalb sonst hätte er diese Gelegenheit vorübergehen lassen? Und warum konnte er sich nicht dazu aufraffen, die Postkarten und Briefe zu beantworten, die Ellen ihm aus New York schickte? Die ganze Affäre war wohl nichts weiter gewesen als die Selbsttäuschung eines alternden Mannes, der sich nicht damit abfinden konnte, dass auch die Liebe etwas war, das er lernen musste, auf würdevolle Art aufzugeben.

Zen war gerade mit sich selbst über diese Dinge ins Reine gekommen, als Tania Biacis in sein Leben trat. Es war am ersten Tag, als er seine neue Stelle im Ministerium antrat. Tania stellte sich als eine der Verwaltungsassistentinnen vor und erklärte ihm ausführlich die bürokratischen Vorgänge innerhalb der Abteilung. Zen nickte, lächelte und brummte, und es gelang ihm sogar, ein paar sachbezogene Fragen zu stellen, doch in Wirklichkeit war er die ganze Zeit auf Autopilot geschaltet, all sein Wissen aus zweiter Hand war weggefegt durch die bloße Gegenwart dieser Frau, die er, wie er erfreut und verzweifelt zugleich feststellte, auf die altbekannte, raue, schmerzhafte und hoffnungslose Art begehrte.

Doch im Gegensatz zu dem Genueser Paar, über das am Morgen in der Zeitung berichtet worden war, mussten er und Tania nicht befürchten, von einem zornigen Ehemann gegrillt zu werden, aus dem einfachen Grund, dass es – jedenfalls soweit das Zen betraf – nichts gab, worüber Mauro Bevilacqua hätte eifersüchtig sein können. Zugegeben, er und Tania hatten sich ganz gut angefreundet, aber nichts schließt Leidenschaft so sicher aus wie Freundschaft. Diese langen, ungezwungenen Gespräche, die Zen einst so vielversprechend erschienen waren, deprimierten ihn jetzt umso mehr. Es war fast so, als ob Tania ihn wie eine Art Ersatzfreundin behandelte, als ob er völlig geschlechtslos sei, und sie sich deshalb stundenlang mit ihm unterhalten konnte, ohne sich zu kompromittieren.

Manchmal wurde ihr Ton etwas persönlicher, besonders wenn sie über ihren Vater sprach. Er war Dorfschullehrer gewesen, ein vollkommen weltfremder Idealist, der, sooft es ging, in die Berge entflohen war. Tanias Name war nicht – wie Zen angenommen hatte – eine Koseform von Stefania, sondern von Tatania. Ihr Vater hatte sie nach Gramscis Schwägerin benannt, die während der gesamten elf Jahre, die er unter den Faschisten im Gefängnis verbringen musste, zu dem kommunistischen Vordenker gehalten hatte. Aber trotz dieser Art von Vertrautheit hatte Tania Zen nie den geringsten Hinweis gegeben, dass sie ein persönliches Interesse an ihm hätte, während er seinerseits natürlich sorgsam darauf bedacht gewesen war, seine eigenen Gefühle nicht zu zeigen. Er zitterte bei dem bloßen Gedanken an Tanias Reaktion, falls sie die Wahrheit ahnte. Aus dem, was sie erzählt hatte, ging klar hervor, dass sie und ihr Mann ein abwechslungsreiches, ausgefülltes und spannendes Leben führten. Was hätte Zen ihr schon zu bieten, was sie wollen oder brauchen könnte?

Deshalb war es für ihn fast unerträglich festzustellen, dass es offenbar doch noch Dinge gab, die Tania wollte oder brauchte, aber in ihrer Ehe nicht fand. Und abgesehen davon, dass sie sie nicht bei ihm gesucht hatte, hatte sie ihn sogar noch für ihre Zwecke eingespannt und dann angelogen.

Das schmerzte Zen so sehr, dass es einen Mechanismus auslöste, der in seiner frühesten Kindheit entstanden war, als nämlich sein Vater in einem anonymen Grab in Russland verschwand. Diesen Verlust spürte er noch immer wie einen alten Bruch bei feuchtem Wetter. Doch damals war der Schmerz zu heftig gewesen, als dass er überhaupt hätte ertragen werden können. Um zu überleben, hatte sich Zen vollkommen auf die Gegenwart konzentriert, der Vergangenheit jegliche Realität abgesprochen und im Hier und Jetzt Zuflucht genommen.

Genauso reagierte er jetzt auch auf Tanias Verrat, und zwar mit einem solchen Erfolg, dass er, als sie vor seinem Haus anhielten und der Fahrer ihm sagte, was er bezahlen müsse, glaubte, dieser wolle ihn betrügen.

»129.000 Lire für eine kurze Fahrt durch die Stadt!«

»Was, zum Teufel, reden Sie da?«, ereiferte sich der Fahrer. »Zweieinviertel Stunden hat das Ganze gedauert! Ich hätte dreimal so viel verdienen können, wenn ich kurze Fahrten gemacht hätte, statt mir in irgend so einem beschissenen Vorort einen abzufrieren!«

Zen zählte die Geldscheine ab. Das war nun aber wirklich seine letzte amateurmäßige Überwachungsübung, schwor er sich, als das Taxi mit aufheulendem Motor an der roten Limousine vorbeiraste, die ungefähr 50 Meter weiter unten auf der anderen Straßenseite parkte.

Außer ihm war nur noch ein älteres Paar unterwegs, das im Schneckentempo auf der anderen Seite den Bürgersteig entlangschlich. Zen ging zu dem Auto hinüber, einem Alfa Romeo mit römischem Kennzeichen. An seiner Karosserie waren mehrere tiefe Kratzer und Beulen, und eine Radkappe fehlte, obwohl das Fahrzeug ziemlich neu war. Zen sah durch das schmutzige Fenster in das Innere des Wagens. Ein Päckchen Marlboro lag auf einem der Ledersitze, die fast unbenutzt aussahen. Der Boden war mit Zigarettenstummeln übersät und voller Brandflecke. Die leere Schachtel einer Adriano-Celentano-Kassette lag auf der Ablage hinter dem Schaltknüppel, die Kassette selbst ragte aus dem Rekorder heraus.

Er richtete sich auf, als er Schritte näher kommen hörte, aber es war nur das ältere Paar. Sie trotteten an ihm vorbei, der Mann seiner Frau einige Schritte voraus. Keiner von beiden sah den anderen an, aber sie hielten die ganze Zeit ein belangloses Geplänkel aufrecht.

»Dann können wir …«

»Richtig.«

»Oder nicht. Wer weiß?«

»Ja, jedenfalls …«

Zen notierte sich das Autokennzeichen und ging zum Haus zurück. Giuseppe hatte keinen Dienst, deshalb war die Haustür abgeschlossen. Der Aufzug stand auf einer der oberen Etagen. Zen drückte auf den Lichtschalter und begann, die niedrigen Marmorstufen hinaufzusteigen, immer zwei auf einmal. Über sich hörte er ein Rumpeln, dann folgte ein quietschendes Geräusch, als sich der Aufzug nach unten in Bewegung setzte. Ein paar Sekunden später fuhr der Aufzug an ihm vorbei. Der einzige Insasse war nur als verschwommene Silhouette hinter der Milchglasscheibe erkennbar.

Als er den vierten Stock erreichte, war Zen außer Atem. Er wartete einen Augenblick, um zu verschnaufen, bevor er die Wohnungstür aufschloss. Von weit unten hörte man ein Rattern, als der Aufzug bebend zum Stehen kam. Dann wurde der Treppenabsatz plötzlich ins Dunkel getaucht, weil der Zeitschalter abgelaufen war. Zen tastete sich zur Tür vor, öffnete sie und schaltete in der Diele das Licht an. Als er die Tür wieder zumachte, bemerkte er auf der Anrichte einen Briefumschlag. Er nahm ihn und ging den Flur entlang an den düsteren Schränken vorbei, den geschnitzten Truhen und den kleinen Tischchen für besondere Gelegenheiten, die sich nie ergeben hatten. Als er sich dem Wohnzimmer näherte, hörte er Stimmen, die laut miteinander stritten.

»… nie und nimmer werde ich dir erlauben, diesen Mann zu heiraten!«

»Aber Papa, ich liebe Alfonso mehr als mein Leben!«

»Wage es nicht, seinen verfluchten Namen noch einmal auszusprechen! Morgen gehst du ins Kloster, und dort wirst du ein Gelübde ablegen, das viel heiliger und bindender ist als das, mit dem du unser Haus zu entehren trachtest.«

»Ins Kloster! Nein, verdamme mich nicht dazu, lebendig begraben zu sein, lieber Vater …«

Zen schob die Tür mit dem Glaseinsatz auf. Im flackernden Licht des Fernsehers sah er seine Mutter, die in ihrem Sessel eingeschlafen war. Er ging durch das verdunkelte Zimmer und drehte die Lautstärke herunter; damit brachte er die Stimmen zum Schweigen, ließ aber die kostümierten Gestalten weiter ihre melodramatischen Bewegungen ausführen. Dann ging er ans Fenster, zog die Jalousie hoch und schielte durch die Schlitze in den Läden nach draußen. Das rote Auto stand nicht mehr da.

Er hielt den Briefumschlag in das Licht vom Fernseher. Er schien leer zu sein, obwohl er erstaunlich schwer war. Sein Name war in großen Blockbuchstaben darauf geschrieben, aber Briefmarke und Adresse fehlten. Wie war der Umschlag auf die Anrichte gekommen, fragte er sich. Denn normalerweise wurde die Post unten im Flur in den Briefkasten gesteckt oder bei Giuseppe deponiert. Wenn eine Nachricht an der Tür abgegeben wurde, brachte Maria Grazia sie immer ins Wohnzimmer.

Zen riss den Briefumschlag auf. Er schien immer noch leer zu sein, doch irgendetwas darin raschelte, und als er ihn weit genug aufhielt, sah er ganz unten eine Menge silbriger Kügelchen dicht nebeneinanderliegen. Er ließ sie in seine Handfläche rollen. In dem flackernden Schein aus dem Fernseher hätte das alles Mögliche sein können: Medikamente, Samen oder sogar Dekoration für eine Torte. Aber Zen wusste, dass es nichts dergleichen war.

Es waren Schrotkugeln.

Die Nächte brachten Erleichterung. In der Nacht konnte ich mich frei bewegen, ich spürte, wie meine Kräfte wiederkehrten. Die anderen wagten sich nach Einbruch der Dunkelheit nicht mehr nach draußen. Wenn die Welt im Dunkeln ihre festen Umrisse verloren hat, gehört sie ihnen nicht mehr. Sie bleiben zu Hause, verschließen die Türen und sehen sich Bilder aus Licht an, die sich bewegen.

Sie haben Angst vor dem Dunkeln. Und das mit Recht.

Jenseits ihrer verschlossenen Türen und Fenster konnte ich wieder von dem Besitz ergreifen, was mir zusteht. Ich huschte mühelos von Ort zu Ort, erschien und verschwand nach Lust und Laune und gab mich der Dunkelheit hin wie den Umarmungen eines heimlichen Liebhabers. Bis es hell wurde, die Insassen sich regten und ein neuer Tag im Gefängnis anbrach.

Es war leicht für mich, hierher zurückzufinden. Ich bin hier immer nach Belieben aus und ein gegangen. Sie haben das nie verstanden. Sie haben nie versucht, es zu verstehen. Niemand hat mich was gefragt. Sie haben mir nur was erzählt. Sie haben mir erzählt, dass meine Gefangenschaft, wie sie es nannten, ein Missgeschick gewesen sei, ein Versehen. »Wie musst du gelitten haben!«, sagten sie. Ich hatte mein Zuhause und meine Familie verloren, aber das reichte ihnen noch nicht. Sie wollten, dass ich auch noch mich selbst verlöre. Was bin ich denn anderes als das, was die Dunkelheit aus mir gemacht hat? Wenn das ein Versehen war, ein Missgeschick, dann bin ich das auch.

Manchmal kam der Priester. Auch er hatte mir was zu erzählen, von einem liebenden Vater, einem gepeinigten Sohn und einer jungfräulichen Mutter. Ganz und gar nicht wie meine Familie, dachte ich, der Vater, der betrunken nach Hause kam und seine Frau fickte, bis sie schrie, und die dann wieder schrie, als der Sohn geboren wurde, ein verwöhnter Balg, arrogant und selbstsüchtig, der durch die Gegend stolzierte, als ob ihm alles gehörte, und das alles wegen diesem Ding, das da zwischen seinen Beinen baumelte, kaum so groß wie mein kleiner Finger! Aber ich habe den Mund gehalten. Ich glaubte nicht, dass der Priester das über sie hören wollte.

Und wer war ich, wenn die Familie zusammen war? Der Heilige Geist, nehme ich an. Der unheilige Geist.

Donnerstag, 07.55–13.20

Am nächsten Morgen im Café drehte sich das gesamte Gespräch um die Razzien, die Polizei und Carabinieri in der vergangenen Nacht bei den linken Sympathisanten in Mailand, Turin und Genua gemacht hatten. »Das wurde aber auch Zeit«, lautete der Kommentar des Zahnarztes, doch einer der Handwerker aus den Werkstätten im Erdgeschoss widersprach ihm.

»Die wirklichen Terroristen haben mit diesen sinistrini nichts zu tun. Den Bullen geht es einfach nur darum, einen guten Eindruck zu machen. Spätestens in einer Woche sind die alle wieder auf freiem Fuß, und wir fangen von vorn an!«

Der Barmann Ernesto und der Zahnarzt sahen Zen an, der beharrlich schwieg. Das geschah jedoch weder aus berufsbedingter Zurückhaltung noch aus Missfallen über den zynischen Ton des Handwerkers. Zen hatte einfach nicht zugehört. Er hatte selbst Probleme, die so dringlich waren, dass er es sich nicht leisten konnte, über die Probleme anderer zu reden, weil die eigenen ihn buchstäblich näher betrafen.

Schon wieder mal war er bis zum frühen Morgen aufgeblieben und hatte vergeblich versucht, das fehlende Glied zu finden, das die Ereignisse der letzten Tage erklären würde. Es war ihm nicht gelungen. Doch was viel schlimmer war, er war sich nicht einmal mehr sicher, ob das überhaupt möglich wäre. Natürlich sollte man – wie er wusste – der Versuchung widerstehen, alles in ein passendes Schema zu pressen. Es konnte nämlich sehr gut sein, dass man es mit zwei oder mehr unverbundenen Schemata zu tun hatte.

Eins war jedoch sicher. Während der drei Stunden, die er am vergangenen Abend nicht zu Hause gewesen war, war jemand in seine Wohnung eingedrungen und hatte einen mit Schrotkugeln gefüllten Umschlag auf der Anrichte in der Diele hinterlassen. Zen hatte beim Weggehen die Wohnungstür abgeschlossen, und bei seiner Rückkehr war sie immer noch verschlossen. Er hatte seine Mutter auf Umwegen ausgehorcht, um sie nicht zu ängstigen, und sich dadurch vergewissert, dass sie niemanden hereingelassen hatte. Die einzige andere Person, die einen Schlüssel besaß, war Maria Grazia. Bevor er zur Arbeit ging, hatte Zen auch sie ohne Ergebnis befragt. Sie hatte den Schlüssel in ihrer Handtasche, die weder verloren gegangen noch gestohlen worden war. Ihre gesamte Familie waren strenggläubige Katholiken, die bereits ein schlechtes Gewissen hätten, eine 100-Lire-Münze von der Straße aufzuheben. Es war völlig undenkbar, dass einer von ihnen sich hatte bestechen lassen, den Schlüssel an einen Dritten weiterzugeben. Zen befragte auch Giuseppe, der zu allen Wohnungen Ersatzschlüssel hatte. Er verneinte das genauso kategorisch, und angesichts der fanatischen Wachsamkeit, mit der er seinen Pflichten nachkam, war es unwahrscheinlich, dass der Eindringling sich auf diese Weise hätte Zugang verschaffen können.

Also blieb nur noch das metallische Kratzen übrig, das Zens Mutter in der Nacht zuvor angeblich gehört hatte. Es war aus der anderen Seite des Zimmers gekommen, hatte sie gesagt, von dort, wo der große Kleiderschrank stand. Mittlerweile schien es klar, dass das Geräusch von jemandem verursacht worden war, der das Schloss von der Tür zur Feuertreppe geknackt hatte, dann aber feststellen musste, dass sie durch den Kleiderschrank, der davorstand, blockiert wurde. Da dieser Versuch gescheitert war, war der Eindringling am vergangenen Abend während Zens Abwesenheit zurückgekommen und hatte die viel riskantere Möglichkeit gewählt, das Schloss zur Wohnungstür aufzubrechen.

Das beinah Beunruhigendste an dem Vorfall war allerdings das, was nicht passiert war. Nichts war gestohlen, nichts durcheinandergebracht worden. Abgesehen von dem Briefumschlag, war durch nichts zu erkennen, dass der Einbrecher überhaupt da gewesen war. Er war einzig und allein gekommen, um eine Botschaft zu hinterlassen, und der wahrscheinlich wichtigste Punkt bei dieser Botschaft war, dass er sonst nichts getan hatte. Es war eine Demonstration von Macht und arrogantem Selbstbewusstsein und erinnerte Zen sehr stark an den Mörder aus der Villa Burolo. »Ich kann kommen und gehen, wann ich will«, lautete die Botschaft. »Diesmal habe ich mich entschlossen, nur einen Briefumschlag zu überbringen. Das nächste Mal … wer weiß?«

Fest entschlossen, dass es kein nächstes Mal geben dürfe, hatte Zen Maria Grazia bei der heiligen Rita von Cascia, deren Bildnis sie als Glücksbringer trug, schwören lassen, dass sie die Tür, nachdem er weggegangen war, verriegeln und die Wohnung nicht verlassen würde, bis er zurück war.

»Aber was ist mit dem Einkaufen?«, wandte sie ein.

»Ich bringe etwas von der Tavola Calda mit«, gab Zen unwirsch zurück. »Das ist jetzt wirklich nicht wichtig!«

Von der ungewohnten Schroffheit ihres Arbeitgebers eingeschüchtert, erinnerte Maria Grazia ihn zaghaft daran, dass sie spätestens um sechs gehen müsse, um die notwendigen Besorgungen für ihre eigene Familie zu erledigen.

»Bis dahin bin ich zurück«, antwortete er. »Lass nur die Wohnung nicht unbeaufsichtigt, keinen Augenblick lang. Verstehst du? Halte die Tür verriegelt und mach niemandem auf außer mir.«

Sobald er an seinem Arbeitsplatz war, rief Zen die Kfz-Zulassungsstelle an und bat um Informationen über den roten Alfa Romeo, den er vergangene Nacht in seiner Straße gesehen hatte. Das war zwar weit hergeholt, aber irgendwas an dem Auto hatte sein Misstrauen erregt. Ihm war bloß nicht ganz klar, was.

Die Information, die er erhielt, war nicht besonders ermutigend. Der Besitzer des Fahrzeugs war ein gewisser Rino Attilio Lusetti mit einer Anschrift im schicken Stadtteil Parioli, nördlich der Villa Borghese. Ein Anruf bei der Questura ergab, dass Lusetti nicht vorbestraft war. Inzwischen war Zen klar, dass dies ein fruchtloses Unterfangen war, aber da er nichts Besseres zu tun hatte, sah er im Telefonbuch unter Lusetti nach und wählte dessen Nummer. Eine Frauenstimme teilte ihm in starkem Dialekt mit, dass Dottor Lusetti in der Universität sei. Nach einigen vergeblichen Anrufen bei verschiedenen Abteilungen dieser Institution fand Zen schließlich heraus, dass das Auto, das an den letzten beiden Abenden in der Nähe seines Hauses gestanden hatte, einem Professor für Philologie an der Philosophischen Fakultät der Universität Rom gehörte.

Giorgio De Angelis spazierte in Zens Büro, während dieser gerade den letzten Anruf in dieser Sache tätigte. »Irgendwelche Probleme?«, fragte er, als Zen einhängte.

Zen zuckte die Achseln. »Nur eine private Sache. Da lässt jemand dauernd sein Auto vor meinem Haus stehen.«

»Schmier ihm doch gründlich die Windschutzscheibe ein. Polyurethan ist das Beste. Wetterbeständig, dauerhaft und undurchsichtig. Ist eine absolute Schweinerei, das wieder runterzukriegen.«

Zen nickte. »Was hast du Romizi eigentlich erzählt, von diesem Zug, der immer im Kreis fährt?«

De Angelis gab ein raues Lachen von sich, wobei er den Kopf zurückwarf und seine Zähne zeigte. Dann schielte er um die Trennwand, um sich zu vergewissern, dass der betreffende Beamte nicht in Hörweite war. »Dieser bekloppte Romizi! Der glaubt einfach alles. Wusstest du, dass er Sardellenpaste liebt? Aber da er ein geiziges Arschloch ist, jammert er immer darüber, wie viel die kostet. Also hab ich zu ihm gesagt: ›Hör mal, möchtest du wissen, wie du sie selbst machen kannst? Du holst dir eine Katze, okay? Dann fütterst du die Katze mit Sardellen und Olivenöl. Und was am anderen Ende rauskommt, ist Sardellenpaste.‹.«

»Das hat er dir doch wohl nicht abgenommen, oder?«

»Ich weiß nicht. Würde mich nicht wundern, wenn ers ausprobiert. Da wäre ich nur zu gern dabei. Ich würde weiß Gott was dafür geben zu sehen, wie er Katzenscheiße auf einem Cracker verteilt!«

Während De Angelis erneut loslachte, wurde Zen durch eine Bewegung in seiner Nähe abgelenkt. Er wandte sich um und stellte fest, dass Vincenzo Fabri sie durch die Lücke zwischen den Trennwänden ansah. Er trug einen kanarienvogelgelben Pullover und eine blassblaue Krawatte zu einem rötlich braunen Sportjackett und einer legeren Hose, dazu klobige, handgenähte Schuhe. Teure Freizeitkleidung, das war Fabris Markenzeichen, passend zu seinen langsamen, besonnenen Gesten und seiner tiefen, melodischen Stimme. »Ich bin ja so entspannt, so locker«, vermittelte sein gesamtes Outfit, »nur ein bequemer, alter Softy, der seine Ruhe haben will.«

Zen, der immer noch im Anzug zur Arbeit kam, fühlte sich im Vergleich dazu wie ein altmodischer ministerieller Apparatschik, ein langweiliger und hingebungsvoller Workaholic. Das Ironische an der Sache war, dass Zen in seiner gesamten Laufbahn noch nie jemandem begegnet war, der so verbissen ehrgeizig war wie Vincenzo Fabri. In seinen Gesprächen ging es ständig um Country-Clubs, Pferde, Tennis, Segeln und Ferien in Brasilien. Fabri wollte all das und noch mehr. Er wollte Villen, Autos, Jachten, teure Klamotten und Frauen. Verglichen mit den Oscar Burolos dieser Welt, war Fabri natürlich nur drittrangig. Er hatte kein Interesse an dem, was wirklich zählte, nämlich Macht, Einfluss und Prestige. Alles, was er wollte, war das äußere Drum und Dran, der ganze Schnickschnack und Firlefanz. Danach lechzte er förmlich. Zen, der außer Tania Biacis nicht mehr viel wollte, wusste nicht, ob er

Fabri wegen der kindlichen Gier seiner Wünsche bewundern oder verachten sollte.

»Giorgio!«, rief Fabri sanft und gab De Angelis ein Zeichen. Auf seinem Gesicht lag ein Ausdruck amüsierter Komplizenschaft, als ob er dem einzigen Mann auf der Welt, der das wirklich zu schätzen wüsste, ein Geheimnis mitteilen wollte.

Im gleichen Augenblick fing das Telefon auf Zens Schreibtisch an zu plärren.

»Ja?«

»Hier ist, eh … das heißt, spreche ich, eh, mit Dottor Aurelio Zen?«

Fabri, der Zens Anwesenheit bisher ignoriert hatte, starrte ihn jetzt beharrlich an, während er De Angelis etwas ins Ohr flüsterte.

»Am Apparat.«

»Eh, hier ist, eh … das heißt, ich rufe vom, eh, Palazzo Sisti an.«

Die Stimme machte eine bedeutsame Pause. Zen gab ein neutrales Brummen von sich. Er hatte zwar schon vom Palazzo Sisti gehört, wusste aber nicht mehr, in welchem Zusammenhang.

»Es besteht da ein gewisses, eh … Interesse, die Möglichkeiten zu sondieren, ob es eventuell machbar wäre, dass …«

Den Rest des Satzes bekam Zen nicht mehr mit, da Tania Biacis plötzlich neben ihm aufgetaucht war und etwas sagte, das in den undurchsichtigen Formulierungen seines Anrufers unterging. Zen hielt die Sprechmuschel des Telefons mit einer Hand zu.

»Bitte?«

»Sofort«, sagte Tania mit Nachdruck, als ob sie das bereits einmal zu viel gesagt hätte. Sie sah müde und abgespannt aus und hatte dunkle Ringe unter den Augen.

»Gehts dir nicht gut?«, fragte Zen.

»Mir? Was habe ich damit zu tun?«

Dieser Satz wirkte wie ein Schlag ins Gesicht. Aus der unbedeckten Hörmuschel des Telefons quakte die Stimme des Anrufers immer weiter wie eine Radiosendung, der niemand zuhört.

»Du kümmerst dich also darum, ja?«, insistierte Tania.

»Worum?«

»Die Videokassette! Die waren ganz schön sauer deswegen. Ich habe gesagt, du würdest sie in der nächsten Stunde zurückrufen. Ich sehe nicht ein, warum ich mich damit herumschlagen soll. Das ist absolut nicht meine Sache!«

Sie wandte sich wütend ab und drängte sich an De Angelis vorbei, der gerade zu seinem Schreibtisch zurückging. Er wirkte bedrückt und schien ganz in Gedanken zu sein, seine gute Laune war offensichtlich dahin. Fabri hatte sich wieder verzogen.

Zen nahm die Hand von der Sprechmuschel. »Entschuldigung, ich wurde unterbrochen.«

»Dann sind wir uns also einig, nicht wahr?«, sagte die Stimme. Die Frage war rein rhetorisch.

»Nun …«

»Ich erwarte Sie in etwa zwanzig Minuten.«

Am anderen Ende wurde aufgelegt.

Zen dachte einen Augenblick daran, das Archiv anzurufen, doch was hatte das für einen Sinn? Es war ganz klar, was passiert war. Fabri hatte den Leuten dort gesagt, dass das Band mit den Burolo-Morden leer war, und nun versuchten die ganz dringend, Zen zu erreichen, um zu erfahren, wo das Original abgeblieben war. Das war zweifellos die Neuigkeit, die er schadenfroh an De Angelis weitergegeben hatte.

Aber wie hatte Fabri so schnell herausgekriegt, dass Zen das Video unmittelbar vor ihm ausgeliehen hatte? Vermutlich hatte man ihm das im Archiv gesagt. Es sei denn …

Es sei denn, dass der Dieb es von vornherein auf das Videoband abgesehen hatte und nicht auf eine Brieftasche oder ein Portemonnaie. Für Fabri wäre es kein Problem, einen Taschendieb zu finden, der nur allzu froh wäre, einem so einflussreichen Mann einen Gefallen tun zu können. Sowie er das Band in Händen hielt, hatte Fabri eine dringende Bestellung dafür beim Archiv eingereicht und damit sichergestellt, dass Zen öffentlich kompromittiert wurde. Jetzt würde er das Original zweifellos an den Meistbietenden verkaufen, sich auf diese Weise ein kleines Vermögen verdienen und gleichzeitig einen Skandal auslösen, der ohne Weiteres dazu führen könnte, dass sein Feind strafrechtlich belangt würde. Es war ein Meisterwerk an Skrupellosigkeit, dem Zen völlig wehrlos ausgeliefert war.

Als er durch das Portal des Ministeriums trat, die Stufen hinunterging und unter den Augen der bewaffneten Posten das Metallgitter passierte, fragte sich Zen, ob seine Fantasie nicht ein wenig mit ihm durchgegangen war. In dem warmen, leicht diesigen Sonnenlicht schien das Ganze plötzlich doch etwas weit hergeholt. Er zündete sich eine Zigarette an, während er auf das Taxi wartete, das er bestellt hatte. Er hatte sich entschieden, keinen Dienstwagen zu benutzen, da der Anrufer ihn im Unklaren darüber gelassen hatte, ob dies ein offizielles Treffen war oder nicht. Eigentlich hatte er ihn über fast alles im Unklaren gelassen, einschließlich eines Namens. Das Einzige, was Zen mit Bestimmtheit wusste, war, dass der Anruf aus dem Palazzo Sisti gekommen war. Was sich dahinter verbarg, war Zen zwar immer noch schleierhaft, doch der Name war dem Taxifahrer offenbar so weit vertraut, dass er seinen Zähler anstellte, ohne um weitere Anweisungen zu bitten.

Sie fuhren durch das flache Tal zwischen Viminale und Quirinale, ließen die breiten, prosaischen Boulevards der Vorstädte aus dem 19. Jahrhundert hinter sich und gelangten dann über die Piazza Venezia in die engen, verschlungenen Gassen des antiken Zentrums. Zen starrte ausdruckslos aus dem Fenster, völlig von seinen Sorgen in Anspruch genommen. Was es auch immer mit dem Videoband auf sich hatte, dazu kam noch jene andere Drohung, die über ihm schwebte. Allein die Form der Botschaft, die er vergangene Nacht erhalten hatte, war schon beunruhigend genug, ihr Inhalt aber war es noch viel mehr. Laut Signora Bertolini hatte ihr Mann vor seinem Tod »Drohungen erhalten. Es gab Anzeichen, Hinweise«, hatte sie gesagt. »Zum Beispiel ein Umschlag, der uns in den Briefkasten geschoben wurde und in dem nichts weiter drin war außer einer Menge winzig kleiner Metallkügelchen, wie Kaviar, nur härter.«

Es war sicherlich symptomatisch für ihren jeweiligen Lebensstil, dass der Inhalt des Umschlags Zen an Tortendekorationen und Signora Bertolini an Kaviar erinnert hatte, aber es konnte kaum ein Zweifel daran bestehen, dass es sich um das Gleiche handelte. Ein paar Tage nachdem er seine »Botschaft« erhalten hatte, wurde Richter Giulio Bertolini mit genau solchen kleinen Metallkügelchen ermordet, die mit hoher Geschwindigkeit aus einer Schrotflinte abgefeuert worden waren.

Zen hatte nicht die Absicht, seine Fantasie so weit mit sich durchgehen zu lassen und anzunehmen, dass eine direkte Verbindung zwischen den beiden Ereignissen bestünde. Vielmehr vermutete er, dass jemand – wahrscheinlich Vincenzo Fabri – versuchte, ihm Angst einzujagen und ihn aus dem Gleichgewicht zu bringen, sodass er zu aufgeregt wäre, um klar denken und erkennen zu können, was tatsächlich hinter dieser Drohung steckte. Ganz sicher hatte Fabris Dieb zunächst versucht, in Zens Wohnung einzubrechen und das Video zu stehlen. Nachdem ihm der zugestellte Notausgang aber einen Strich durch die Rechnung gemacht hatte, griff er am nächsten Morgen in der Schlange an der Bushaltestelle in Zens Tasche. Dann hatte Fabri die Nachrichtensendung, in der die Witwe des Richters über den Briefumschlag sprach, und mit dem für ihn typischen Opportunismus eine Möglichkeit gesehen, die Chancen für einen Erfolg seines Komplotts noch erheblich zu verbessern, indem er Zen durch falschen Alarm an einem anderen Ende ablenkte.

Das Taxi schlängelte sich langsam durch die Seitenstraßen nördlich des Tibers und stoppte schließlich auf einer kleinen Piazza. An den Maßstäben seiner eigenen Epoche gemessen, war der Palazzo Sisti bescheiden in den Ausmaßen, doch das wurde durch seinen Reichtum an architektonischen Details aufgewogen. Der Sisti-Clan hatte eindeutig seinen Platz in der komplexen Hierarchie der römischen Gesellschaft des 16. Jahrhunderts gekannt, aber beweisen wollen, dass man trotzdem keine Spur weniger Geschmack habe und nicht weniger vornehm sei als die Familien Farnese und Barberini. Aber weder ihr Geschmack noch ihre Bescheidenheit hatten ihnen auf lange Sicht etwas genützt, und heutzutage hätte auch ihre Schöpfung einer der vielen ehemaligen Prunkbauten sein können, die man einfach in Wohnungen und Büroräume umgewandelt hatte, wenn da nicht diese beiden bewaffneten Carabinieri gewesen wären, die auf der anderen Seite der Piazza in ihrem Jeep saßen, sowie das große, weiße Spruchband, das quer über die Fassade des Gebäudes gespannt war und auf dem die Parole »EINE FAIRERE ALTERNATIVE« zu lesen war, darunter die Initialen einer der kleineren politischen Parteien, die an der Regierungskoalition mitbeteiligt waren.

Zen nickte bedächtig. Natürlich, deshalb war ihm der Name bekannt vorgekommen. »Palazzo Sisti« wurde von den Nachrichtensprechern benutzt, wenn von der Führung dieser Partei die Rede war, in der gleichen Weise, wie man »Piazza de Gesù« für die Christdemokraten benutzte. Gerade diese Partei hier war in der letzten Zeit häufig in den Nachrichten erwähnt worden. Eines ihrer führenden Mitglieder war nämlich der ehemalige Bauminister, von dem behauptet wurde, dass er eine enge und für beide Seiten lukrative Beziehung zu Oscar

Burolo unterhalten habe, vor dem vorzeitigen Abtreten des Letzteren.

Der Eingang war dunkel wie ein Tunnel und so breit und hoch, dass man eine mehrspännige Kutsche darin hätte unterbringen können. Er wurde nur von einer schwachen Laterne beleuchtet, die von der gewölbten Decke herunterhing. Am anderen Ende mündete er in einen kleinen Hof, der eng mit Limousinen zugestellt war, deren Fahrer, die ordentliche, aber billige Anzüge wie bei einer Beerdigung trugen, dort herumstanden, den neuesten Klatsch austauschten und den Chrom polierten.

Plötzlich ging auf der linken Seite eine Glastür auf, und ein älterer Mann von der Statur eines großen Zwerges trippelte heraus. »Ja?«, fuhr er Zen schroff an.

Eine junge Frau, die einen hohen Stapel Akten trug, kam hinter ihm aus der Pförtnerloge. »Also?«, fragte sie.

»Ich weiß es nicht!«, rief der Pförtner aufgebracht. »Verstehen Sie? Ich weiß es nicht!«

»Das gehört aber zu Ihren Aufgaben.«

»Erzählen Sie mir nichts von meinen Aufgaben!«

»Nun gut, wie Sie wollen!«

Zen ging zu ihnen hinüber. »Entschuldigen Sie.«

Beide wandten sich um und starrten ihn zornig an.

»Aurelio Zen vom Innenministerium.«

Der Pförtner zuckte die Achseln. »Na und?«

»Ich werde erwartet.«

»Von wem?«

»Wenn ich das wüsste, würde ich wohl kaum meine Zeit mit einem Arschloch wie Ihnen verschwenden, oder?«

Die Frau brach in schallendes Gelächter aus. In der Pförtnerloge begann ein Telefon, schrill zu läuten. Der Pförtner warf ihnen beiden einen verächtlichen Blick zu und ging hinein, um abzuheben. »Ja? Ja, Dottore. Ja, Dottore. Nein, er ist gerade gekommen. Sehr gut, Dottore. Sofort.«

Der Pförtner trat wieder aus seiner Loge heraus und wies mit dem Daumen auf die gegenüberliegende Treppe. »Erster Stock. Man erwartet Sie.«

»Und die Jugendabteilung?«, fragte die junge Frau.

»Wie oft soll ich Ihnen das noch sagen, ich weiß es nicht!«

Die Treppe lief in einem eleganten Bogen aus Marmor gemächlich nach oben und ließ die Treppe im Ministerium im Vergleich billig und gewöhnlich aussehen. Als Zen den Absatz zum ersten Stock erreichte, löste sich eine Gestalt, die er für eine Statue gehalten hatte, aus der Nische, in der sie gestanden hatte, und kam auf ihn zu. Der Mann sah aus, als sei er wie Frankensteins Monster aus einer Reihe von Teilen zusammengesetzt worden, von denen jedes einzelne in einer anderen Umgebung durchaus in Ordnung gewesen wäre, die aber insgesamt überhaupt nicht zusammenpassten. Er blieb in einem gewissen Abstand von Zen stehen und musterte ihn von oben bis unten.

»Ich habe keine dabei«, erklärte ihm Zen. »Das habe ich übrigens nie.«

Der Mann sah ihn an, als ob er chinesisch gesprochen hätte.

»Wissen Sie, es hat keinen Sinn, eine Pistole bei sich zu tragen, wenn man nicht bereit ist, sie zu benutzen«, erklärte Zen umständlich. »Und wenn man das nicht ist, wird dadurch alles nur noch schlimmer. Einem selbst gibt sie ein falsches Gefühl von Sicherheit, und alle anderen macht sie nur nervös. Deshalb ist man ohne wirklich besser dran.«

Der Mann starrte Zen einen Augenblick lang ausdruckslos an und wandte ihm dann den Rücken zu. »Hier entlang.«

Er führte Zen einen Flur entlang, der auf den ersten Blick länger als das Gebäude selbst zu sein schien. Diese Illusion verschwand jedoch, als klar wurde, dass die beiden Männer, die auf sie zukamen, in Wirklichkeit ihr eigenes Spiegelbild in einem riesigen Spiegel an der hinteren Wand waren. Der Flur wurde in regelmäßigen Abständen von großen Fenstern erleuchtet, die auf den Hof hinausgingen. Gegenüber von jedem Fenster glänzte eine zweiflügelige Tür aus poliertem Nussbaum sanft im milden Licht.

Zens Begleiter klopfte an eine der Türen und lauschte konzentriert, wobei er den Griff aus getriebenem Silber mit der Hand umfasst hielt.

»Herein!«, befahl eine Stimme von weit her.

Der Raum war lang und relativ schmal. Eine Wand wurde von einem riesigen Gobelin eingenommen, der so verblasst war, dass man kaum etwas erkennen konnte, außer dass es sich um eine Art Jagdszene handeln musste. Gegenüber stand ein Bücherschrank, worin hinter Glas eine ansehnliche Reihe massiver Bände in einer Weise dahinschlummerte, die erkennen ließ, dass sie seit geraumer Zeit nicht mehr angefasst worden waren.

Am anderen Ende des Raums saß vor einem Fenster, das bis an die hohe Decke hinaufreichte, ein junger Mann an einem antiken Schreibtisch. Als Zen eintrat, legte er den Stapel getippter Seiten, in denen er wohl gerade gelesen hatte, hin und ging mit zur Begrüßung ausgestreckter Hand um den Schreibtisch herum. »Guten Morgen, Dottore. Ich bin so froh, dass Sie sich in der Lage sahen, so unmissverständlich, eh ...«

Er war Anfang dreißig, schlank und kultiviert, mit dünnen, geraden Lippen, feinen Zügen und leicht aufgerissenen Augen, die sich ständig über das, was sie sahen, zu wundern schienen. Seine pedantischen Gesten und seine zurückhaltende Art ließen ihn eher wie einen Ästheten aus dem Fin de Siècle aussehen als wie einen homo politicus.

Er winkte Zen zu einem Stuhl, der aus dünnen Streben von irgendeinem kostbaren Holz und einem Sitz aus geflochtenem Rohr bestand. Er sah äußerst wertvoll und entsetzlich zerbrechlich aus. Der junge Mann kehrte auf die andere Seite des Schreibtischs zurück, wo er stehen blieb und die Arme einen Augenblick ausbreitete wie ein Priester vor einem Altar. »Zunächst einmal, Dottore, erlauben Sie mir im Namen von … das Interesse und, eh … das heißt, die wirklich ungewöhnliche Aufregung, die Ihr, eh …«

Er nahm die Seiten, in denen er gelesen hatte, auf und ließ sie wieder auf den Schreibtisch fallen, als ein Klopfen in der gähnenden Leere hinter ihnen widerhallte.

»Herein!«, sagte der junge Mann klar und deutlich.

Ein Kellner erschien mit einem Tablett mit zwei Kaffeetassen. »Ah ja, ich habe mir die Freiheit erlaubt, eh …«

Er zeigte auf die beiden Tassen. »Und welche ist …«

»Die mit dem roten Rand«, erklärte ihm der Kellner.

Der junge Mann seufzte ausdrucksvoll, als die Tür wieder zuging. »Leider ist Koffein für manche …«

Zen nahm seine Tasse mit dem nichtentkoffeinierten Espresso und wickelte die beiden Stücke Zucker aus, die von der Bar mitgeliefert worden waren. Er studierte die »Interessanten Tatsachen aus der Welt der Natur«, die auf dem Papier abgedruckt waren, und wartete darauf, dass sein Gastgeber fortfahren würde.

»Wie Ihnen zweifellos bekannt ist, Dottore, war das für uns eine traurige und schwierige Zeit. Natürlich wussten wir bereits, was Ihr Bericht mehr als deutlich zu verstehen gibt, dass nämlich die Beweise gegen Renato Favelloni äußerst dürftig sind und ausschließlich auf Indizien beruhen. Es ist überhaupt keine Frage, dass seine Unschuld letztendlich durch ein ordentliches Gerichtsverfahren bestätigt würde.«

Zen nahm den grammatikalischen Vorbehalt zur Kenntnis, während ihm der Kaffee in der Kehle brannte.

»Doch dann liegt das Kind bereits im Brunnen!«, fuhr der junge Mann fort. Sein anscheinend zwanghaftes Zögern und Umformulieren hatte er inzwischen abgelegt wie eine Verkleidung, die ihren Zweck erfüllt hat. »Wenn jemand auf so gemeine Art, wie das bereits geschehen ist und noch weiter geschieht, mit Schmutz beworfen wird, dann bleibt immer etwas hängen. Und zwar nicht nur an Favelloni selbst, sondern an allen, die auf irgendeine Weise mit ihm zu tun hatten oder bei irgendeiner Gelegenheit, eh, seine Dienste in Anspruch genommen haben. Vor genau diesem Problem stehen wir, Dottore. Und Sie halten mich doch hoffentlich nicht für indiskret, wenn ich hinzufüge, dass wir schon im Begriff waren, daran zu verzweifeln. Nun stellen Sie sich vor, welche Gefühle Ihr Bericht ausgelöst hat! So viel Hoffnung. So viele interessante, neue Perspektiven! ›Licht am Ende des Tunnels‹, wie l'Onorevole zu formulieren beliebte.«

Zen stellte seine leere Tasse samt Unterteller auf die lederne Schreibtischunterlage. »Mein Bericht ist lediglich eine Zusammenfassung der Ermittlungen, die von anderen durchgeführt worden sind.«

»Genau! Gerade darin liegt seine Stärke. Wenn Sie eine unserer, eh, Kontaktpersonen beim Ministerium gewesen wären, dann hätten Ihre Ergebnisse weitaus weniger Interesse erregt. Um ganz offen zu sein, wir sind schon häufiger von Leuten hängen gelassen worden, die uns alles Mögliche versprochen hatten und es dann nicht liefern konnten. Ja gerade erst vor ein paar Tagen haben wir unseren Mann dort gebeten, uns eine Kopie von dem Videoband zu besorgen, auf dem die tragischen Ereignisse in der Villa Burolo zu sehen sind. Eine ganz simple Bitte, sollte man doch meinen, aber selbst damit schien die fragliche Person überfordert zu sein. Und das war nicht das erste Mal, dass sie uns enttäuscht hat. Deshalb hatten wir das Gefühl, es sei nun an der Zeit, jemand Frisches da reinzubringen, jemanden mit den geeigneten Qualifikationen. Jemand, der bereits Erfahrungen mit dieser Art von Arbeit vorzuweisen hat. Und ich muss sagen, bisher haben wir keinen Grund gehabt, unsere Entscheidung zu bedauern. Die eigentliche Bewährungsprobe steht natürlich noch aus, doch schon jetzt ist uns sehr positiv aufgefallen, wie Sie in Ihrem Bericht zum einen die inhärenten Schwächen im Beweismaterial gegen Favelloni offenlegen und zum anderen auch noch auf diverse, ebenso gut mögliche Szenarien hinweisen, denen man bisher aus rein politischen Gründen nicht ordnungsgemäß nachgegangen ist.«

Der junge Mann stand einen Augenblick ganz still, seine schlanken Finger wie zum Gebet erhoben.

»Unsere vordringliche Aufgabe besteht nun darin sicherzustellen, dass wir dadurch, dass dieser unschuldige Mann vor Gericht gestellt und anschließend freigesprochen wird, nicht genauso viel Schaden erleiden, wie wenn er wirklich schuldig wäre. Im Klartext, dieser Schauprozess gegen Renato Favelloni, und damit implizit auch gegen l'Onorevole selbst, muss verhindert werden, ja er darf gar nicht erst anfangen. Ihr Bericht zeigt glasklar, dass das Beweismaterial gegen Favelloni aus einer Menge vollkommen unzusammenhängender Einzelheiten zusammengeschustert wurde. Mit ein bisschen Initiative und Geschick könnte mit denselben Einzelheiten ein noch überzeugenderer Beweis gegen einen der anderen von Ihnen erwähnten Verdächtigen konstruiert werden.«

Wie er da etwas unsicher auf dem niedrigen und zerbrechlichen Stuhl hockte, kam Zen sich vor wie ein Zuschauer in der ersten Reihe des Parketts, der aus dem schlau zu werden versucht, was auf der Bühne vor sich geht. Der Gesichtsausdruck des jungen Mannes schien nahezulegen, dass Zen nun an der Reihe sei, den nächsten Zug zu wagen. Aber er war dazu nicht bereit, bis er eine klarere Vorstellung davon hatte, was von ihm erwartet wurde.

»Stört es Sie, wenn ich rauche?«, fragte er schließlich.

Der junge Mann signalisierte ungeduldig seine Zustimmung.

»An wen von den anderen Verdächtigen haben Sie gedacht?«, murmelte Zen beiläufig, während er sich eine Zigarette anzündete.

»Nun, wir haben den Eindruck, dass es eine Reihe von vielversprechenden Möglichkeiten gibt.«

»Zum Beispiel?«

»Tja, Burolos Sohn beispielsweise.«

»Aber der war zu der Zeit in Boston.«

»Er könnte jemanden bezahlt haben.«

»Er hätte nicht gewusst, wie man das macht. Und überhaupt lassen Söhne ihre Väter normalerweise nicht umbringen, weil die wollen, dass sie Jura und nicht Musik studieren.«

Der junge Mann gestand das mit einem angestrengten Augenzwinkern ein. »Ich stimme Ihnen zu, dass eine solche Hypothese erst sorgfältig bearbeitet werden müsste, bevor sie glaubwürdig wäre, aber die Möglichkeit steht immerhin offen. Allerdings hat Enzo Burolo auch enge Kontakte zu einem unserer Verbündeten in der Regierung, deshalb wäre es in jedem Fall nicht opportun, diesen Ansatz weiter zu verfolgen. Eine Möglichkeit, von der wir uns erheblich mehr versprechen, wäre dieser Bursche, den Burolo eingestellt hat, um sich um diese albernen Löwen zu kümmern, die er gekauft hat.«

Zen stieß eine dichte Rauchwolke aus. »Pizzoni? Der hat auch ein Alibi.«

»Sicher hat er ein Alibi. Aber was heißt das schon? Dass ein halbes Dutzend von den Dorfbewohnern bestochen oder gezwungen worden ist, fälschlicherweise auszusagen, dass er an jenem Abend in der Bar war.«

»Warum sollte irgendjemand Pizzoni schützen wollen? Er war ein Nichts, ein Außenseiter.«

Der junge Mann beugte sich über seinen Schreibtisch nach vorn. »Mal angenommen, dass das nicht so war? Mal angenommen, ich würde Ihnen jetzt erzählen, dass der wirkliche Name dieses Mannes nicht Pizzoni, sondern Padedda ist, und dass er nicht, wie in seinen Papieren steht, aus den Abruzzen stammt, sondern aus Sardinien, aus einem Dorf im Gennargentu-Gebirge, nicht weit von Nuoro entfernt. Was würden Sie dazu sagen?«

Zen schnippte die Asche in eine Zinnschale, die für diesen

Zweck gedacht sein mochte oder auch nicht. »Nun, zunächst einmal würde ich wissen wollen, warum Sie die Behörden, die in diesem Fall ermitteln, nicht darüber informiert haben.«

Der junge Mann wandte sich ab und sah aus dem Fenster. Die große Glasscheibe war von außen mit einer dicken Schmutzschicht bedeckt, wodurch sich seine Gesichtszüge deutlich widerspiegelten. Zen sah, wie er anscheinend über seine törichte Bemerkung lächelte.

»Wenn der Gegner betrügt, wird nur ein Idiot sich weiter an die Regeln halten«, sagte er so ruhig, als ob es sich um ein Zitat handele. »Diese Information ist aufgrund von Ermittlungen ans Licht gekommen, die ganz vertraulich für uns durchgeführt wurden. Wir wissen nur zu gut, was passieren würde, wenn wir das den Justizbehörden mitteilten. Die Richter sind entschlossen, Favelloni aus Gründen zu belangen, die mit dem eigentlichen Fall gar nichts zu tun haben. Wenn nicht irgendeine aufsehenerregend neue Entwicklung sie dazu zwingt, werden sie diese Entscheidung nicht revidieren. Einzelne, unbequeme Tatsachen, die keinen direkten Bezug zu dem von ihnen angestrebten Prozess haben, würden sie einfach unter den Teppich kehren.«

Er wandte sich ruckartig um und sah Zen an. »Anstatt unsere Chance auf diese Weise zu vertun, beabsichtigen wir, unsere eigene Initiative zu starten und die Untersuchung wiederaufzurollen, die so vorschnell aus unklugen politischen Gründen abgebrochen worden ist. Und wer wäre besser geeignet, dieses Unterfangen in die Hand zu nehmen, als der Mann, dessen prägnante und umfassende Darstellung des Falles uns allen neue Hoffnung gegeben hat?«

Zen drückte die Zigarette nachlässig aus und verbrannte sich die Fingerspitzen in der heißen Asche. »In meiner offiziellen Funktion?«

»Selbstverständlich, Dottore! Darum geht es ja gerade. Alles muss ganz offen und korrekt sein.«

»In diesem Fall brauchte ich eine Anweisung von meinem Abteilungsleiter.«

»Die werden Sie bekommen, machen Sie sich darüber keine Sorgen! Ihre Anweisungen werden Sie auf die übliche Weise erhalten, durch die üblichen Kanäle. Der Zweck dieser Besprechung hier besteht einzig und allein darin sicherzustellen, dass Sie die Situation richtig verstehen. Von dem Augenblick an, wo Sie von hier weggehen, werden Sie keinen weiteren Kontakt mit uns haben. Sie werden im Rahmen einer reinen Routineuntersuchung nach Sardinien geschickt. Dort werden Sie den Tatort besichtigen, mit Zeugen reden und Verdächtige vernehmen. Wie immer werden Ihnen natürlich sämtliche Ressourcen der lokalen Polizeikräfte zur Verfügung gestellt werden. Im Verlauf Ihrer Ermittlungen werden Sie auf konkretes Beweismaterial stoßen, das das Alibi des Löwenwärters zerstört und ihn mit dem Mord an Oscar Burolo in Verbindung bringt. Das Ganze wird nicht mehr als ein paar Tage in Anspruch nehmen. Dann werden Sie Ihre Ergebnisse den Gerichtsbehörden in der üblichen Weise vorlegen, während wir unsererseits dafür sorgen, dass die Tragweite dieser Ergebnisse keinem der Verantwortlichen entgeht.«

Zen starrte quer durch den Raum auf ein Detail in der Ecke des Wandteppichs, nämlich auf eine Nymphe, die in einer Grotte Zuflucht vor den Jägern sucht. »Warum ausgerechnet ich?«

Der junge Mann bewegte seine sorgfältig manikürten Finger wie zu einem Segen. »Wie ich bereits sagte, Dottore, Sie haben gute Leistungen vorzuweisen. Nachdem man uns auf Ihre Erfolge im Fall Miletti aufmerksam gemacht hatte, nun, ganz offen gesagt, da sprachen die Tatsachen einfach für sich.«

Zen starrte ihn mit offenem Mund an. »Der Fall Miletti?«

»Sie werden sich gewiss daran erinnern, dass Ihre Methoden damals, eh, auf gewisse Kritik stießen«, bemerkte der junge Mann mit einem Hauch von nachsichtiger Heiterkeit. »Ich glaube, von gewissen Stellen wurden sie sogar als ungesetzlich und missbräuchlich verurteilt. Doch niemand konnte abstreiten, dass Sie ein Resultat erzielt haben! Die Verschwörung gegen die Familie Miletti wurde auf der Stelle zerschlagen, als man diese Ausländerin festnahm. Die Feinde der Milettis waren vollkommen aus der Fassung gebracht, doch bis sie sich wieder neu formiert hatten, um sich dieser unerwarteten Entwicklung zu stellen, war der entscheidende Augenblick bereits verpasst, und es war zu spät.«

Er kam um den Schreibtisch herum und blickte auf Zen herab. »Die Parallele zum vorliegenden Fall ist offensichtlich. Auch hier spielt das Timing eine wesentliche Rolle. Wie ich bereits sagte, die Wahrheit würde in jedem Fall in absehbarer Zeit ans Licht kommen, doch bis dahin wäre l'Onorevoles Ruf bereits übel beschmutzt. Wir haben nicht die Absicht, dabei tatenlos zuzusehen, deshalb betrauen wir Sie mit dieser heiklen und kritischen Mission. Kurz gesagt, wir erwarten von Ihnen, dass Sie in Sardinien die gleichen Methoden anwenden, die sich in Perugia als so effektiv erwiesen haben.«

Zen sagte nichts.

Nach einer Weile zog sich die Stirn des jungen Mannes leicht in Falten. »Ich brauche wohl kaum hinzuzufügen, dass ein erfolgreiches Ende dieser Affäre auch in Ihrem Interesse ist. Sicherlich wissen Sie nur allzu gut, wie rasch sich die eigene Position in einer Organisation wie dem Ministerium ändern kann, oft ohne dass man sich selbst dessen bewusst ist. Ihr Triumph im Fall Miletti könnte sehr leicht von Leuten untergraben werden, die, eh, solche Dinge sehr eng sehen. Die Kapazität des Criminalpol-Dezernats wird ständig überprüft, und angesichts der Ausfallquote bei höheren Polizeibeamten an Orten wie Palermo kann die Möglichkeit einer Versetzung nicht ausgeschlossen werden. Auf der anderen Seite würde ein Erfolg im Fall Burolo Ihre Position zweifellos festigen.«

Er langte hinter sich und drückte einen Hebel an der Ge-

gensprechanlage herunter. »Lino? Dottor Zen möchte jetzt gehen.«

Noch einmal spürte Zen den schlaffen und kühlen Händedruck des jungen Mannes.

»Es war wirklich sehr freundlich von Ihnen, dass Sie gekommen sind, Dottore. Ich hoffe, dass Ihre Arbeit nicht ... ich meine, dass diese Unterbrechung keine schwerwiegenden ...«

Das Erscheinen des stämmigen Lino rettete beide vor diesen zusammenhanglosen Höflichkeiten. Wie im Traum durchquerte Zen die düstere Entfernung bis zur Zimmertür aus Nussbaum, die Lino so sanft hinter ihnen schloss, als ob es der Deckel eines teuren Sarges wäre.

»Hier entlang.«

»Das ist sehr gut«, bemerkte Zen, während sie zusammen den Flur entlanggingen. »Hat man Ihnen auch noch was anderes zu sagen beigebracht?«

Lino drehte sich um und sah ihn herausfordernd an. »Möchtest du ein paar in die Fresse?«

»Das hängt davon ab, ob du zu miesem Hundefutter verarbeitet werden willst, weil das nämlich leicht mit jedem hier passieren kann, der mich nicht mit dem nötigen Respekt behandelt.«

»Red keinen Scheiß!«

»Ganz im Gegenteil, mein Freund. Ich brauche nur irgendwo fallen zu lassen, dass mir dein Gesicht nicht passt, und schon morgen wirst du kein Gesicht mehr haben.«

Lino grinste höhnisch. »Du bist bescheuert«, sagte er nicht völlig überzeugt.

»Da ist l'Onorevole aber ganz anderer Meinung. Und jetzt hau ab! Ich find hier schon alleine raus.«

Einen Augenblick lang bemühte sich Lino tapfer, Zen durch sein unverschämtes Starren in Verlegenheit zu bringen, aber ein gewisser Zweifel hatte sich in seinen Blick geschlichen, und schließlich gab er klein bei. »Bescheuert!«, wiederholte er und entfernte sich mit einem verächtlichen Schnauben.

Selbstbewusst und couragiert schritt Zen durch das Portal des Palazzo Sisti auf die Straße, ein Mann, der weiß, wo es langgeht, und der die richtigen Leute kennt. Doch sobald er um die nächste Ecke und außer Sichtweite war, veränderte sich sein Verhalten bis zur Unkenntlichkeit. Man hätte ihn jetzt für ein Mitglied einer dieser vergreisten Touristengruppen halten können, die in Rom einfallen, sobald die Hauptsaison vorbei ist. Weit entfernt davon, ein dringliches Ziel vor Augen zu haben, wandte er sich nun willkürlich nach rechts oder links, wobei er Impulsen folgte, die ihm selbst noch nicht einmal bewusst waren und die in jedem Fall keine bestimmte Bedeutung hatten. Jetzt ging es einzig und allein darum, die Spannung langsam aus seinem Körper zu lassen, sie durch seine Fußsohlen abfließen zu lassen, während er über das schmutzige und hügelige Pflaster lief, die Tauben aufschreckte und verwilderte Katzen dazu veranlasste, hastig unter parkenden Autos Schutz zu suchen.

Nach einiger Zeit gelangte er auf einen Platz, den er erfreut als die Piazza Campo dei Fiori erkannte. Wegen ihrer beinah venezianischen Intimität war sie eine der Stellen in Rom, an denen Zen sich am liebsten aufhielt. Der allmorgendliche Gemüsemarkt brachte eine sanfte Betriebsamkeit mit sich, die äußerst beschaulich war. Er ging über das Kopfsteinpflaster, auf dem überall weggeworfene Blätter und Stiele herumlagen, an Zinkwannen und -eimern vorbei, in denen sich die Asche der Holzkisten befand, die am frühen Morgen gegen die Kälte verbrannt worden waren. Nun stand die Sonne hoch genug, um fast die gesamte Piazza mit ihrem Licht zu überfluten. Die Marktleute waren noch eifrig bei der Arbeit und schnitten Salate unter dem öffentlichen Wasserhahn. Ältere Frauen in schweren, dunklen Mänteln mit Pelzkragen schritten von Stand zu Stand und begutachteten kritisch die angebotene Ware.

Zen ging hinüber zu einer Weinhandlung, die er kannte, und bestellte ein Glas Vino novello. Er lehnte sich gegen den

Türpfosten, rauchte eine Zigarette und nippte an dem schäumenden jungen Wein, der noch in den Reben gewesen war, als Oscar Burolo und seine Gäste ermordet wurden. Am Haus nebenan riefen Arbeiter sich von einer Etage des Gerüsts zur anderen etwas in einem Dialekt zu, der so stark war, dass Zen nichts verstehen konnte, außer dass Gott und die Jungfrau Maria mal wieder ihr übliches Maß an Beschimpfungen abkriegten. Eine ordentliche übersichtliche Gruppe japanischer Touristen zog vorbei, begleitet von zwei kräftigen, italienischen Bodyguards. Die Reiseführerin, die einen zusammengerollten rosafarbenen Schirm umklammert hielt, gab fortlaufend ihren Kommentar, in dem Zen mit Erstaunen den Namen »Giordano Bruno« wie einen unter Wasser erspähten Fisch ausmachte. Sie wies mit ihrem Schirm zur Mitte des Platzes, wo eine Statue des Philosophen auf einem Sockel stand, dessen Fuß mit den üblichen, unverständlichen Graffiti besprüht war.

In der Nähe verfütterte eine alte Frau, die so krumm wie eine an den Hüften aufgehängte Marionette war, die Spaghetti vom Vorabend an eine Meute räudiger Katzen. Zen dachte voller Sehnsucht an die Katzen in seiner Heimatstadt, ob in Stein gehauen oder lebendig, ob monumental oder unbedeutend, sie alle waren Verkörperungen des Löwen der Republik. In Venedig gehörten die Katzen einfach zur Stadt wie das Wasser und die Steine, während die Katzen in Rom als Ungeziefer galten, das von Zeit zu Zeit vernichtet werden musste. Das war in gewisser Weise typisch für die Kluft zwischen den beiden Städten. Denn obwohl Zen den Campo dei Fiori mochte, musste er dennoch immer daran denken, dass das Denkmal in seiner Mitte einen Philosophen feierte, der an dieser Stelle ungefähr zu der Zeit lebendig verbrannt worden war, als der geschmackvolle und erlesene Palazzo Sisti ein paar Hundert Meter weiter gerade Gestalt annahm.

Als er sein leeres Glas zurückbrachte, spürte Zen, wie irgendetwas an der Bar seine Aufmerksamkeit erregte. Einer der Arbeiter, der einen staubigen blauen Overall und einen aus Zeitungspapier gefalteten Hut, der wie ein umgedrehtes Spielzeugschiff aussah, trug, stürzte ein Glas von dem einheimischen Weißwein hinunter. Etwas weiter entfernt standen zwei Geschäftsleute, die sich leise unterhielten. Vor ihnen auf der Bar befanden sich ihre leeren Gläser, ein Tellerchen mit Nüssen und Knabbergebäck, zwei zusammengefaltete Zeitungen und ein herausnehmbares Autokassettenradio.

Zen wandte sich ab. Das war es, was seine Aufmerksamkeit erregt hatte. Aber warum? Das war doch absolut normal. Heutzutage ließ niemand mehr sein Kassettenradio im Auto, wenn er nicht wollte, dass das Fenster eingeschlagen und das Gerät gestohlen würde.

Doch erst als Zen in das von den Häusern auf der anderen Seite der Piazza geworfene Schattenband hinaustrat, wurde ihm der Witz bei der Sache bewusst. Tatsächlich hatte er erst kürzlich ein Kassettengerät in einem geparkten Auto gesehen, und zwar spät in der Nacht in einer nagelneuen Luxuslimousine in einer abgelegenen Straße. Dieses Maß an Unachtsamkeit zusammen mit den Kratzern und Beulen in der Karosserie und dem als Aschenbecher missbrauchten Fußboden legte eine Möglichkeit nahe, auf die er schon längst hätte kommen müssen. Doch besser spät als überhaupt nicht, dachte er.

Oder gab es Fälle, auf die dieser beruhigende Ausspruch nicht zutraf, wo spät einfach zu spät bedeutete und es keine weitere Chance gab?

Als er wieder im Ministerium war, rief Zen bei der Questura an und fragte, ob der rote Alfa Romeo von Professor Lusetti auf der Liste gestohlener Fahrzeuge auftauchte. Dank der vor Kurzem erfolgten Computerisierung dieser Abteilung hatte er die Antwort innerhalb weniger Sekunden. Das fragliche Auto war vor zehn Tagen als gestohlen gemeldet worden.

Er legte den Hörer auf, dann hob er ihn wieder ab und wählte eine andere Nummer. Nach einiger Zeit trat eine Roboterstimme an die Stelle des Freizeichens. »Wir danken Ihnen für Ihren Anruf bei Paragon-Sicherheitstechnik. Unser Büro hat bis drei Uhr Mittagspause. Wenn Sie eine Nachricht hinterlassen wollen, dann sprechen Sie bitte jetzt.«

»Gilberto, hier ist Aurelio. Ich hatte gehofft ...«

»Aurelio! Wie gehts dir?«

Zen starrte den Hörer an, als ob dieser ihm einen Schlag versetzt hätte. »Aber ... ich dachte, das war ein Tonband.«

»Das solltest du auch denken. Ich meine, du natürlich nicht, aber all die 5000 Leute, mit denen ich im Augenblick nicht sprechen will.«

»Warum besorgst du dir dann keinen richtigen Anrufbeantworter?«

»Ich habe einen, aber den kann ich zurzeit nicht benutzen. Einer meiner Konkurrenten hat nämlich herausgefunden, wie er den elektronischen Ton imitieren kann, mit dem ich die aufgezeichneten Nachrichten von einem anderen Apparat aus abfrage. Mit dem Ergebnis, dass er mir für ungefähr 100 Millionen Lire Aufträge abgeluchst hat und ich wie ein Idiot dastehe. Also, was kann ich für dich tun?«

»Nun, ich hatte gehofft, wir könnten uns ein bisschen unterhalten. Du hast wahrscheinlich keine Zeit zum Mittagessen?«

»Heute? Das ist allerdings ein bisschen ... tja, ich weiß nicht. Das heißt, wenn ich genau nachdenke, dann müsste es schon gehen. Ja! Hör zu, wir treffen uns um eins bei Licio. Weißt du, wo das ist?«

»Ich werds schon finden.«

Zen drückte die Gabel herunter, um ein Amt zu bekommen. Dann rief er zu Hause an und fragte Maria Grazia, ob alles in Ordnung sei.

»Jetzt ist alles gut«, versicherte sie ihm. »Aber heute Morgen! Madonna, hab ich eine Angst gehabt!«

Zen umklammerte den Hörer fester. »Was ist passiert?«

»Es war furchtbar, entsetzlich! Die Signora hat – dem

Herrn seis gedankt – nichts gemerkt, aber ich habe genau auf das Fenster geguckt, als es passierte!«

»Als was passierte?«

»Ja, als dieser Mann plötzlich auftauchte!«

»Wo?«

»Am Fenster.«

Zen atmete tief durch. »Also, jetzt hör mal zu. Ich möchte, dass du ihn mir, so genau du kannst, beschreibst. Okay? Wie sah er aus?«

Maria Grazia machte ein nachdenkliches Geräusch. »Tja, mal sehen. Er war jung. Dunkelhaarig und ziemlich groß. Hübsch! Vor zwanzig Jahren hätte ich vielleicht ...«

»Was hat er gemacht?«

»Gemacht? Nichts! Er verschwand gerade. Ich bin rübergegangen und hab nachgesehen. Und tatsächlich, da war er, in einem von diesen Käfigen. Er hatte offenbar versucht, sie zu reparieren, aber das ging wohl nicht. Schließlich mussten sie sie von der Wand nehmen und eine neue anbringen.«

»Eine neue *was,* Herrgott noch mal!«

Völlig verstört angesichts solcher Blasphemie, murmelte die Haushälterin: »Ja ... die Straßenlaterne! Die, die immer von selbst an- und ausging. Aber als ich ihn da so mitten in der Luft schweben sah, hab ich einen solchen Schreck gekriegt! Ich wusste nicht, was ich glauben sollte! Es sah aus wie eine Erscheinung, ich weiß bloß nicht, ob man Erscheinungen von Männern haben kann. Es scheinen doch immer Frauen zu sein, oder? Eine von meinen Cousinen hat mal behauptet, sie hätte Santa Rita gesehen, aber es stellte sich heraus, dass sie alles erfunden hatte. Sie war durch einen Artikel in *Gente* auf die Idee gekommen, über diese kleinen Mädchen, die ...«

Zen wiederholte seine Anweisungen vom Morgen, sie möge die Wohnungstür verriegelt halten und seine Mutter nicht allein lassen, dann hängte er ein.

Auf seinem Weg nach unten traf er Giorgio De Angelis, der die Treppe heraufkam. Der Kalabrese sah missmutig aus.

»Ist was?«, fragte Zen.

De Angelis warf einen kurzen Blick die Treppe rauf und runter, dann packte er Zen spontan am Arm. »Wenn du irgendwo dran bist, wo du nicht dran sein solltest, dann lass es ganz schnell sausen!«

Er ließ Zens Arm los und setzte seinen Weg fort.

»Was meinst du damit?«, rief Zen hinter ihm her.

De Angelis ging einfach weiter. Zen hastete ihm die Treppe hinauf nach. »Warum hast du das gesagt?«, fragte er außer Atem.

Der Kalabrese blieb stehen, damit er ihn einholen konnte.

»Was geht hier vor?«, fragte Zen.

De Angelis schüttelte nachdenklich den Kopf. »Ich weiß es nicht, Aurelio. Und ich möchte es auch nicht wissen. Aber, was immer es ist, hör damit auf oder fang erst gar nicht damit an.«

»Wovon sprichst du überhaupt?«

De Angelis sah noch einmal die Treppe rauf und runter. »Fabri kam heute Morgen zu mir. Er hat mir den Rat gegeben, mich von dir fernzuhalten. Als ich ihn fragte, warum, sagte er, du stündest auf der Abschussliste.«

Die beiden Männer sahen sich schweigend an.

»Danke«, murmelte Zen kaum hörbar.

De Angelis nickte unmerklich. Dann ging er weiter die Treppe hinauf, während Zen sich umdrehte und den langen Weg nach unten begann.

Früher habe ich nie geträumt. Das ist so, als ob man sagte, ich bin nie durchgedreht. Die anderen tun das jede Nacht, sie werfen sich von einer Seite auf die andere, schwitzen wie die Schweine, stöhnen und schreien. »Ich hatte einen furchtbaren Traum letzte Nacht! Ich habe geträumt, ich hätte jemanden umgebracht, und dann kamen sie, um mich festzunehmen, sie hatten mein Versteck erraten! Es war schrecklich, so wirklichkeitsnah!« Man sollte meinen, dass ihnen das eine Lehre über ihre eigene Welt erteilen würde, die auch »so wirklichkeitsnah« scheint!

Dann habe ich es eines Nachts auch erlebt. Im Traum war ich wie die anderen, ich lebte im Licht und fürchtete das Dunkel. Ich hatte etwas Böses getan, doch ich wusste nicht, was, vielleicht hatte ich jemanden getötet. Zur Strafe sperrten sie mich ins Dunkel. Nicht in meine Dunkelheit, die sanft und tröstend ist, sondern in ein kaltes, feuchtes und stickiges Loch, in einen engen, aus Steinen gebauten Schacht wie ein ausgetrockneter Brunnen. Der Scharfrichter war mein Vater. Er stieß mich auf den Boden, meine Arme waren an meinem Körper festgebunden, und verschloss das Grab mit riesigen Mauerblöcken. Ich lag ganz eng eingezwängt, die Steine drückten mich von allen Seiten. Vor meinen Augen war ein Spalt, durch den ich ein wenig von der Außenwelt sehen konnte, wo die Leute ihren Geschäften nachgingen und nichts von meiner schrecklichen Not ahnten. Durch das Loch kam etwas Luft herein, aber nicht genug, nicht genug Luft! Ich erstickte allmählich unter dem unerträglichen Gewicht der toten Steine. Soviel ich auch schrie, kein Laut drang zu den Leuten nach draußen. Sie gingen vorbei, lächelten, nickten und plauderten miteinander, als ob nichts wäre!

Das war natürlich nur ein Traum.

Donnerstag, 13.40–16.55

Also, wo liegt denn das Problem, Aurelio? Ein kleiner Trip nach Sardinien, alles auf Spesen. Was meinst du, wie ich mich freuen würde! Aber wenn du erst mal selbst im Geschäft bist, dann merkst du, dass der Chef mehr arbeitet als …«

»Ich hab dir das Problem bereits erklärt, Gilberto! Herrgott, was ist nur heute los mit dir?«

Diese Frage hatte Zen sich gestellt, seit er in dem Restaurant war. Dabei schien es ein glücklicher Zufall zu sein, dass sein Freund so kurzfristig Zeit zu einem gemeinsamen Mittagessen hatte, und Zen hatte gehofft, dass er ihm vielleicht helfen könnte, die Lawine von Ereignissen, die über ihn hereingebrochen war, wieder in den Griff zu bekommen.

Gilberto Nieddu, ein ehemaliger Kollege, dem jetzt eine Firma für industrielle Spionageabwehr gehörte, war Zens bester Freund. Er war seriös, entschlossen und absolut zuverlässig und vermittelte einen solchen Eindruck von Willenskraft und Stärke, als ob seine ganze Sprunghaftigkeit wegdestilliert worden wäre. Was auch immer er tat, das tat er mit vollem Ernst. Zen hatte natürlich nicht erwartet, dass Gilberto auf der Stelle eine Lösung wüsste, aber er hatte erwartet, dass sein Freund ihm aufmerksam zuhören und dann ruhig und objektiv an die Probleme herangehen würde. Da er selbst aus Sardinien stammte, könnten sein Rat und sein Wissen ausschlaggebend sein.

Doch Gilberto war heute nicht ganz er selbst. Er wirkte abgelenkt und unkonzentriert, sah sich ständig um und schenkte Zens Bericht über seinen Besuch im Palazzo Sisti und die Folgen, die sich daraus ergaben, kaum Beachtung.

»Reg dich nicht auf, Aurelio! Genieße es ganz einfach. Du warst hier bestimmt noch nicht oft, was?«

Das war nur allzu wahr. Zen war in der Tat noch nie bei Licio gewesen, ein legendärer Name unter den römischen Luxusrestaurants. Der Eingang war in einer kleinen Straße in der Nähe des Pantheons. Man konnte ihn leicht übersehen. Außer einem diskreten Messingschild neben der Tür gab es keinerlei Hinweis darauf, um was für eine Art von Etablissement es sich da handelte. Draußen hing keine Speisekarte, und es wurde auch nicht in übertriebener Weise mit der Qualität von Küche und Weinkeller geworben.

Drinnen wurde man von Licio persönlich begrüßt, einer eunuchenhaften Gestalt, deren Ausdruck überirdischer Gelassenheit niemals wechselte. Doch erst wenn man Platz genommen hatte, wurden einem die einmaligen Vorzüge von Licios Restaurant klar. Dank der Aufstellung der Tische, die sich in weit voneinander entfernten Nischen befanden und den Blicken der übrigen Gäste durch bemalte Wandschirme und Topfpflanzen entzogen waren, hatte man nämlich die Illusion, ganz allein dort zu sein. Licios Preise waren ungefähr doppelt so hoch wie für diese Art von Küche sonst üblich, aber das war auch logisch, weil es nur halb so viele Tische gab. Jedenfalls kam die Kundschaft fast ausschließlich aus Industrie und Politik und war nur allzu gerne bereit, Licio zu zahlen, was er verlangte, für das Privileg, heikle Angelegenheiten in normalem Tonfall besprechen zu können ohne das Risiko, von den Nachbarn belauscht oder gestört zu werden. Das war das einmalige Gütezeichen dieses Restaurants: In andere Lokale ging man, um zu sehen und gesehen zu werden; bei Licio zahlte man mehr dafür, unbemerkt zu bleiben.

Bei den seltenen Gelegenheiten, wo Zen entsprechend viel Geld für Essen ausgegeben hatte, war er in Lokale gegangen, die eher für ihre Küche berühmt waren als für ihr Ambiente. Von daher war Gilberto Nieddus Bemerkung durchaus zutreffend gewesen. Aber das tröstete Zen keineswegs über den leicht herablassenden Ton hinweg, in dem er sie geäußert hatte. Und das Ganze wurde erst recht nicht besser, als Gilberto ihm vertraulich auf den Arm klopfte und flüsterte: »Mach dir keine Sorgen! Das geht auf meine Rechnung.«

Zen machte einen letzten Versuch, seinem Freund klarzumachen, wie ernst die Situation war. »Hör mal, ich möchte es noch einmal ganz deutlich sagen. Die erwarten von mir, dass ich jemandem was anhänge. Verstehst du das nicht? Ich soll nach Sardinien fahren und irgendeinen Beweis türken, einen Überraschungszeugen herbeischaffen, was auch immer. Denen ist ganz egal, was ich mache oder wie ich es mache, Hauptsache, die Anklage gegen Favelloni wird zurückgezogen oder der Prozesstermin zumindest um einige Monate aufgeschoben.«

Gilberto nickte unbestimmt. Er sah sich immer noch zwanghaft in dem Restaurant um. »Das könnte deine große Chance sein, Aurelio«, murmelte er und sah schon wieder auf seine Uhr.

Zen starrte ihn so eindringlich an, dass es wie ein Vorwurf wirken musste. »Gilberto, hier geht es darum, einen Unschuldigen für die nächsten zwanzig Jahre ins Gefängnis zu schicken, ganz zu schweigen davon, einen Mann, der vier Menschen kaltblütig niedergeschossen hat, frei herumlaufen zu lassen. Abgesehen von dem moralischen Aspekt, ist das absolut illegal.«

Der Sarde zuckte die Achseln. »Dann machs nicht. Melde dich krank oder so was.«

»Verdammte Scheiße, das ist nicht irgendein Job. Ich bin diesen Leuten *empfohlen* worden! Man hat ihnen erzählt, ich ginge über Leichen, ich hätte die Beweise im Fall Miletti zurechtfrisiert und hätte keine Skrupel, das wieder zu tun. Sie haben mich instruiert, sie haben mir die Pistole auf die Brust gesetzt. Ich weiß, was sie vorhaben, und ich weiß auch, wie sie es machen wollen. Wenn ich jetzt versuchen sollte, da rauszukommen, werden sie nicht einfach sagen: ›Okay, wie Sie wollen, dann suchen wir uns eben jemand anders.‹ Sie haben mir bereits angedeutet, dass ich, wenn ich nicht mitmache, damit rechnen kann, als weitere statistische Größe an einem Ort wie Palermo aufzutauchen. Da unten kriegt man einen Profikiller für ein paar Millionen Lire. Es gibt sogar ein paar Leute, die das umsonst tun würden, nur um sich einen Namen zu machen! Und niemandem wird es sonderlich auffallen, wenn ein weiterer Bulle verschwindet. Hörst du mir überhaupt zu?«

»Na endlich!«, rief Gilberto laut. »Ein großer Kunde, Aurelio, ganz groß«, zischte er mit gedämpfter Stimme zu Zen. »Wenn wir den rumkriegen, kann ich ein Jahr Urlaub machen und mir nur noch deine Probleme anhören. Jetzt mach einfach mit, pass auf, was ich mache.«

Er sprang auf, um einen stämmigen Mann mit schütteren Haaren und einem Ausdruck ungeheurer Selbstzufriedenheit zu begrüßen, der unter salbungsvollen Worten von Licio zu ihrem Tisch geführt wurde.

»Commendatore! Guten Tag, willkommen, wie geht es Ihnen? Darf ich Ihnen Vice-Questore Aurelio Zen vorstellen. Aurelio, Dottor Dario Ochetto von der Firma SIFAS.« Mit bedeutungsvoll gesenkter Stimme fügte Nieddu hinzu: »Dottor Zen ist unmittelbar dem Innenministerium unterstellt.«

Zen wäre am liebsten hinausgegangen, aber er wusste, das konnte er nicht machen. Seine Freundschaft mit Gilberto war ihm zu wichtig, als dass er sie aus Groll aufs Spiel setzen würde. Die Tatsache, dass Gilberto vermutlich damit gerechnet hatte, machte es für Zen in keiner Weise erfreulicher, sich den absolut fiktiven Bericht über die Geschäfte der Firma Paragon-Sicherheitstechnik mit dem Innenministerium anzuhören, den Nieddu als Einstieg benutzte, bevor er mit seiner

Verkaufsmasche loslegte. In der Zwischenzeit schaufelte Zen alles in sich hinein, was ihm vorgesetzt wurde, und trank einiges mehr an Wein, als er das normalerweise getan hätte. Gelegentlich wandte sich Gilberto in seine Richtung und fragte: »Das stimmt doch, Aurelio?« Zum Glück schienen weder er noch Ochetto eine Antwort zu erwarten.

Zen konnte beim besten Willen nicht sagen, ob diese Farce Ochetto eher günstig oder ungünstig gestimmt hatte, aber sobald er sich unter zwanghaftem Händeschütteln verabschiedet hatte, brach Gilberto in Jubel aus und beauftragte den Kellner, eine Flasche von ihrem besten Malt-Whisky zu bringen. »Das hätten wir im Sack, Aurelio!«, triumphierte er. »Ein Exklusivvertrag für Einbau und Wartung von Anti-Abhöranlagen in all ihren Büros im ganzen Land, und das für das Fünffache des üblichen Preises, denn was nicht im Vertrag steht, ist die Arbeit, die wir bei der Konkurrenz ausführen sollen.«

Zen nippte an seinem Whisky, der ihn an das teerhaltige Allheilmittel erinnerte, das seine Mutter ihm beim geringsten Anlass großzügig verabreicht hatte. »Was für eine Arbeit?«

Nieddu sah ihn verschmitzt an. »Na, was meinst du denn?«

»Ich meine überhaupt nichts«, entgegnete Zen aggressiv. »Warum antwortest du nicht auf meine Frage?«

Nieddu warf seine Hände hoch, als ob er sich scheinbar geschlagen gäbe. »Oh! Soll das ein Verhör sein?«

»Du verdienst jetzt also dein Geld mit Wanzenlegen?«, fragte Zen.

»Hast du was dagegen?«

»Aber sicher hab ich das! Es passt mir einfach nicht, wenn ich dazu benutzt werde, illegale Aktivitäten scheinbar zu sanktionieren, von denen man mir vorher nichts gesagt, geschweige denn mich gefragt hat, ob es mir was ausmacht, da hineingezogen zu werden! Herrgott noch mal, Gilberto, so eine Scheiße kann ich wirklich nicht gebrauchen! Und im Augenblick schon gar nicht.«

Gilberto Nieddu machte eine beruhigende Geste, indem er seine Hände so sanft in der Luft bewegte, als ob er über Seide streiche. »Dieses Mittagessen war seit Wochen vereinbart, Aurelio. Ich habe dich nicht gebeten mitzukommen. Ganz im Gegenteil, du hast mich in letzter Minute angerufen. Normalerweise hätte ich gesagt, dass ich keine Zeit hätte, aber weil du dich so verzweifelt anhörtest, habe ich eine Ausnahme gemacht und mich mit dir getroffen. Aber irgendwie musste ich Ochetto deine Anwesenheit erklären, sonst wäre er misstrauisch geworden. So wie es gelaufen ist, wird er einfach annehmen, ich hätte ihn mit meinen Kontakten zum Ministerium beeindrucken wollen. Und es hat wunderbar funktioniert. Du warst sehr überzeugend. Jetzt mach dir keine Sorgen wegen irgendwelcher Folgen. Er hat längst vergessen, dass es dich gibt.«

Zen lächelte matt, während er eine Nazionale aus seinem rapide schrumpfenden Päckchen herausfischte. »Du warst sehr überzeugend.« Dasselbe hatte Tania gestern Abend zu ihm gesagt, und offenbar war auch Zens »überzeugende« Leistung im Fall Miletti der Grund, weshalb Palazzo Sisti an ihn herangetreten war. Alle benutzten ihn für ihre Zwecke und schienen sehr zufrieden mit den Ergebnissen.

»Du sitzt also schon wieder in der Scheiße, was?«, fuhr Nieddu fort, während er sich eine Zigarre anzündete und es sich in seinem Stuhl bequem machte. »Um was geht es denn diesmal?«

Zen schob sein Glas auf dem Tischtuch herum, das von den Spuren der diversen Gänge, die sie verzehrt hatten, übersät war. Er hatte keine Lust mehr, seine Probleme dem Sarden mitzuteilen. »Ach, nichts. Wahrscheinlich bilde ich mir alles nur ein.«

Nieddu starrte seinen Freund durch einen dichten wohlriechenden Rauchschleier an. »Es wird Zeit, dass du bei der Polizei aufhörst, Aurelio. Was hat das für einen Sinn, sich in deinem Alter noch so abzurackern und sein Leben aufs Spiel zu setzen? Überlass das lieber diesen ehrgeizigen jungen Arschlöchern, die noch glauben, sie seien unsterblich. Wir wollen doch mal ehrlich sein, das ist einfach alles Schwachsinn. Es bringt nichts ein, wenn du nicht korrupt bist, und selbst dann sind es nur kleine Fische.«

Er schnipste mit den Fingern nach der Rechnung.

»Weißt du, ich selbst hatte keine Ahnung, was in der Welt vor sich geht, bevor ich ins Geschäftsleben einstieg. Ich habe einfach nicht erkannt, worauf es im Leben ankommt. Ich meine, so etwas bringen sie einem nicht in der Schule bei. Was du kapieren musst, ist, dass du alles haben kannst. Irgendeiner kriegts auf jeden Fall. Wenn nicht du, dann jemand anders.«

Er nippte an seinem Whisky und zog an seiner Zigarre.

»All diese Fälle, über die du dich so aufregst, die Burolos und der ganze Rest, weißt du, worauf das hinausläuft? Verkehrsunfälle, weiter nichts. Wenn es Straßen und Autos gibt, dann wird halt eine gewisse Anzahl von Menschen getötet oder verletzt. Die erregen zwar eine Menge Aufmerksamkeit, aber in Wirklichkeit sind sie nur ein winziger Anteil von denen, die sicher und ohne Aufhebens oder Ärger ankommen. Genauso ist es in der Geschäftswelt, Aurelio. Wenn das System da ist, werden die Leute es auch benutzen. Die Frage ist nur, ob du deine Zeit damit verbringen willst, die Karambolagen der anderen zu beseitigen oder dahin zu fahren, wo *du* hinwillst. Möchtest du noch einen Cognac oder sonst was?«

Es war bereits drei Uhr durch, als die beiden Männer blinzelnd in die Nachmittagssonne traten. Sie schüttelten sich die Hand und verabschiedeten sich in aller Freundschaft, doch als Zen sich auf den Weg machte, hatte er das Gefühl, als ob eine Tür hinter ihm zugeschlagen wäre.

Die Leute änderten sich halt, das war eine unangenehme Tatsache, die man immer wieder vergaß. Es war nun schon

Jahre her, seit Gilberto den Polizeidienst quittiert hatte, und zwar aus Empörung darüber, wie Zen im Verlauf der Moro-Affäre behandelt worden war. Doch Zen sah in ihm immer noch den loyalen Kollegen, aus dem gleichen Holz geschnitzt wie er selbst, mit den gleichen Ansichten und Vorurteilen. Aber Gilberto Nieddu war nicht mehr nur ein ehemaliger Polizist, sondern ein reicher und erfolgreicher Geschäftsmann, und seine Einstellung hatte sich dementsprechend geändert.

Beim alltäglichen Kontakt war das nicht spürbarer gewesen als die Bewegung der Zeiger einer Uhr. Doch die heutige Konfrontation hatte gezeigt, was für Welten mittlerweile zwischen den beiden Männern lagen. Natürlich war der Sarde Zen immer noch wohlgesinnt und würde ihm helfen, soweit er konnte. Aber er fand es zunehmend schwierig, Aurelios Probleme sonderlich ernst zu nehmen. Ihm kamen sie trivial, unbedeutend und gesucht vor. Was hatte es schließlich für einen Sinn, sich in Schwierigkeiten zu bringen und Risiken einzugehen, ohne die Aussicht auf einen gehörigen Profit?

Gilbertos Einstellung machte es Zen unmöglich, ihn um Hilfe zu bitten, doch Hilfe war das, was er dringend brauchte für den Plan, der in seinem Kopf allmählich Gestalt annahm. Wenn er sie weder auf offiziellem Wege noch durch freundschaftliche Kontakte bekommen konnte, dann gab es nur noch eine Möglichkeit.

Zum ersten Mal fiel er ihm nördlich von der Piazza Venezia auf. Nach der Ruhe in den engen Straßen, aus denen der größte Teil des Verkehrs verbannt war, war der erneute Kontakt mit der brutalen Realität des römischen Verkehrs für ihn noch traumatischer als sonst. Ich werde langsam alt, dachte Zen, während er unentschlossen an der Bordsteinkante stand. Meine Reaktion lässt nach, Mut und Selbstvertrauen schwinden. Deshalb beruhigte es ihn, als er bemerkte, dass ein verwegen aussehender junger Mann mit Lederjacke und Jeans offenbar genauso zögernd wartete. Schließlich war es sogar

Zen, der sich als Erster mutig in den Verkehr wagte, im Vertrauen darauf, dass die Fahrer keine Lust hätten, ihre Macht zu demonstrieren, indem sie ihn töteten oder verstümmelten.

Weniger beruhigend war es dann schon, denselben jungen Mann ein paar Minuten später auf der Piazza del Campidoglio zu erblicken. Zen hatte diesen Weg gewählt, weil er damit das Gewühl an der Piazza Venezia umging, auch wenn es bedeutete, dass er die lange, steile Treppe zum Kapitolinischen Hügel hinaufsteigen musste. Doch als er dann an dem Sockel, auf dem eine Statue seines Namensvetters gestanden hatte, bis sie vor Kurzem ein Opfer der Luftverschmutzung wurde, eine Verschnaufpause einlegte, war dieser junge Mann mit der Lederjacke ungefähr 20 Meter hinter ihm und beugte sich nach unten, um seine Schnürsenkel zuzubinden.

Zen wandte sich nach links und ging am Mamertine-Gefängnis vorbei zur Via dei Fori Imperiali hinunter. Er blieb stehen, um sich eine Zigarette anzuzünden. 20 Meter hinter ihm lehnte sich Lederjacke lässig gegen ein Geländer und genoss die Aussicht. Als Zen die Zigaretten wieder einsteckte, flatterte ein Stück Papier aus seiner Tasche und fiel auf die Erde. Er ging weiter und zählte seine Schritte. Bei zwanzig drehte er sich wieder um. Der junge Mann mit der Lederjacke bückte sich, um das Papier aufzuheben, das er fallen gelassen hatte.

Daraus konnte der junge Mann lediglich entnehmen, dass Zen an diesem Morgen 1200 Lire in einem Weinladen auf der Piazza Campo dei Fiori ausgegeben hatte. Zen hingegen hatte gleich zwei Dinge festgestellt: Der Mann verfolgte ihn, und er machte das nicht besonders gut. Ohne seinen Schritt zu verlangsamen, ging er auf dem breiten Boulevard weiter in Richtung Kolosseum. Dies, beziehungsweise die U-Bahn-Station gleichen Namens war von Anfang an sein Ziel gewesen, aber zuerst musste er seinen Schatten loswerden. Die Männer, denen er einen Besuch abstatten wollte, hatten einen so komplexen und starren Verhaltenskodex wie die Angehörigen von Roms spärlicher Aristokratie und würden es besonders übel nehmen, wenn jemand mit einem unbekannten Gast im Schlepptau ankäme.

Ohne zu wissen, für wen Lederjacke arbeitete, war es schwierig zu entscheiden, wie man ihn am besten loswerden sollte. Wenn er unabhängig arbeitete, wäre es das Einfachste, ihn unter irgendeinem Vorwand verhaften zu lassen. Das würde auch schnell gehen – auf einen Anruf hin wäre der Streifenwagen in wenigen Minuten da –, denn Zen machte sich bereits Sorgen, ob er es schaffte, bis sechs Uhr, wenn Maria Grazia ging, zu Hause zu sein. Aber wenn Lederjacke einer Organisation angehörte, dann würde diese Lösung Zens längerfristigen Vorteil zunichtemachen, weil dadurch offenkundig wurde, dass der Schatten sich verraten hatte. Er würde einfach durch jemanden ersetzt werden, der Zen unbekannt und höchstwahrscheinlich auch gewiefter und schwerer zu entdecken war. Deshalb entschied Zen sich widerwillig für die schwierigere Lösung, nämlich den jungen Mann abzuhängen, ohne dass der merkte, was passiert war. Erst im letzten Augenblick, als er schon fast am Eingang vorbei war, wurde ihm klar, dass er das für seinen Zweck ideale Gelände vor sich hatte.

Im Kassenraum waren drei Männer in Hemdsärmeln in eine erregte Diskussion über Craxis Ansatz zur Bekämpfung der Inflation vertieft. Zen hielt ihnen kurz seinen Polizeiausweis hin, ebenso der Frau, die auf einem Hocker am Eingang saß, in der einen Hand ein Funksprechgerät und in der anderen einen Roman in Taschenbuchausgabe. Ohne sich umzusehen, um festzustellen, ob Lederjacke ihm folgte, betrat er durch den Torbogen das Forum Romanum.

Für sein ungeschultes Auge hatte die Szene vor ihm starke Ähnlichkeit mit einer Baustelle. Das Einzige, was fehlte, waren die großen grünen Krane, die dort gewöhnlich wie außerirdische Eindringlinge in Gruppen zusammenstanden. Es sah so aus, als ob dieses Projekt kaum über die Fundamentslegung hinaus gediehen wäre, und selbst das nur auf unvollständige und chaotische Weise. An einigen Stellen waren gerade erst die Furchen für den Einbau von Rohren und Leitungen gezogen worden, während anderswo ein paar Säulen ahnen ließen, wie das zukünftige Gebäude aussehen könnte. In einem weiteren Bereich waren die massiven Steinkonstruktionen – Fabriken? Lagerhallen? –, die vorher dort gestanden hatten, noch nicht vollständig abgerissen. Im Augenblick schien die Arbeit zu ruhen. Auf dem holprigen Weg, der an der Baustelle entlanglief, waren nämlich keine Kipper oder Betonmischfahrzeuge zu sehen. Vielleicht hatte es Schwierigkeiten mit der Finanzierung gegeben, dachte Zen launig. Vielleicht war die Regierung erneut umgebildet worden, und der neue Minister war nicht bereit, weitere Mittel für ein Projekt zu bewilligen, dessen geschätzte Kosten bereits um mehrere Hundert Prozent überschritten worden waren – oder er zögerte das Ganze zumindest so lange hinaus, bis sich ein finanzieller Anreiz in einer ähnlichen Größenordnung bot, wie er seinen Vorgänger dazu bewogen hatte, den Vertrag überhaupt zu unterzeichnen.

Ein Carabinieri-Hubschrauber schwirrte über ihm herum wie ein Hai, der sein Opfer umkreist. Zen warf seine Zigarette weg und folgte einem Pfad über die unregelmäßigen Rasenflecken zwischen den Ruinen. Auf allem lag ein feiner Staub, der von den Füßen, die über den knochentrockenen Boden stapften, aufgewirbelt wurde. Die Sonne hing tief am wolkenlosen Himmel, und ihre schwachen Strahlen wurden vom Marmor und den Steinen auf beiden Seiten aufgenommen und reflektiert. Über dem Ganzen schwebte der Hubschrauber in regelmäßigen Abständen vorbei, wachsam, fremdartig und fern. Nachdem er den Pfad, der nach rechts abzweigte und den Palatinischen Hügel hinaufführte, zur

Hälfte zurückgelegt hatte, blieb Zen stehen und sah sich die Gegend an. Zu dieser Jahreszeit waren nur wenige Touristen unterwegs. Unter ihnen ein junger Mann in Jeans und Lederjacke. Merkwürdigerweise hatte er schon wieder Probleme mit seinen Schnürsenkeln.

Zen setzte seinen Weg mit einem hämischen Grinsen fort. Wenn Lederjacke der Meinung war, man brauche sich nur zu bücken und seine Schnürsenkel zuzubinden, und schon sei man unsichtbar, dann sollte es nicht allzu schwierig sein, ihn loszuwerden. Eigentlich war Zen sogar ein wenig pikiert, dass man so einen drittklassigen Gauner auf ihn angesetzt hatte. Offenbar schaffte er es noch nicht einmal mehr, seinen Feinden Respekt einzuflößen.

Der Pfad verlief sanft nach oben zwischen Massen von antiken Mauerresten, die aus dem Gras herausragten wie verwitterte Felsnasen. Die von den Behörden aufgestellten Zeichen und Zäune hatten der chaotischen Topografie des Hügels eine Art oberflächliche Ordnung aufgezwungen, doch die machte seine unendlichen Anomalien im Grunde noch unverständlicher. Nichts war hier, was es zu sein schien. Alles war so oft geplündert und wiederverwendet worden, dass selbst die Fachleute sich häufig über den ursprünglichen Namen und die ursprüngliche Funktion nicht im Klaren waren. Obwohl Zen kein Archäologe war, waren ihm die vielschichtigen Komplexitäten des Palatinischen Hügels dank der Affäre Angela Barilli sehr vertraut.

Angela, Tochter eines der bekanntesten römischen Juweliere, war 1975 im Alter von achtzehn Jahren entführt worden. Nach monatelangen Verhandlungen und einer vermasselten Lösegeldübergabe hatten die Entführer sich nicht mehr gemeldet. In ihrer Verzweiflung hatte sich die Familie Barilli dem Übernatürlichen zugewandt und eine Hellseherin aus Turin engagiert, die behauptete, die Polizei bereits zu drei Entführungsopfern geführt zu haben. Ordnungsgemäß informierte das Medium Angelas Mutter, dass ihre Tochter in einer unterirdischen Zelle gefangen gehalten würde, irgendwo in dem gewaltigen Netz von Zimmern und Fluren auf den unteren Etagen des Kaiserpalastes im Herzen des Palatinischen Hügels.

So unwahrscheinlich das auch klang, der von der Familie ausgeübte politische Druck war doch so stark, dass Zen, der die Untersuchungen leitete, drei Tage für eine sorgfältige Durchsuchung dieses Geländes verschwenden musste. Tatsächlich wurde die Leiche der Barilli-Tochter ein Jahr später in einer flachen Betongrube unter einer Garage im Vorort Primavalle gefunden, wo man sie gefangen gehalten hatte, doch Zen würde niemals die drei Tage vergessen, die er damit zugebracht hatte, das Gewirr von Höhlen, unterirdischen Gängen, Zisternen und Kellern zu durchkämmen, das sich unter dem Palatinischen Hügel befand. Es war ein Gelände, das so viele Möglichkeiten bot, dass Zen einfach mithilfe der Mathematik verschwinden konnte, indem er nämlich seinem Verfolger eine Gleichung mit zu vielen Unbekannten hinterließ.

Als er das Plateau auf der Kuppe des Hügels erreichte, trat Zen nach links unter die hohe Mauer, die eine große, rechteckige Fläche um eine Kirche abteilte, und wartete darauf, dass Lederjacke ihn einholte. Sonst war niemand da, und das einzige Geräusch, das man hörte, war das entfernte Surren des Hubschraubers. Der hatte sich weiter nach Osten bewegt und kreiste nun über dem Krankenhauskomplex in der Nähe von San Giovanni in Laterano. Sicher wurde gerade ein prominenter Verbrecher aus dem Regina-Coeli-Gefängnis zur Behandlung überführt, und der Hubschrauber fungierte als himmlisches Auge gegen jeden Versuch, den Verbrecher zu entführen.

Schritte näherten sich rasch, fast im Eiltempo. Im letzten Augenblick trat Zen hinter der Mauer hervor.

»Pardon!«

»Entschuldigung!«

Der Zusammenstoß war kaum der Rede wert, doch der junge Mann in der Lederjacke wirkte zutiefst verstört, was Zen auch beabsichtigt hatte. Von Nahem besehen, fiel seine verwegene Ausstrahlung in sich zusammen wie der Glanz einer Schauspielerin jenseits des Rampenlichts. Trotz seiner männlichen Stoppeln, die zweifellos daher kamen, dass er sich immer vor dem Schlafengehen rasierte, wirkte seine Haut kindlich, und sein Blick war schwach und ausweichend.

»Das passiert immer!«, bemerkte Zen.

Der Mann starrte ihn verwirrt an.

»Ich meine, wenn sonst niemand da ist«, erklärte Zen. »Ist Ihnen das schon mal aufgefallen? Man kann zur Hauptverkehrszeit quer durch die Stazione Termini laufen und berührt niemanden, und dann macht man hier oben einen Spaziergang und stößt voll mit dem einzigen Menschen zusammen, der sonst noch hier rumläuft!«

Der Mann murmelte irgendetwas Unbestimmtes und wandte sich ab. Zen machte sich in die Gegenrichtung auf den Weg. Dieses Zusammentreffen dürfte Lederjacke nicht nur schockiert haben, sondern von nun an war es für ihn unmöglich, künftige Begegnungen als reinen Zufall abzutun. Das würde ihn dazu zwingen zurückzubleiben, um nicht gesehen zu werden, was Zen den nötigen Spielraum gab.

Er bahnte sich seinen Weg durch ein Labyrinth von Kiespfaden, die sich zwischen Mauerresten von einigen Metern Dicke hindurchwanden. Marmorstücke lagen verstreut herum wie weggeworfenes Spielzeug. An einigen Stellen ragten Steineichen aus den Ruinen, deren rauer und gerader Stamm sich an der Spitze ausbreitete, um das üppig grüne Dach zu tragen. Hier und da war bei Ausgrabungen ein Teil der Erde abgetragen worden, um ein Stück von der unter der Oberfläche verborgenen Landschaft freizulegen. Abgezäunt und mit schrägen, gewellten Plastikdächern versehen, wirkten sie wie die primitiven Schutzhütten eines zukünftigen Stammes, mit dem die lange Geschichte dieses uralten Hügels in einer Kreisbewegung in die ewige Dunkelheit des nuklearen Winters zurückgekehrt ist.

Eine Reihe von Pinien trennte diesen Bereich von einem regelrechten Garten mit Wegen, die von exakt gestutzten Hecken flankiert waren. Im Schutze des Dickichts der immergrünen Bäume und Büsche konnte Zen in Windeseile den asphaltierten Pfad entlanglaufen, der zu einer Anlage mit Kieswegen, einem verfallenen Pavillon und einer Terrasse mit Blick auf das Forum führte. Ein Springbrunnen plätscherte vor sich hin, zwischen den Blättern der Bäume prangten orangene Früchte, und nach allen Seiten hin gingen Wege ab. In der Mitte führte eine Treppe in einen unterirdischen Gang, der dahin zurücklief, wo Zen hergekommen war. Von unmittelbar unter der gewölbten Decke eingelassenen Lichtschächten nur schwach erleuchtet, schien der Gang immer länger zu werden, während er ihn entlanghastete. An den Wänden, die mit rauem, löchrigem Putz versehen waren, hingen Spinnengewebe so groß und dick wie Taschentücher, die im kalten Luftzug flatterten.

Schließlich endete der Gang an einer weiteren Treppe, die in das Labyrinth von Mauerresten und Kiespfaden hinaufführte, das Zen bereits durchquert hatte. Unter dem Schutz der Trümmer suchte er sich einen Weg zu den mächtigen Ruinen des Kaiserpalastes. Das Tor war genau dort, wo er es in Erinnerung hatte. Dahinter lag ein Hof, auf dem man alle möglichen nicht identifizierbaren Marmorreste abstellte. Eigentlich sollte das Tor abgeschlossen sein, doch während seiner vergeblichen Suche nach Angela Barilli hatte Zen unter anderem festgestellt, dass es tagsüber offen gelassen wurde, weil die Angestellten den Hof als Abkürzung benutzten. Zen ignorierte das Schild »Kein Zutritt für Unbefugte«, überquerte den Hof und steuerte auf einen Gang an der Rückseite zu. Links führte eine moderne Eingangstür ins Museum, doch Zen wandte sich in die andere Richtung und ging eine alte Eisentreppe hinunter, die in das Innere des Hügels führte.

Zunächst grub sich die Treppe in einen Schacht, der durch das solide Mauerwerk des Palastes geschlagen worden war. Während Zen hinabstieg, wurde das Licht über ihm immer schwächer. Gleichzeitig fing die Dunkelheit unter ihm an zu glühen. Dann gelangte er ohne Vorwarnung in einen riesigen unterirdischen Raum, wo die Treppe in schwindelerregender Weise an der Mauer klebte. Die übrigen Wände waren unermesslich weit entfernt, reine Schattenbänke, deren Gegenwart durch das weit oben einfallende Licht nur angedeutet wurde, das den Boden gleichzeitig im Dunst verschwinden ließ. Zen klammerte sich, von Schwindel überwältigt, am Geländer fest. Alles stand auf dem Kopf, der Boden war oben und das Licht unten.

Stufe für Stufe tastete er sich, dem Zickzackkurs der Treppe folgend, durch die gähnende Dunkelheit nach unten. Der Boden war eine kahle Fläche aus festgetretener Erde und wurde von einigen Lichtstrahlen erleuchtet, die durch große, rechteckige Öffnungen einfielen, die auf den abgesunkenen Hof im Herzen des Palastes hinausgingen. Zen überquerte den Hof und sah zu dem Metallgeländer hinauf, wo eine Dreiergruppe von Touristen stand und laut aus einem Reiseführer vorlas. Eine rechteckige Öffnung in der gegenüberliegenden Mauer führte in einen dunklen Gang, der durch eine Reihe düsterer, leerer Räume lief und dann in eine riesige geschlossene Arena mündete. Sie bestand aus mehreren Reihen abgebrochener Säulen, die eine ausgedehnte Grasfläche umsäumten.

Er setzte sich auf eine der umgestürzten Säulen, wo er von dem höher gelegenen Pfad aus nicht gesehen werden konnte, und zündete sich eine Zigarette an. Auf dem Sockel der Säule lag ein riesiger Pinienzapfen, dessen Schuppen so weit auseinandergespreizt waren wie die Ballen an den Pranken einer Raubkatze. Die Luft war ruhig, das Licht so fahl und mild, als ob es auch antik wäre. Die streichholzartigen Ziffern auf Zens digitaler Armbanduhr setzten ihr ausgeklügeltes Ballett fort, doch die sich daraus ergebenden Muster schienen jede Bedeutung verloren zu haben. Das einzig reale Zeitmaß war das langsame Verschwinden der Zigarette, die zwischen Zens Fingern verglimmte, und seine ebenso bedächtig fortschreitenden Gedanken.

Für wen um alles in der Welt könnte Lederjacke arbeiten? Bis jetzt hatte Zen angenommen, dass er mit dem Einbruch in seine Wohnung und dem dort zurückgelassenen Umschlag voller Schrotkugeln zu tun haben müsse, doch nach einiger Überlegung verwarf er diese Idee. Lederjacke sah einfach nicht bösartig genug aus, dass ihm zuzutrauen wäre, bei einem Komplott mitzumachen mit dem Ziel, Zen Angst einzujagen, indem man ihm die gleiche Art von Warnung schickte wie Richter Giulio Bertolini kurz vor seinem Tod. Daran hatte er ganz bestimmt kein Interesse. Ihm ging es um keine persönliche Vendetta, dessen war sich Zen völlig sicher. Er tat es einzig und allein für Geld. Jemand, den man stundenweise anheuerte und zum Billigtarif dafür benutzte, Zen auf Schritt und Tritt zu verfolgen. Aber wer hatte ihn angeheuert? Je länger Zen darüber nachdachte, umso bedeutsamer erschien ihm die Tatsache, dass Lederjacke zum ersten Mal kurz nach seiner Unterredung im Palazzo Sisti aufgetaucht war.

Das einzig Verwunderliche an dieser Erklärung war, dass sie einen drittklassigen Handlanger für den Job gewählt hatten, aber das lag zweifellos daran, dass Lino für diesen Bereich zuständig war. Vielleicht war es aber sogar ganz in ihrem Sinne, wenn Zen wusste, dass sie ihn im Auge hatten. Schließlich war er jetzt ihr Mann. Warum sollten sie ihn da nicht überwachen? Weshalb sollten sie ihm trauen?

Erst als er sich diese Frage gestellt hatte, wurde Zen klar, dass es keine rhetorische Frage war. »Nachdem man uns auf Ihre Erfolge im Fall Miletti aufmerksam gemacht hatte«, hatte der junge Mann zu ihm gesagt, »da sprachen die Tatsachen einfach für sich.« Aber wer hatte sie überhaupt auf diese »Erfolge« aufmerksam gemacht? Vermutlich eine der »Kontaktpersonen beim Ministerium«, von denen der junge Mann zuvor gesprochen hatte. »Wir sind schon häufiger von Leuten hängen gelassen worden, die uns alles Mögliche versprochen hatten und dann nicht liefern konnten. Ja gerade erst vor ein paar Tagen haben wir unseren Mann dort gebeten, uns eine Kopie von dem Videoband zu besorgen, auf dem die tragischen Ereignisse in der Villa Burolo zu sehen sind. Eine ganz simple Bitte, sollte man doch meinen, aber selbst damit schien die fragliche Person überfordert zu sein. Und das war nicht das erste Mal, dass er uns enttäuscht hat.«

Zen blickte erschrocken auf. Die steilen Mauern der Arena schienen näher gerückt zu sein und ihn einzuschließen. Erst gestern noch hatte er sich gefragt, weshalb Vincenzo Fabri den Vorstoß mit dieser schwachsinnigen Idee gewagt hatte, der Mordanschlag habe eigentlich gar nicht Burolo gegolten, sondern sei ein Vergeltungsschlag der Mafia gegen den Architekten Vianello gewesen. Die Antwort lautete natürlich, dass dies ein gescheiterter Versuch gewesen war, den Verdacht von Renato Favelloni abzulenken. Fabris Reise nach Sardinien hatte also nur offiziell im Namen von Criminalpol stattgefunden. Sein wirklicher Auftraggeber war l'Onorevole gewesen. Und Fabri hatte alles vermasselt! Deshalb hatte man ihm auch nicht die Chance gegeben, das neue Beweismaterial über Furio Pizzonis wahre Identität zu nutzen. Das war eine zu gute Chance für Palazzo Sisti, als dass man riskieren konnte, sie an jemanden zu verschwenden, zu dem man kein Vertrauen mehr hatte. Stattdessen hatten sie sich für Zen entschieden, dessen Leistungen »für sich sprachen«, was natürlich nicht der

Fall war. Jemand hatte sich zunächst einmal dafür verwendet. Jemand hatte Palazzo Sisti auf Zens »Erfolge im Fall Miletti« aufmerksam gemacht und vorgeschlagen, dass ein Mann, der so skrupellos Beweismaterial und Zeugen manipulierte, genau der Richtige sein müsste, um das Burolo-Debakel zu einem befriedigenden Abschluss zu bringen. Und dieser Jemand – so viel war jetzt klar – konnte nur der »Mann der Partei beim Ministerium« sein, also Vincenzo Fabri selbst.

Zen zündete sich eine neue Zigarette an der vorherigen an, eine Angewohnheit, die er normalerweise verabscheute. Doch in seinem Leben spielte Normalität eine immer geringere Rolle. Vincenzo Fabri also hatte Zen seinen Herren anempfohlen, als weißen Ritter, der Renato Favelloni vor dem Gefängnis und l'Onorevole vor der Schande bewahren würde. Doch auf diese Weise hatte er nicht nur seinem ärgsten Feind eine Chance zum Erfolg gegeben, sondern das auch noch ausgerechnet da, wo er selbst gerade erst eine beschämende Niederlage erlitten hatte. Warum sollte er so etwas tun?

Die einzig mögliche Antwort war, Fabri wusste verdammt genau, dass Zen keinen Erfolg haben würde. Also weit entfernt davon, seinem Feind einen Gefallen zu tun, hatte Fabri ihn in eine Falle laufen lassen, aus der es nur zwei Auswege gab, die beide verhängnisvoll sein könnten. Wenn es Zen nicht gelänge, Palazzo Sisti zufriedenzustellen, dann würde man ihn in eine Stadt versetzen lassen, wo sein Leben ohne viel Aufsehen ein schnelles Ende finden könnte. Wenn er hingegen das Notwendige tat, um den Prozess gegen Favelloni aufzuschieben, dann würde Fabri den Gerichtsbehörden einen Tipp geben und Zen wegen eines Komplotts zur Behinderung der Rechtsfindung festnehmen lassen. Ganz egal, was passierte, Zen konnte nur verlieren. Wenn seine neuen Freunde ihn nicht drankriegten, dann würde sein alter Feind das schon schaffen.

Inzwischen war die Sonne hinter dem Pinienhain verschwunden, dessen Grün über dem äußersten Rand des abgesunkenen Stadions so eben sichtbar war. Sofort konnte man spüren, wie kalt die Luft eigentlich noch war. Es war Zeit aufzubrechen. Lederjacke hatte die Suche nach ihm bestimmt längst aufgegeben und wartete wohl in der Nähe des Eingangs an der Via dei Fori Imperiali.

Zen stand auf und begann, sich einen Weg durch das Gewirr von Trümmern auf der anderen Seite zu suchen. Über eine Steintreppe und einen gewundenen Trampelpfad gelangte er auf einen von Pinien gesäumten Weg, der zum Ausgang an der Via di San Gregorio führte. Die Gerüche des Sommers, Piniensaft und getrocknete Scheiße, strömten noch leicht aus dem Unterholz. Von Lederjacke war keine Spur, aber seinetwegen machte sich Zen ohnehin keine allzu großen Sorgen mehr. Die Tatsache, dass er beschattet wurde, war im Moment sein geringstes Problem, das galt auch für das verschwundene Videoband. Wenn er sich vorstellte, dass er sich noch heute Morgen eine komplizierte Theorie zusammengebastelt hatte, um zu erklären, warum Fabri das Band bestellt hatte. Der Grund dafür war jetzt klar: er war von Palazzo Sisti beauftragt worden, eine Kopie zu besorgen. Und was den Diebstahl betraf, so ging der wohl tatsächlich auf das Konto eines Taschendiebs, wie Zen ursprünglich angenommen hatte. Vincento Fabri hatte viel bedeutendere Pläne, als sich mit geklauten Videos abzugeben. Hatte er nicht gerade heute Morgen noch De Angelis gemahnt, sich von Zen fernzuhalten, weil dieser »auf der Abschussliste stünde«? Wie das genau gemeint war, wurde Zen jetzt erschreckend deutlich.

Ich war immer sehr fügsam, der geborene Mitläufer. Wie diese kleinen Entchen, die wir hatten, ein Fuchs hatte ihre Mutter getötet, und von da an liefen sie hinter jedem her, der die grünen Gummistiefel trug, die sie als Erstes gesehen hatten, als sie die Augen aufmachten. Wenn die Stiefel von alleine gelaufen wären, wären sie auch den Stiefeln hinterhergelaufen oder irgendeinem Stück Müll, das der Wind vorbeiblies, was auch immer gerade da war, als das Dunkel aufriss. Selbst dem Fuchs, der ihre Mutter getötet hatte.

Ich sehe ihn immer noch vor mir, wie er dort stand mit dem Rücken zum Licht und von der Kraft des Lichtes durchdrungen. Komm mit, sagte er. Ich kann nicht, sagte ich zu ihm, ich darf nicht. All das schien schon einmal passiert zu sein. Woher kommen diese Erinnerungen und Träume? Sie müssen jemand anderem gehören. Vor dem Dunkel war nichts. Wie sollte da etwas gewesen sein? Wir kommen aus dem Dunkel und kehren ins Dunkel zurück. Wir haben keine andere Wahl.

Das ist schon in Ordnung, sagte er. Ich bin Polizist. Komm mit. Ich tat, was er mir sagte. Er hätte mich in jedem Fall mitgenommen – mit Gewalt.

Das Licht brannte so stark, dass ich die Augen schließen musste. Als ich sie wieder aufmachte, waren dort überall Männer, die herumrannten, sich gegenseitig anschrien, sich hereindrängten und mit ihren Blicken alles absuchten. Einer nach dem anderen überschütteten sie mich mit ihren Lügen, bis mir ganz übel davon wurde. Alles, was passiert war, ist ein Irrtum gewesen. Ich hatte nichts falsch gemacht, es war alles ein Irrtum, ein Skandal, ein tragisches und schockierendes Verbrechen. Als ich etwas zu sagen versuchte, erschreckte ich mich vor meiner eigenen Stimme, das Krächzen eines Raben drang aus meinem Körper, es hatte nichts mit mir zu tun. Danach schwieg ich. Es hatte keinen Sinn, sich zu widersetzen zu versuchen. Sie waren zu stark und ihre Wünsche zu drängend. Ich wusste, dass sie mich früher oder später da haben würden, wo sie mich hinhaben wollten.

Schließlich waren sie es satt und ließen mich gehen. Du bist frei, sagten sie, und töricht, wie ich war, glaubte ich ihnen. Ich dachte, ich könnte zurückgehen, als ob nichts passiert wäre, als ob alles ein Traum gewesen wäre.

Donnerstag, 17.20–19.10

Als der schmuddelig blaugraue Zug der Metropolitana an der Haltestelle bei der Pyramide wieder aus der Erde kam, wurde es bereits dunkel. Zen ging die breite, düstere Treppe an einem faschistischen Wandgemälde vorbei, das Armee, Familie und Arbeiter darstellte, hinauf und betrat die Straße.

Die städtischen Stare spielten wie immer kurz vor dem Dunkelwerden einfach verrückt und verwandelten die Bäume in Lautsprecher, die ihr Geplärre übertrugen. Dann schwärmten sie aus den Baumkronen, um im Dämmerlicht wie vom Wind getragene Müllfetzen zu kreisen. Unten auf der Piazza liefen blanke Straßenbahnschienen kreuz und quer, um nur ein paar Meter weiter unter einer Asphaltschicht zu enden oder geradewegs auf einen Mittelstreifen zuzulaufen.

Anstatt die Via Ostiense an der Ampel zu überqueren, was einen kleinen Umweg bedeutet hätte, stürzte Zen sich mitten in das Gewühl der Fahrzeuge, die hier auf der Piazza aus allen Richtungen zusammenströmten. Vielleicht hatte das die Stare animiert, überlegte er, und ihr hektisches Umherschwärmen war nur der Versuch, die Verhaltensmuster der dominanten Lebensform zu imitieren. Aber heute Abend störte ihn der Verkehr nicht. Er schien vor Unfällen geschützt, wie ein Gefangener, der zum Tode verurteilt ist. Tatsächlich floss der Verkehr um ihn herum, als ob er auf seine fatalistische Selbstsicherheit Rücksicht nähme, und warf ihn auf der anderen Seite der Piazza wieder an Land, am Fuß der Marmorpyramide.

Der direkteste Weg zu seinem Ziel führte durch die Porta San Paolo und dann die Via Marmorata entlang. Doch jetzt, wo er fast da war, lebte Zens Angst, verfolgt zu werden, wieder auf, und deshalb entschied er sich, statt der belebten Hauptstraße die kleinere und ruhigere Straße zu benutzen, die auf einer Seite von der Stadtmauer und auf der anderen von trübsinnigen Wohnblocks gesäumt wurde. Außer ein paar Prostituierten, die sich auf dem Gras- und Gestrüppstreifen zwischen Straße und Stadtmauer postiert hatten, war niemand unterwegs. Er ging nach rechts durch einen in die Mauer eingelassenen Bogen und dann nach links um den wuchtigen Hügel herum, der dem Stadtteil Testaccio seinen Namen gegeben hat. Am Fuß des Hügels stand eine Reihe niedriger, formloser und schlampig zusammengesetzter Hütten, die von gefährlichen Hunden bewacht wurden. Hier wurde Metall verarbeitet und lackiert, Motoren und Karosserien repariert und Seriennummern geändert. Zu Zens Zeiten bei der Questura war das eines der Hauptgebiete in der Stadt, wo gestohlene Fahrzeuge umfrisiert wurden.

Ein weiteres wichtiges Geschäft dieses Stadtteils war das Töten gewesen, doch das hatte mit der Schließung des Schlachthofkomplexes zwischen Testaccio-Hügel und Fluss aufgehört. Jene Art von Töten, die jetzt noch stattfand, hing mit den Teilzeitbeschäftigungen einiger Anwohner zusammen, wovon der Gebrauchtwagenhandel noch das augenfälligste Beispiel war. Was den Schlachthof betraf, so war der jetzt ein Mekka für Möchtegern-Yuppies wie Vincenzo Fabri, die sich mit ihren Mercedes und BMWs zu den ehemaligen Schlachtbänken drängten, um die Kunst, auf einem Pferd zu sitzen, zu erlernen. Gegenüber waren ein paar exklusive Nachtklubs entstanden, um die Jeunesse dorée der Stadt anzulocken, die sich unbemerkt unter das gemeine Volk mischen wollte.

Zen ging an den ochsenblutroten Mauern des Schlachthofs vorbei und betrat das dahinter liegende Netz rechtwinklig angelegter Straßen. Wenn auch nicht schöner als der Vorort, in dem Tania und ihr Mann wohnten, so war Testaccio doch ganz anders. Zum einen hatte dieser Stadtteil Geschichte, und zwar eine zweitausend Jahre alte, die zurückging in die Zeit, als das Gebiet noch der Hafen von Rom war und der Hügel in seiner Mitte allmählich aus den Scherben von Amphoren entstand, die entweder beim Transport oder beim Verkauf kaputtgegangen waren. Die viereckigen, aus der Zeit um die Jahrhundertwende stammenden Mietskasernen waren nur der jüngste Ausdruck seines handfesten und nüchternen Charakters. Die kleinste Veränderung im wirtschaftlichen Klima würde ausreichen, um die äußeren Vorstädte hinwegzufegen, als ob sie nie existiert hätten, aber das Testaccio-Viertel würde ewig bestehen, denn es saß so fest im Hals von Rom wie ein Knochen.

Die Nacht war angebrochen. Die Straße wurde nur spärlich beleuchtet von Lampen, die an Drähten hingen, die zwischen den einzelnen Wohnblocks gespannt waren. In trübem Anstaltsgrün gestrichene Fensterläden unterbrachen die kahlen Wandflächen. In diesem Viertel, wo Autos eher ein Tauschobjekt als ein Symbol für das verfügbare Einkommen waren, war es immer noch möglich, in geordneter Weise am Straßenrand zu parken und den Bürgersteig für die Fußgänger frei zu halten. Zen schritt beständig voran, weder zu schnell noch zu langsam, und ließ kein besonderes Interesse an seiner Umgebung erkennen. Das war Feindesgebiet, und er hatte besondere Gründe dafür, keine Aufmerksamkeit auf sich zu lenken. Nachdem er zwei Querstraßen passiert hatte, erspähte er sein Ziel, einen Geschäftsblock, in dem es unter anderem einen Friseur, einen Metzger, ein Lebensmittelgeschäft und eine Farbengroßhandlung gab. Zwischen dem Friseur und dem Metzger lag die Rally Bar.

Es war Jahre her, seit Zen dort einen Fuß hineingesetzt hatte, aber sobald er drinnen war, stellte er fest, dass sich nichts verändert hatte. Die Wände und die hohe Decke waren immer noch in demselben unsäglichen Braunton gestrichen und mit großen Fotos von Motorradrennen und der Fußballmannschaft Juventus dekoriert, außerdem mit Plakaten, auf denen die verschiedenen Eissorten abgebildet waren, die man aus der Kühltruhe am Ende der Bar bekommen konnte. Die beiden kahlen Neonröhren, die an Ketten von der Decke herabhingen, verbreiteten ein kaltes und grelles Licht, das von den unverwüstlichen, auf Hochglanz polierten Kunststofffliesen auf dem Fußboden reflektiert wurde. Über der Bar hing ein Abreißkalender einer Autoersatzteilfirma, auf dem ein Farbfoto von einem Pfau zu sehen war. Daneben gab es die eingerahmten Lizenzen vom Stadtrat, eine Preisliste, eine Notiz, aus der hervorging, dass das Etablissement mittwochs Ruhetag hatte, Werbung für diverse Amaro- und Biersorten und eine Zeichnung von einem Landstreicher, unter der stand: »Er gab jedem Rabatt und Kredit.«

Die drei Männer, die sich mit leiser Stimme an der Bar unterhielten, verstummten, als Zen eintrat. Er ging auf sie zu, wobei er gegen ihr schweigsames Starren anrückte wie gegen einen heftigen Wind. »Ein Bier.«

Der hagere und hohlwangige Barmann zog eine Flasche Bier aus dem Kühlschrank, hebelte den Deckel ab und kippte die Hälfte des Biers in ein Glas, das er tropfend vom Ablaufbrett genommen hatte. Das Glas war dick und verkratzt. Am Boden waren nur ein paar Zentimeter Bier, völlig unerreichbar unter einer Schicht, die so dick und weiß wie Rasierschaum war.

Der Barmann nahm sich eine Ausgabe der *Gazzetta dello Sport*. Die anderen Gäste starrten über ihre leeren Kaffeetassen hinweg zu den halb vollen Likör- und Schnapsflaschen, die auf der Glasablage aufgereiht waren. Auf dem Ehrenplatz über der Bar stand eine Uhr, deren Zifferblatt aus einem Porzellanteller bestand, auf den aufgemalt war, wie viel Zeit der

Inhaber angeblich bereit war, mit Finanzbeamten, reichen alten Verwandten, Vertretern, sexy Hausfrauen und Ähnlichem zu verbringen. Polizisten in Zivil auf einer inoffiziellen Mission kamen nicht vor.

Zen schüttete vorsichtig das restliche Bier ins Glas, um den Schaum zu beseitigen. Er trank es zur Hälfte und zündete sich dann eine Zigarette an. »War Fausto heute Abend schon hier?«

Der Sekundenzeiger hatte fast eine komplette Umdrehung auf dem Porzellanteller beschrieben, bevor der Barmann sich so schwungvoll zu Zen umdrehte, als ob er Rollen unter den Füßen hätte. »Was?«

Zen sah ihm in die Augen. Er sagte nichts. Schließlich wandte sich der Barmann wieder ab und griff zu seiner Zeitung. Der Sekundenzeiger der Uhr bewegte sich von »Schwiegermütter« über »die Blonde von nebenan« zu seinem Ausgangspunkt zurück.

»Dieses Bier schmeckt wie Pisse«, sagte Zen.

Die rosafarbene Zeitung senkte sich langsam. »Und was soll ich Ihrer Meinung nach dagegen tun?«, fragte der Barmann drohend.

»Mir ein neues geben.«

Der Barmann wippte einen Augenblick auf seinen Füßen hin und her. Dann riss er die schwere Holztür des Kühlschranks auf, fischte eine andere Flasche heraus, köpfte sie und knallte sie auf die Zinktheke. Zen nahm die Flasche und sein Glas und setzte sich an einen der drei runden Metalltische, die mit einem blau-roten Korbgeflecht aus Plastik überzogen waren.

Als ob sie darauf gewartet hätten, erwachten die anderen beiden Gäste plötzlich zum Leben. Einer von ihnen warf ein paar Münzen in einen Video-Spielautomaten, der mit einem ohrenbetäubenden Ausbruch von elektronischen Schreien und Schüssen antwortete. Der andere Mann schlenderte auf Zens Tisch zu. Er hatte mit Pomade angeklatschte dunkle Haare, und seine Ohren standen wie ein Paar gestikulierender Hände von seinem Schädel ab. Auf seiner Stirn war ein großer frischer Bluterguss, seine Nase war gebrochen, und eine Backe war erst kürzlich von oben bis unten aufgeschlitzt worden. Durch die furchtbaren Dinge, die mit seinem übrigen Gesicht passiert waren, misstrauisch geworden, kauerten die Augen des Mannes in tiefen, von schweren Lidern bedeckten Höhlen. »Darf ich mich setzen?«, fragte er und saß auch schon.

Auf dem Videoschirm schritt ein hagerer, grimmiger Detektiv im Trenchcoat durch eine nächtliche Großstadtstraße. Bedrohliche, Pistolen schwingende Gestalten erschienen an Fenstern oder sprangen hinter Mauern hervor. Wenn der Detektiv sie genau traf, brachen sie in einer Blutlache zusammen, und der Spieler erzielte eine Reihe von Punkten, doch wenn er sie verfehlte, ertönte stattdessen der Schrei einer Frau, und man sah das vollbusige, halb nackte Opfer.

»Es war nicht zu überhören, was Sie gesagt haben«, bemerkte Zens neuer Freund.

Zen drückte seine Zigarette in einem Aschenbecher aus, auf dem Name, Adresse und Telefonnummer eines Fleischgroßhändlers standen. *Hauseigene Schlachtung,* lautete der Slogan. *Großaufträge besonders günstig.*

»Ich bin ein Freund von Fausto«, fuhr der Mann fort. »Leider ist er im Augenblick nicht in der Stadt. Vielleicht kann ich Ihnen helfen.«

Zen schob den Aschenbecher auf dem Tisch herum, als ob er ein Stein in einem Spiel wäre und er noch nicht wüsste, wie er ihn setzen sollte.

»Das hinge davon ab, was ich wollte«, sagte er.

»Und davon, wer Sie sind.«

Damit die Reize des Videospiels auch denen nicht ganz verloren gingen, die den Bildschirm nicht sehen konnten, hatten die Hersteller ganz zuvorkommend eine Reihe von Klangeffekten eingebaut, die sich in unregelmäßigen Abständen wiederholten. Insbesondere gab es da ein spöttisches kleines Motiv wie ein elektronisches Hohngelächter, das den Spieler unweigerlich veranlasste, zu fluchen und mit der Hand gegen die Seitenwand der Maschine zu schlagen. Schließlich wandte er sich empört ab, ging zur Bar hinüber und knallte einen Geldschein auf die Theke. »Rück mal fünf raus«, sagte er.

Der Barmann legte seine rosa Sportzeitung hin, völlig ungerührt von den erschütternden Ereignissen, auf die sich die Schlagzeile bezog: »JUVE, WAS FÜR EINE ENTTÄUSCHUNG!!! ROMA, WAS FÜR EIN FEUERWERK!!!« Er warf die Münzen auf die blank polierte Stahlfläche. Einen Augenblick später war der Mann schon wieder in eine andere Welt entrückt, sein Hintern wand und drehte sich, als ob er die Maschine vögelte.

»Ich bin ebenfalls ein Freund von Fausto«, sagte Zen.

Der Mann zog die Augenbrauen hoch. »Merkwürdig, dass wir uns noch nie begegnet sind.«

»Fausto hat viele Freunde. Und auch viele Feinde. Vielleicht ist er deshalb nicht in der Stadt.«

»Das hat er mir nicht gesagt.«

»So geht man doch nicht mit einem Freund um«, bemerkte Zen.

Der Barmann warf seine Zeitung beiseite und trat von der erhöhten hölzernen Bühne runter, von wo aus er seine Gäste dominierte. Jetzt war er nur noch eine merkwürdig unscheinbare Gestalt, die rastlos herumlief, Tische und Stühle gerade rückte und die Aschenbecher auswischte.

»Jedenfalls wenn ich Fausto zufällig sehe, werde ich ihm sagen, dass Sie nach ihm gefragt haben«, sagte der Mann. »Wie war doch gleich Ihr Name?«

Zen schrieb seine Telefonnummer auf ein Stück Papier und gab es dem Mann. »Sagen Sie ihm, er soll mich heute Abend anrufen.«

»Warum sollte er das tun?«

»Aus demselben Grund, weshalb er nicht in der Stadt ist. Wegen seiner Gesundheit, seiner Zukunft und seinem Seelenfrieden.«

Er stand auf und ging in Richtung Tür.

»Hey, was ist mit dem Bier?«, rief der Barmann.

Zen schwenkte seinen Daumen zu dem Tisch. »Mein Freund gibt einen aus«, sagte er.

Er ging die Straße hinunter, ohne sich umzusehen. Als er um die Ecke gebogen war, blieb er im Schatten eines großen Lieferwagens stehen und warf ein Auge auf die Tür der Rally Bar. Ein widerwärtig süßer Geruch strömte aus dem Wagen, der Geruch von Blut und Tod. Es war ein eigenartiger Geruch, ganz anders als alle anderen Gerüche. Zen erinnerte sich an einen Besuch, den er während der Ermittlungen in einem Erpressungsfall einem anderen Schlachthof abgestattet hatte, vielleicht war das sogar im Fall Spadola gewesen. Er hatte beobachtet, wie die Tiere herumgestoßen und dann totgeschlagen wurden, wie sie mitleiderregend schrien und man das Weiße in ihren Augen sehen konnte. Männer in blauen Overalls und roten Gummischürzen erledigten das Töten in einer Atmosphäre rauer, aber gutmütiger Kameradschaft und gingen mittags nach Hause zu ihren Frauen und Kindern und aßen gebratene Rückenmuskeln, Adern, Darm und Magenwand.

Eine Gestalt tauchte aus der Bar auf und kam direkt auf ihn zu. Zen trat ins Dunkel zurück, blieb zunächst noch im Schutz des Lieferwagens und rannte dann schnell in den Hof eines nahegelegenen Wohnblocks. Palmen und kleine, immergrüne Sträucher standen um den tropfenden Gemeinschaftshahn. Der Hof war von der Straße durch eine Mauer getrennt, auf der sich ein hohes Eisengitter befand. Zen versteckte sich unmittelbar vorne hinter der Mauer, bereit, dem Mann zu folgen, sobald er vorbeigegangen war.

Aber er ging nicht vorbei. Die Schritte kamen immer näher, und dann war er da, nicht mehr als einen Meter entfernt.

Er überquerte den Hof und verschwand in einem der Eingänge. Zen folgte ihm.

Im Inneren führte eine enge Marmortreppe mit einem schweren, von schmiedeeisernen Stützen gehaltenen Holzgeländer zu den Wohnungen im Parterre. Der Mann war bereits außer Sichtweite. Zen blieb stehen und horchte auf die Schritte auf der darüberliegenden Treppe. Eins, zwei, drei, vier, fünf, sechs, sieben, acht, dann eine kurze Pause, als er den Treppenabsatz erreichte. Diese Abfolge wiederholte sich zweimal. Dann hörte man ein leises Klopfen, das nach einiger Zeit wiederholt wurde. Es folgte Stimmengemurmel, das von dem Geräusch einer ins Schloss fallenden Tür unterbrochen wurde.

Zen rannte die Stufen bis zum zweiten Stock hinauf. Wie auf den anderen Treppenabsätzen gab es auch hier zwei Wohnungen, eine links und eine der Treppe gegenüber. Auf den Türen standen Nummern, aber keine Namen. Zen ging die nächste Treppe noch bis zur Hälfte hinauf, wo er stehen blieb und darauf wartete, dass der Mann wieder auftauchte.

Aus einer der Wohnungen ganz in der Nähe plärrte die Stimme eines Fernsehnachrichtensprechers: »... die Ermittlungen scheinen in eine Sackgasse geraten zu sein. Die Behörden bestreiten, dass eine erneute Verhaftungswelle bevorstehe. Der Vorsitzende der Radikalen Partei hat heute gefordert, dass Alternativen zur Terrorismus-Hypothese in Betracht gezogen werden müssen, wobei er darauf hinwies, dass Richter Bertolini nie den Vorsitz bei politischen ...«

Auf der Etage über ihm ging eine Tür auf, und das Ende des Satzes wurde von Frauenstimmen übertönt.

»Also dann, ciao!«

»Ciao! Ich mache die Pasta, aber vergiss nicht die Artischocken, hörst du?«

»Keine Bange. Und ein paar Drosseln, wenn Gabriele Glück hat.«

»Ein bisschen guter Wein wäre auch nicht schlecht.«

»Das versteht sich doch von selbst.«

»Und erinnere Stefania daran, den Pudding mitzubringen, du weißt doch, wie sie ist!«

Die Tür ging zu. Eine ältere Frau kam die Treppe herunter. Sie trug einen langen Mantel aus einem schweren, schäbig aussehenden Material mit einem billigen Pelzkragen und hatte sich einen Wollschal um die Schultern gelegt. Sie blieb stehen, um Zen zu registrieren, der sich gegen die Wand lehnte. »Außer Puste, was?« Sie gab ein meckerndes Lachen von sich.

Zen nickte reuevoll. »Das ist mein Herz. Ich muss vorsichtig sein.«

»Ganz recht! Man kann gar nicht vorsichtig genug sein. Nicht dass es im Endeffekt etwas ausmacht. Der Schwager meiner Schwester aus zweiter Ehe, mit jemandem aus Ancona, obwohl sie jetzt hier in Rom leben, weil er einen Job beim Rundfunk hat, ihr Mann, meine ich, er macht den Ton bei den Fußballspielen.«

»Der Schwager?«

»Was, nein, der Mann! Der Schwager macht gar nichts, das will ich Ihnen ja gerade erzählen, der fiel eines Tages einfach tot um. Und wissen Sie, was das Komische ist?«

Plötzlich war zu hören, wie auf der zweiten Etage eine Tür aufging. Zen warf einen Blick um die Treppenbiegung. In der Wohnungstür, die der Treppe gegenüberlag, stand der Mann aus der Rally Bar und nickte, wobei er jemandem in der Wohnung etwas zuflüsterte.

»Das Komische ist«, fuhr die Frau fort, »genau an dem Abend sollte er nach Turin fahren, um die Zwillinge – zwei Mädchen – zu sehen, die seine Cousine am Wochenende davor geboren hatte, und der Zug, mit dem er fahren wollte, wissen Sie, was damit passierte? Der entgleiste kurz hinter Bologna! Und von der anderen Seite kam ein Zug, der wäre genau in die Trümmer reingefahren, bloß der hatte Verspätung, und so hatten sie genug Zeit, ihn anzuhalten. Sonst hätte es ein schreckliches Unglück mit Hunderten von Toten gegeben, einschließlich des armen Carlos, nur der war, wie gesagt, schon tot. Das zeigt doch nur, wenn deine Stunde schlägt, dann kannst du nichts dagegen machen.«

Die Tür unten war geschlossen worden, und man konnte die Schritte des Mannes leise die Treppe runtergehen und dann draußen im Hof widerhallen hören. Die alte Frau meckerte noch einmal und humpelte an Zen vorbei die Treppe hinunter. Sobald sie fort war, ging er zu dem Treppenabsatz unter ihm und klopfte in gebieterischer Weise an die Tür.

Drinnen hörte man das Trappeln von Füßen. »Wer ist da?«, piepste eine Kinderstimme.

»Das Gaswerk. Wir haben vermutlich eine undichte Stelle im Haus und müssen alle Wohnungen überprüfen.«

Die Tür ging einen Spalt weit auf, durch eine Kette gesichert. Es schien niemand da zu sein.

»Zeigen Sie mir Ihren Ausweis.«

Als er nach unten schaute, erspähte Zen ein kleines Gesicht und zwei Augen, die ihn starr ansahen. Er nahm seinen Polizeiausweis heraus und ließ ihn durch den Spalt fallen. »Zeig das deinem Vater.«

Die Augen betrachteten ihn zweifelnd. Das Mädchen konnte nicht älter als sieben oder acht sein. Es versuchte, die Tür zu schließen, doch Zen stellte seinen Fuß dazwischen.

Das Kind wandte sich ab, wobei es den Ausweis wie etwas Gefährliches oder Ekelhaftes zwischen Zeigefinger und Daumen hielt. Nach einiger Zeit kam ein noch kleineres Mädchen, das sich zwar ein Stück von der Tür entfernt hielt, aber Zen ganz fasziniert beobachtete.

Zen lächelte ihr zu. »Na, du.«

»Bist du gekommen, um meinen Papa zu töten?«, fragte es fröhlich.

Bevor Zen antworten konnte, wurde das Kind von einer Männerstimme weggescheucht.

»Guten Abend, Fausto«, rief Zen. »Lange nicht gesehen.«

Eine Gestalt, die kaum größer als die Kinder war, erschien im Türspalt. »Dottore!«, stieß eine flüsternde Stimme hervor. »Welche Ehre. Welche Freude. Sind Sie allein?«

»Ja.«

»Sie müssen Ihren Fuß wegnehmen, sonst kriege ich die Kette nicht auf.«

»Ich wollte dich nur um einen kleinen Gefallen bitten, Fausto. Vielleicht kann ich dir dafür auch einen tun.«

»Jetzt nehmen Sie schon Ihren verdammten Fuß weg!«

Zen gehorchte. Man hörte ein metallisches Klirren, und im gleichen Moment wurde die Tür aufgerissen, eine Hand zog Zen hinein und machte die Tür wieder zu.

»Entschuldigen Sie, wenn ich fluche, Dottore, ich bin im Moment ein bisschen nervös.«

Fausto war ein kleiner, drahtiger Mann, der so extrem dünn war, dass er in seiner Kindheit wohl unterernährt gewesen sein musste. Das Auffälligste an seinem Gesicht war eine Narbe, die seine Oberlippe spaltete. Er behauptete, dass er sie bei einer Messerstecherei bekommen hätte, aber Zen vermutete, dass sie eher das Ergebnis einer verpfuschten Operation an einem Wolfsrachen war.

Als Ausgleich für seine harte Kindheit hatte Fausto die letzten Jahre überstanden, ohne dass sie bemerkenswerte Spuren hinterlassen hätten. Dass er sie überhaupt überstanden hatte, war ein kleines Wunder angesichts der Anzahl von Männern, die er verraten hatte. Die Rekrutierung von Fausto Arcuti hatte unmittelbar zu einem von Zens größten Erfolgen während seiner Zeit bei der Questura in Rom geführt, nämlich der Zerschlagung des Entführer- und Erpresserrings, der von einem Playboy namens Francesco organisiert worden war. Arcuti hatte aus dem Kern der Bande heraus gearbeitet und bis zur letzten Minute Informationen geliefert. Als dann die Polizei zum Überraschungsangriff überging, hatte man ihm erlaubt, durch die Maschen zu entkommen, zusammen mit ein paar Nebenfiguren, denen nie klar wurde, dass sie ihre Flucht nur der Tatsache zu verdanken hatten, dass Zen auf diese Weise Faustos Spuren verwischte. Die langfristigen Aussichten für Spitzel waren eher düster. Wenn ein Mann den Behörden erst einmal seine Seele verkauft hatte, konnten sie ihm immer damit drohen, ihn bloßzustellen, wenn er sich weigerte, erneut mit ihnen zusammenzuarbeiten, und die Risiken dieser Zusammenarbeit wuchsen mit jeder erfolgreichen Strafverfolgung. Denn früher oder später sprach sich im Verbrechermilieu herum, wo die undichten Stellen waren. Entgegen allen Erwartungen hatte Arcuti bisher jedoch überlebt. »Kommen Sie rein!«, sagte er und führte Zen in die Wohnung. »Welche Freude! Und so unerwartet! Maria, bring uns was zu trinken. Und ihr anderen Kinder, macht, dass ihr wegkommt!«

Die Wohnung bestand aus zwei kleinen, übel riechenden Zimmern, die von zwei ungeschützten, starken Glühbirnen grell erleuchtet wurden. Einzelne, schlecht zusammenpassende Möbelstücke standen verlassen herum wie Flüchtlinge in einem Durchgangslager. Die Wände waren mit Bildern der Jungfrau Maria, des Herzen Jesu und diverser Heiliger geschmückt. Über dem Fernseher hing ein großes, dreidimensionales Gemälde der Kreuzigung. Wenn man den Kopf bewegte, öffneten und schlossen sich die Augen von Jesus, und aus seinen Wunden sickerte Blut.

»Setzen Sie sich, Dottore, setzen Sie sich!«, rief Arcuti und befreite das Sofa von Spielsachen und Kleidungsstücken. »Entschuldigen Sie das Chaos. Meine Frau geht den ganzen Tag arbeiten, deshalb scheinen wir hier nie Ordnung reinzukriegen.«

Das älteste Mädchen brachte eine Flasche Amaro und zwei Gläser.

»Ich würde lieber mit Ihnen in die Bar gehen«, sagte Arcuti, während er jedem ein Glas einschüttete, »aber so, wie die Dinge liegen …«

»Ich komme gerade von dort«, sagte Zen.

»Ich nehme an, Sie sind Mario gefolgt?«

»Wenn der so heißt. Der mit den Mickymaus-Ohren.«

Arcuti nickte matt. »Der ist nur halbwegs schlau, dieser Mario. Es ist okay, wenn sie schlau sind, und es ist okay, wenn sie dumm sind. Die dazwischen, die bringen dich um.«

»Also, wo liegt das Problem?«, murmelte Zen und nippte an seinem Glas.

Arcuti seufzte. »Es ist diese Parrucci-Geschichte. Die hat uns allen einen Schrecken eingejagt.«

»Parrucci?« Zen runzelte die Stirn. Der Name sagte ihm nichts.

»Sie haben wahrscheinlich nichts davon gehört. Es gäbe auch keinen Grund dafür, schließlich hat er nicht für Sie gearbeitet. Eigentlich hat er für niemanden gearbeitet, aber das macht es umso schlimmer. Er hatte das Ganze schon vor Jahren drangegeben. Natürlich kann man sich in diesem Geschäft niemals wirklich zur Ruhe setzen, aber Parrucci war schon so lange raus, dass er geglaubt haben muss, er sei sicher. Es wusste überhaupt niemand, dass er im Geschäft gewesen war, bis es passierte.«

Der Spitzel leerte sein Glas in einem Zug und goss sich ein neues ein. »Wir haben es herausgefunden wegen der Art, wie sies gemacht haben. Also haben wir uns umgehört, und es stellte sich heraus, dass Parrucci vor Jahren einer der Top-Spitzel oben im Norden gewesen war. Aber er hatte das alles hinter sich gelassen. Wollte ein geregeltes Leben führen und seine Kinder ganz normal aufwachsen sehen. Deshalb haben sie ihn ausgesucht, nehme ich an.«

»Wie meinst du das?«

»Nun, wenn sie jemanden umlegen, der noch aktiv ist,

dann sieht das wie eine persönliche Vendetta aus. Leute, die nichts damit zu tun haben, nehmen das kaum zur Kenntnis. Aber eine Sache wie diese ist eine Warnung an alle. Wenn du einmal gesungen hast, bist du für den Rest deines Lebens gezeichnet. Wir kriegen dich, auch noch nach Jahren. Das wollen sie damit sagen.«

Zen zündete sich eine Zigarette an. Er wusste, dass er zu viel rauchte, aber jetzt war nicht der richtige Augenblick, sich darüber Sorgen zu machen. »Was haben sie mit ihm gemacht?«, fragte er.

Arcuti schüttelte den Kopf. »Da möchte ich noch nicht mal dran denken.«

Er starrte eine Zeit lang auf den Teppich, während er auf der Vorderkante eines abgenutzten Sessels hin und her wippte. Dann schnappte er sich eine Zigarette aus dem Päckchen, das offen neben ihm lag, und zündete sie an, wobei er Zen herausfordernd anstarrte. »Wollen Sie das wirklich wissen? Gut, dann werde ich es Ihnen erzählen. In unserem Dialekt sagt man, wenn ein Mann viel Schwung und Energie hat, er hat Feuer im Bauch. Das ist eine gute Sache, solange man nicht zu viel davon hat, solange man nicht gegen die Regeln verstößt und anfängt, das Spiel zum eigenen Nutzen zu spielen. Unten im Süden hat man mit Verrätern Folgendes gemacht: Man nahm einen großen eisernen Kochtopf und zündete darin ein Holzkohlenfeuer an. Dann streckte man das arme Schwein auf dem Rücken aus, fesselte ihn, stellte ihm den Topf auf den Bauch und fachte das Feuerchen mit einem Blasebalg so lange an, bis das Metall rot glühend wurde. Schließlich brannte sich der Topf unter seinem eigenen Gewicht in den Bauch des Mannes hinein. Das konnte Stunden dauern, je nachdem, wie stark man den Blasebalg betätigte.«

»Das haben sie mit Parrucci gemacht?«

»Nicht ganz. Das ist die traditionelle Methode, aber Sie wissen ja, wie das heutzutage ist, die Leute geben sich keine

Mühe mehr. Parrucci haben sie aus seinem Haus entführt und aufs Land gebracht, irgendwo in die Nähe von Viterbo. Dort brachen sie in ein Wochenendhaus ein, zogen ihn nackt aus und legten ihn mit aneinandergebundenen Händen und Füßen über den Elektroherd. Dann haben sie die Kochplatten angestellt.«

»Herrgott.«

Arcuti kippte zwischen hektischen Zügen an seiner Zigarette das zweite Glas Amaro runter. »Verstehen Sie jetzt, warum ich nervös bin, Dottore? Ich könnte der Nächste auf der Liste sein!«

»Woher weißt du, dass noch mehr passieren wird?«

»Weil niemand die Verantwortung übernommen hat. Normalerweise, wenn so etwas passiert, kann man herausfinden, wer es getan hat und warum. Die achten schon verdammt drauf, dass man das weiß! Das ist überhaupt der Sinn der Sache. Aber diesmal hat niemand etwas gesagt. Das kann nur bedeuten, dass die Aktion noch nicht beendet ist.«

Zen sah auf seine Uhr. Mit Bestürzung stellte er fest, dass es schon fast zehn vor sechs war. Um sechs Uhr musste Maria Grazia sich auf den Weg machen, und von da an wäre Zens Mutter allein in der Wohnung.

Fausto Arcuti hatte die Geste seines Gastes bemerkt. »Nun ja, genug von meinen Problemen. Was kann ich für Sie tun, Dottore?«

»Es geht darum, mir für ein paar Tage ein Auto auszuleihen, Fausto.«

»Eine bestimmte Art von Auto?«

»Etwas halbwegs Nobles, wenn das geht. Doch die Hauptsache ist, es muss in der Schweiz angemeldet sein.«

»Wirklich angemeldet?«

Zen korrigierte sich. »Es muss ein Schweizer Nummernschild haben.«

Arcuti nahm den letzten Zug aus seiner Zigarette und ließ

sie in dem Rest Amaro ausglimmen. »Dieses Auto, wie lange wollen Sie es haben?«

»Sagen wir, eine halbe Woche.«

»Und hinterher, ist es dann irgendwie, eh, belastet?«

Zen warf ihm einen leidenden Blick zu. »Fausto, wenn ich was Illegales tun wollte, würde ich ein Polizeiauto benutzen.«

Arcuti gestattete sich ein schwaches Lächeln. »Und wie schnell brauchen Sie es?«

»Morgen wäre ideal, aber da besteht sicher keine Chance.«

Der Informant zuckte die Achseln. »Weshalb denn nicht, Dottore? Sie haben es hier mit dem Italien zu tun, das funktioniert. Ich mag zwar in einem beschissenen, verkommenen und stinkenden Loch hausen, aber ich habe immer noch meine Beziehungen.«

Er zog den Zettel heraus, den Zen dem Mann namens Mario gegeben hatte. »Ich kann Sie unter dieser Nummer erreichen?«

»Abends. Tagsüber bin ich im Ministerium.«

»In welcher Abteilung?«

»Criminalpol.«

Arcuti stieß einen Pfiff aus. »Gratuliere! Nun, wenn ich Glück habe, rufe ich Sie schon morgen früh an. Ich nenne keinen Namen. Ich sage einfach, dass ich unsere Verabredung zum Mittagessen bestätigen möchte. Hier unten in der Bar finden Sie dann eine Nachricht.«

»Danke, Fausto. Dafür werde ich versuchen, ob ich ein bisschen Klarheit in diese Parrucci-Geschichte bringen kann.«

»Dafür wäre ich Ihnen sehr dankbar, Dottore. Nicht nur wegen mir, obwohl das nicht gerade die Art ist, auf die ich abtreten möchte. Sondern wegen der Mädchen, es ist nicht gut, dass sie so aufwachsen müssen.«

Zen ging an dem verrammelten und verriegelten Markt vorbei zur belebten Via Marmorata. Er war sehr zufrieden damit, wie die Dinge gelaufen waren. Fausto Arcutis Lebensstil mochte zwar nicht sonderlich beeindruckend sein, aber als Vermittler von Gefälligkeiten und Informationen war er unübertroffen. Außerdem wusste Zen, dass er den erbärmlichen Eindruck, den er gemacht hatte, wie er da um sein Leben bangend in seiner elenden Bude hockte, wieder wettmachen wollte.

Zens Hauptsorge war nun, so schnell wie möglich nach Hause zu kommen. Er hatte Glück, denn kaum war er in die Hauptverkehrsstraße eingebogen, als direkt vor ihm ein Taxi anhielt. Die Familie, die daraus hervorquoll, schien groß genug zu sein, um einen ganzen Bus zu füllen, geschweige denn ein Taxi, und immer noch zerrte die verantwortliche Matriarchin weitere Exemplare heraus, wie ein Zauberer, der Kaninchen aus einem Hut zieht. Schließlich war der Vorrat jedoch erschöpft, und nach hitzigen Streitereien über Extras, Ermäßigungen und Trinkgelder zogen sie alle davon. Den Luxus des Alleinseins genießend, stieg Zen in das Taxi, das stank wie der Umkleideraum einer Fußballmannschaft, und ließ sich nach Hause fahren.

Zu seiner Erleichterung war der rote Alfa Romeo nirgendwo zu sehen. Ausnahmsweise stand der Aufzug unten bereit, und Zen fuhr damit in den vierten Stock. Die Ereignisse dieses Tages hatten ihn total ausgelaugt.

Er bemerkte ihn sofort, als er die Wohnungstür öffnete, einen schmalen, schwarzen Streifen, so dünn wie eine Rasierklinge und anscheinend endlos. Er lief den ganzen Flur entlang und leuchtete an den Stellen, wo das Licht aus dem Wohnzimmer auf seiner Oberfläche reflektiert wurde. Er bückte sich und hob ihn auf. Er fühlte sich kalt, glatt und schlüpfrig an.

Zen ging langsam den Flur entlang und sammelte dabei den glänzenden Streifen auf. Als er an der Wohnzimmertür mit ihrem Glaseinsatz vorbeikam, schwoll die Musik aus dem Fernseher an, als ob sie seine Erleichterung unterstreichen wollte, seine Mutter lebend und wohlauf anzutreffen, ihre Augen auf das Spiel von Licht und Schatten auf dem Bildschirm gebannt. Völlig fassungslos und ungläubig blickte er sich um. Der glänzende Streifen lief wild durch das ganze Zimmer, lag in wirren Knäueln auf Sofa und Stühlen, lief um die Stuhlbeine herum und war über den Tisch drapiert. Mittendrin lag eine kleine Kassette, aus der das Band auf beiden Seiten herausquoll. Zen hob sie auf. »Innenministerium«, las er, »Inventar-Nr. 46429 BUR 433/K/95«.

»Was ist heute Abend los mit dir?«, fragte seine Mutter bissig. »Ich habe dich vor einer Ewigkeit gebeten, mir meinen Kamillentee zu bringen, und du hast es noch nicht einmal für nötig gehalten, mir zu antworten.«

Zen richtete sich langsam auf und starrte sie an. »Aber Mamma, ich bin doch gerade erst nach Hause gekommen.«

»Red doch keinen Unsinn! Glaubst du etwa, ich habe dich nicht gesehen? Ich mag zwar alt sein, aber noch nicht so alt, dass ich meinen eigenen Sohn nicht erkenne! Außerdem, wer sollte sonst hier sein, nachdem Maria Grazia nach Hause gegangen ist?«

Ein kalter Schauer lief Zen über den Rücken. »Es tut mir leid, Mamma.«

»Du hattest noch nicht einmal so viel Anstand, mir zu antworten, als ich mit dir sprach! Du bringst mir immer meinen Kamillentee, bevor *Dynasty* anfängt, das weißt du doch. Aber heute Abend warst du so damit beschäftigt, dieses Band oder diese Schnur, oder was immer das ist, über die ganze Wohnung zu verteilen.«

»Ich bring ihn dir sofort«, murmelte Zen.

Doch das tat er nicht, denn in diesem Augenblick hörte er ein Geräusch aus dem Flur, und ihm fiel ein, dass er die Wohnungstür offen gelassen hatte.

Unter den im Flur abgestellten Möbeln war ein Garderobenschrank mit langen, rechteckigen Spiegeln, die die Umrisse der Eingangstür auf die Scheibe in der Wohnzimmertür projizierten. Deshalb konnte Zen, bevor er überhaupt einen Fuß in den Flur setzte, schon sehen, dass der Eingang zur Wohnung jetzt von einer Gestalt blockiert wurde, die in der Treppenhausbeleuchtung nur als Silhouette erkennbar war. Im nächsten Moment ging das Licht aus, und alles verschwand.

»Aurelio?«, sagte eine Stimme aus dem Dunkel.

Zen konnte wieder atmen. Er tastete nach dem Schalter und drehte das Licht an. »Gilberto«, krächzte er. »Komm rein und mach die Tür zu.«

Was ist das Schlimmste, das Widerlichste und Gemeinste, was ein Mensch einem anderen antun kann? Na los, streng deinen Grips an! Lass deiner Fantasie freien Lauf! (Ich habe oft so mit mir selbst geredet, während ich herumtrottete.)

Nun? Ist das alles? Ich kann mir noch viel Schlimmeres vorstellen. Ich habe schon viel Schlimmeres getan. Aber wir wollen uns nicht auf deine abgedroschene Fantasie beschränken. Denn was auch immer du oder ich oder sonst wer sich ausdenken kann, ganz gleich wie grauenhaft oder unwahrscheinlich es auch sein mag, eins ist sicher. Es ist passiert. Nicht nur einmal, sondern immer wieder.

Dieses Gefängnis ist gleichzeitig eine Folterkammer. Niemand kümmert sich darum, was hier vor sich geht.

Kennst du Vasco, den Schmied? Alle nennen ihn immer noch den Schmied, obwohl er jetzt Autos repariert. Was hältst du von ihm? Ein ruhiger Typ, ein bisschen eigensinnig, hält sich für was Besseres, wie? Eines Morgens, als ich an seiner Werkstatt vorbeikam, sah ich, wie er seine dreijährige Tochter an den Haaren hochzog, sie eine Weile in der Luft baumeln und dann auf die Erde fallen ließ. Einen Augenblick später war er wieder bei der Arbeit und formte irgendein Metallrohr, während das Kind wie ein Häufchen Elend auf der Erde saß und weinte, weil seine kleine Welt in Scherben gegangen war. Ich wollte es trösten, ihm sagen, was für ein Glück es gehabt hatte. Sein Papa hatte es nur an den Haaren gezogen. Er hätte ganz andere Dinge tun können. Er hätte es mit der Lötlampe traktieren können. Er hätte es in der Grube unter den Autos lebendig begraben können. Er hätte einfach alles tun können.

Er hätte einfach alles tun können.

Freitag, 11.15–14.20

Auch wenn die Archiv-Abteilung während der Bürostunden einen etwas lebhafteren Eindruck machte als bei Zens letztem Besuch, konnte man sie beim besten Willen nicht mit einem geschäftigen Bienenstock vergleichen. Jetzt waren zwar ungefähr ein Dutzend Angestellte im Dienst, aber diese Belegschaftsgröße beruhte offenbar auf einem angenommenen Arbeitspensum und nicht auf den tatsächlichen Anforderungen des Jobs, welcher nur von einem einzigen Mann besorgt wurde. Dieser hatte einen neurotisch angespannten Gesichtsausdruck, zwanghafte, ruckartige Bewegungen und das schuldbewusste Aussehen von jemandem, der ein schändliches Geheimnis verbirgt.

Im Gegensatz zu den anderen konnte er sich nicht einfach zurücklehnen und die Zeitung lesen oder den ganzen Morgen herumquatschen. Wenn Arbeit da war, musste er sie einfach tun. Das machte ihn in den Augen seiner Kollegen zu einer Witzfigur. Sie beobachteten, wie er herumhastete, die bestellten Akten heraussuchte und wegschickte, die zurückgebrachten ordnete und wieder einstellte, das neue Material katalogisierte und systematisierte und Anfragen schriftlich beantwortete. Sie warfen ihm ganz offen höhnische und geringschätzige Blicke zu. Sie verachteten ihn wegen seiner Schwäche, was er im Übrigen auch selbst tat. Der arme Kerl. Was sollte man mit solchen Leuten machen? Immerhin war er ganz nützlich.

Wie bei seinem vorigen Besuch bat Zen um Einsicht in die

Akte Vasco Spadola. Während sie herausgesucht wurde, wandte er sich an den Angestellten, der beim letzten Mal Dienst gehabt hatte.

Der Mann blickte von dem Kreuzworträtsel auf, das er gerade löste. »Sie wollen mich sprechen?«, fragte er mit dem ungläubigen Ton eines Chirurgen, den man mitten in einer Operation am offenen Herzen unterbricht.

Zen schüttelte den Kopf. »Sie wollen mich sprechen. Das hat man mir zumindest gesagt. Irgendwas wegen einem Videoband.«

Ein erkennendes Lächeln trat auf die Lippen des Angestellten. »Ach, also Sie sind das? Ja, jetzt erinnere ich mich!«

Die übrigen Angestellten waren verstummt und sahen mit unverhohlener Neugierde zu. Ihr Kollege schlenderte lässig zur Theke hinüber, wo Zen stand. »Ja, ich fürchte, mit diesem Band gab es ein kleines Problem, Dottore.«

»Tatsächlich?«

»Ja, wirklich.«

»Was könnte das denn gewesen sein?«

»Nun, es könnte alles Mögliche gewesen sein«, entgegnete der Angestellte witzig. »Aber was schlicht und ergreifend passiert ist, das Band, das Sie uns zurückgebracht haben, ist nicht das Band, das Sie mitgenommen haben.«

»Wie meinen Sie das?«

»Ich meine, es ist nicht dasselbe. Es ist leer. Da ist nichts drauf.«

»Aber … aber …«, stammelte Zen.

»Außerdem werden die Bänder, die wir hier benutzen, speziell für uns hergestellt und sind nicht im Handel erhältlich, wogegen das, was Sie uns gegeben haben, eine gewöhnliche BASF-Eisendioxyd-Kassette ist, wie man sie in jedem Laden kaufen kann.«

»Aber das ist doch absurd! Sie müssen sie irgendwie verwechselt haben.«

In diesem Augenblick wurden sie von dem anderen Angestellten unterbrochen, der Zen die Akte gab, die er verlangt hatte. Doch sein Kollege hatte nicht die Absicht, Zen mit seinem plumpen Versuch, die Schuld für das, was passiert war, jemand anderem in die Schuhe zu schieben, ungeschoren davonkommen zu lassen.

»Nein, Dottore! Das ist nicht das Problem. Das Problem ist, dass das Band, das Sie zurückgebracht haben, leer ist. Reines Plastik.«

Zen fummelte nervös an der Spadola-Akte herum. »Was genau werfen Sie mir vor?«, fragte er aufbrausend.

Der Angestellte machte eine hochmütige Geste. »Ich werfe niemandem etwas vor, Dottore. Natürlich, jeder weiß doch, wie leicht es passieren kann, dass man bei so einer Maschine auf den falschen Knopf drückt und die ganze Aufnahme löscht …«

»Ich bin sicher, dass ich das nicht getan habe.«

»Ich *weiß*, dass Sie das nicht getan haben«, antwortete der Angestellte mit einem harten Lächeln, das die Falle enthüllte, in die Zen ihm nicht getappt war. »Unsere Bänder sind alle kopiergeschützt, deshalb ist das nicht möglich. Außerdem handelte es sich, wie ich bereits sagte, um eine andere Marke. Also muss ein Austausch stattgefunden haben. Die Frage ist nur, wo ist das Original?«

Plötzlich fiel die Spadola-Akte krachend zu Boden, und die Dokumente wurden überall verstreut. Während Zen sich bückte, um sie aufzuheben, unterstrichen die Angestellten den Triumph ihres Kollegen mit großem Gelächter.

Zen richtete sich auf, in der Hand eine Videokassette. »46429 BUR 433/K/95«, las er von dem Etikett ab. »Ist es das, weswegen Sie so ein Theater gemacht haben?«

»Wo kommt das denn her?«, fragte der Angestellte.

»Es war in der Akte.«

Ohne ein weiteres Wort fuhr er fort, die verstreuten Dokumente aufzusammeln. Der Angestellte schnappte sich das

Band und eilte davon, wobei er wütend etwas von Überprüfung der Echtheit murmelte.

Darüber machte sich Zen keine Sorgen, denn er hatte das Band am vergangenen Abend abgespielt, nachdem er und Gilberto fast eine Stunde damit verbracht hatten, das verdammte Ding per Hand zurückzuspulen. Seine Mutter war bis dahin längst zu Bett gegangen, immer noch in seliger Unwissenheit darüber, dass ein Fremder in die Wohnung eingedrungen war, während sie ferngesehen hatte.

Zen war dadurch dermaßen geschockt, dass es Gilberto überlassen blieb, die Frage aufzuwerfen, was denn aus Zens Mutter werden sollte, während er in Sardinien war, jetzt, wo ihr Zuhause ganz offensichtlich bedroht war. Schließlich bestand Gilberto darauf, dass sie bei ihm und seiner Frau wohnen sollte, bis Zen zurückkam.

»Völlig unmöglich!«, hatte Zen geantwortet. Seine Mutter hatte die Wohnung seit Jahren nicht mehr verlassen. Ohne ihre gewohnte Umgebung, die eine Kopie ihres Zuhauses in Venedig war, wäre sie vollkommen verloren. Und im Übrigen war sie die meiste Zeit praktisch senil. Es war selbst für ihn schwer, sich mit ihr zu verständigen oder zu verstehen, was sie wollte. Auch war es nicht besonders hilfreich, dass sie oft vergaß, dass die anderen Leute ihren venezianischen Dialekt nicht verstanden. Sie konnte anstrengend, irrational, übellaunig und hinterhältig sein. Und Rosella Nieddu hatte bereits genug mit ihrer eigenen Familie zu tun. Es wäre eine Zumutung für sie, sich um eine launische alte Frau kümmern zu müssen, die Fremden gegenüber geringschätzig und misstrauisch war und im Grunde ihres Herzens überzeugt, dass die zivilisierte Welt bei Mestre endete.

Doch Gilberto fegte diese Einwände vom Tisch. »Aber was *willst* du denn mit ihr machen, Aurelio? Denn hier kann sie nicht bleiben.«

Darauf wusste Zen keine Antwort.

Und so kam es dann, dass am frühen Morgen ein Krankenwagen vor Zens Haus anhielt. Die Sanitäter kamen mit einem fahrbaren Bett in die Wohnung, packten Zens Mutter darauf, brachten sie mit dem Aufzug nach unten und rasten dann mit heulender Sirene und Blaulicht zum Krankenhaus. Dreißig Sekunden später tauchte der Krankenwagen mit schweigender Sirene und abgeschaltetem Blaulicht auf der anderen Seite des Krankenhauskomplexes wieder auf und fuhr sie zu dem modernen Wohnblock, in dem die Nieddus lebten.

Während dieser ganzen Tortur hatte die alte Dame kaum ein Wort gesprochen, obwohl man an ihren Augen und aus der Art, wie sie die Hand ihres Sohnes umklammert hielt, deutlich erkennen konnte, wie schockiert sie war. Zen hatte ihr erklärt, dass mit ihrer Wohnung etwas nicht in Ordnung sei, etwas, das mit den Geräuschen zu tun hatte, die sie gehört hatte, und dass sie deshalb beide für ein paar Tage ausziehen müssten, bis alles in Ordnung gebracht war. Es war jedoch egal, was er sagte. Seine Mutter saß ganz starr, während die Sanitäter sie in das freundliche und saubere Schlafzimmer rollten, das Rosella Nieddu für sie vorbereitet hatte, nachdem sie ihre beiden jüngsten Kinder zu deren älteren Geschwistern ins Nebenzimmer gepackt hatte. Zen dankte Rosella sehr herzlich, worauf sie ihn umarmte und küsste, was er merkwürdig irritierend fand. Gilbertos Gattin war eine sehr attraktive Frau, und die Berührung mit ihr hatte Zen bewusst gemacht, dass er diesen Aspekt seines Lebens zu lange vernachlässigt hatte.

Die Archivmitarbeiter waren an ihre Schreibtische zurückgekehrt, jetzt wo der Spaß vorbei war. Zen sammelte die Unterlagen zum Fall Spadola auf und fing an, sie in irgendeine Reihenfolge zu bringen, während er auf die Bestätigung wartete, dass das Videoband, das er aus seiner Tasche gezogen hatte, nachdem er die Akte fallen gelassen hatte, tatsächlich das richtige war.

Plötzlich hielten seine Hände in ihrer mechanischen Tätigkeit inne. Zen überflog den verwischten Durchschlag, den er in der Hand hielt, und suchte nach dem Namen, der ihm in die Augen gesprungen war.

… informierte uns, dass Spadola sich in einem Bauernhof in der Nähe des Dorfes Melzo versteckt hielt. Am 16. Juli um 4.00 Uhr drangen Angehörige der Squadra Mobile unter Leitung von Ispettor Aurelio Zen in das Haus ein und nahmen Spadola fest. Bei einer ausgiebigen Durchsuchung des Gebäudes fand man diverse wichtige Beweisstücke (siehe Anhang A), insbesondere ein Messer, auf dem man Spuren von Blut feststellte, das mit dem des Opfers übereinstimmte. Spadola stritt weiterhin jede Beteiligung an dem Fall ab, selbst nachdem man ihm die erdrückende Beweislage erklärt hatte. Bei der gerichtlichen Gegenüberstellung mit Parrucci stieß der Angeklagte wütende Drohungen gegen den Zeugen aus …

Erneut spürte Zen jenen übernatürlichen Schauer, der ihn in der Nacht, nachdem er sich das Burolo-Video angesehen hatte, überkommen hatte. Parrucci! Der Spitzel, dessen schauriger Tod Fausto Arcuti in panische Angst versetzt hatte! Es kam Zen ganz unheimlich vor, dass derselbe Mann ausgerechnet in der Akte wiederauftauchen sollte, nach der er vor zwei Tagen als Teil seiner Strategie, das verschwundene Videoband unbemerkt durch ein leeres zu ersetzen, gefragt hatte.

Aber er hatte keine Zeit, darüber weiter nachzudenken, denn in diesem Augenblick kam der Angestellte mit der Videokassette in der Hand zurück. »Es ist die richtige«, bestätigte er unwirsch. »Wo kam denn dann die andere her, möchte ich gerne wissen?«

Zen zuckte die Achseln. »Ich würde sagen, das ist ziemlich offenkundig. Als ich neulich das Band zurückbrachte, haben

Sie es mit der Akte vermasselt, die ich zur gleichen Zeit einsehen wollte. Als Sie es dann nicht finden konnten, gerieten Sie in Panik, weil Sie wussten, dass es zurückgegeben worden war und dass man Sie dafür verantwortlich machen würde. Deshalb haben Sie es durch ein leeres Band ersetzt in der Hoffnung, dass das niemand merken würde. Unglücklicherweise wollte einer meiner Kollegen das Band sehen und hat sofort entdeckt, dass …«

»Das ist eine Lüge!«, brüllte der Mann.

Er riss Zen die Spadola-Akte aus der Hand und ging unvermittelt zum Angriff über. »Sehen Sie sich das Chaos an, das Sie veranstaltet haben! Es wäre kein Wunder, wenn die Dinge hier manchmal wirklich durcheinandergeraten, wenn Leute wie Sie reinkommen und alles in Unordnung bringen. Lassen Sie das bloß liegen! Sie machen alles nur noch schlimmer. Diese Dokumente müssen chronologisch abgeheftet werden. Sehen Sie, das Gerichtsprotokoll gehört nicht hierher. Es muss am Schluss kommen.«

»Zeigen Sie mal!«

Das Formular war schwer und steif, nachgemachtes Pergament. Der Text, der in antiken Lettern gesetzt und mit tiefschwarzer Tinte gedruckt war, war so knapp wie eine lateinische Inschrift, voller merkwürdiger Kürzel und Auslassungen, absolut undurchschaubar. Doch man brauchte ihn nicht zu lesen, um die Bedeutung des Dokuments zu verstehen. Es reichte, wenn man die kurzen Phrasen überflog, die handschriftlich an den frei gelassenen Stellen eingetragen worden waren. »29. April 1964 … Mailand … Spadola, Vasco Ernesto … vorsätzlicher Mord … lebenslängliche Freiheitsstrafe … Untersuchungsrichter Giulio Bertolini …«

Es reichte, die Zwischenräume zu überfliegen, die Daten zu lesen und die Verbindungen herzustellen. Ja, das hätte gereicht, dachte Zen. Aber er hatte es versäumt, und jetzt war es vielleicht schon zu spät.

Als er wieder an seinem Schreibtisch im Criminalpol-Büro saß, das heute Morgen wie ausgestorben war, rief Zen beim Justizministerium an und erkundigte sich nach dem Verbleib von Vasco Ernesto Spadola, der am 29. April 1964 in Mailand zu einer lebenslänglichen Gefängnisstrafe verurteilt worden war. Eine entfernte, geisterhafte Stimme gab bekannt, dass man ihn so bald wie möglich mit der entsprechenden Information zurückrufen würde.

Zen zündete sich eine Zigarette an und ging zum Fenster, das auf den Vorhof des Ministeriums hinausging mit seinen Pinien und Büschen, die die gewundene Treppe säumten, die zu dem riesigen, flachen Becken des Springbrunnens auf der Piazza del Viminale führte. Obwohl die Bedeutung der Tatsachen, über die er gerade gestolpert war, alles andere als erheiternd war, war er dennoch erleichtert festzustellen, dass es zumindest eine rationale Erklärung für die Dinge gab, die sich abgespielt hatten. Es war also nicht bloß ein unheimlicher Zufall, dass Zen an dem Tag, als er die Ermordung von Richter Bertolini aus der Zeitung erfuhr, nach der Spadola-Akte gefragt hatte. Irgendwo in seinem Unterbewusstsein musste er sich wohl an die eine Gelegenheit erinnert haben, bei der sich seine Wege mit denen des ermordeten Richters gekreuzt hatten. Was Parrucci betraf, so hatte dessen Name Zen aus dem einfachen Grund nichts gesagt, weil er ihn nur unter seinem Decknamen »die Nachtigall« kannte. Als Parrucci sich bereit erklärte, gegen Spadola auszusagen, war sein Name zwar aufgedeckt worden, doch zu dem Zeitpunkt hatte Zen schon nichts mehr mit dem Fall zu tun.

Ein leichter römischer Dunst milderte das Licht der Novembersonne und gab ihm eine fast sommerliche Trägheit. An einem Fenster auf der gegenüberliegenden Seite der Piazza hängte eine Frau das Bettzeug heraus, um es auf dem Balkon lüften zu lassen. Unten vor der Bar wurden Mineralwasserkästen aus einem dreirädrigen »Ape«-Lieferwagen ausgeladen, während auf den Stufen des Ministeriums drei Chauffeure erregt debattierten, wobei sie entschieden mit dem Zeigefinger gestikulierten, in übertriebener Weise mit der Schulter zuckten und abwinkten, mit hohler Hand für den gesunden Menschenverstand plädierten und sich Aufmerksamkeit heischend gegenseitig an den Ärmeln packten. Zen bemerkte erst allmählich, dass sich etwas vor diese scharf akzentuierte Szene geschoben hatte, eine Bewegung, die offenbar von der Innenseite der Scheibe kam, auf der ihm jetzt die geisterhafte Erscheinung von Tania Biacis entgegenflimmerte.

»Ich hab dich schon den ganzen Morgen gesucht.«

Er wandte sich dem Original des Spiegelbilds zu. Sie sah ihn mit einem leicht schelmischen Ausdruck an, als ob sie wüsste, dass er sich fragen würde, wie sie das meinte. Doch Zen stand nicht der Sinn nach solchen Spielchen. »Ich war unten im Archiv und hab die Sache mit dem Videoband geregelt. Wo sind übrigens die anderen?«

Irgendwo im Raum fing ein Telefon an zu klingeln.

»Bleib hier!«, rief Zen, während er zu seinem Schreibtisch hastete.

Er schnappte sich das Telefon. »Ja?«

»Guten Morgen, Dottore«, flüsterte eine Stimme vertraulich. Es hörte sich an wie ein winziges Wesen, das sich im Hörer selbst verkrochen hatte. »Ich wollte Sie nur an unsere Verabredung zum Mittagessen erinnern. Ich hoffe, dass Sies noch einrichten können.«

»Mittagessen? Wer ist da?«

Es folgte ein längeres Schweigen. »Wir haben gestern Abend miteinander gesprochen«, bemerkte die Stimme spitz.

Endlich fiel Zen seine Vereinbarung mit Fausto Arcuti wieder ein. »Oh ja, richtig! Gut. Danke. Ich komme.«

Er legte den Hörer auf und wandte sich um. Tania Biacis stand direkt hinter ihm, und durch seine Bewegung berührten sie sich einen Augenblick lang. Zen streifte mit dem Arm ihre Brust, und ihre Hände schlugen kurz aneinander wie Glocken.

»Oh, da bist du ja«, rief er. »Wo sind alle hin?«

Es hörte sich an, als ob er bedaure, mit ihr allein zu sein!

»Die sind bei einer Einsatzbesprechung. Du sollst zum Chef kommen.«

»Sofort?«

»Wann sonst?«

Er zog die Stirn in Falten. Das Justizministerium konnte jeden Moment zurückrufen, und da Freitag war, würde das Personal in einer halben Stunde ins Wochenende verschwinden. Er musste aber diese Information haben. »Würdest du mir einen Gefallen tun?«, fragte er.

Es waren genau dieselben Worte, die sie vor zwei Tagen ihm gegenüber benutzt hatte. Man konnte an ihrem Gesichtsausdruck erkennen, dass sie sich daran erinnerte.

»Natürlich«, antwortete sie mit einem vagen Lächeln, das sich vertiefte, als er hinzusetzte: »Du weißt doch noch gar nicht, was.«

»Du hattest dich doch auch bereits entschieden, bevor ich dir gesagt habe, was ich wollte«, betonte sie.

»Aber ich hatte dafür vielleicht andere Gründe als du.«

Tania seufzte. »Was magst du nur von mir denken«, sagte sie bedrückt.

»Weißt du das wirklich nicht?«

Sie sahen sich eine Zeit lang schweigend an.

»Also, was willst du?«, fragte sie schließlich.

Zen sah sie ein wenig verlegen an. Nachdem sie so lange wegen seiner Bitte herumgeschäkert hatten, wäre es lächerlich zuzugeben, dass er sie nur bitten wollte, für ihn ein Telefongespräch entgegenzunehmen. »Das kann ich dir hier nicht sagen«, sagte er. »Es ist ein bisschen kompliziert und … nun ja, aus verschiedenen Gründen. Hör mal, du hast nicht zufällig Zeit, mit mir Mittag essen zu gehen?«

Das war reine Verzögerungstaktik. Er rechnete damit, dass sie Nein sagen würde.

»Aber du hast doch schon eine Verabredung zum Mittagessen«, wandte sie ein.

Er brauchte eine Weile, um das zu verstehen. »Ach, der Anruf! Nein, das … das war für einen anderen Tag.«

Tania betrachtete ihre Fingernägel einen Augenblick. Dann streckte sie die Hand aus und kratzte ihn leicht und mit Bedacht am Handrücken. Die Haut wurde erst weiß und dann rot, als ob er sich verbrannt hätte. »Ich muss spätestens um drei zu Hause sein«, sagte sie. Sie hörte sich an wie ein junges Mädchen, das sich zu einem Rendezvous verabredet.

Zen wollte gerade antworten, als das Telefon erneut klingelte.

»Justizministerium, Archiv, ich rufe wegen Ihrer Anfrage bezüglich Spadola, Vasco Ernesto an.«

»Ja?«

»Der Betreffende wurde am 7. Oktober dieses Jahres aus dem Gefängnis von Asinara entlassen.«

Zen antwortete mit einem so tiefen Schweigen, dass selbst die geisterhafte Stimme sich herabließ hinzuzufügen: »Hallo? Sind Sie noch da?«

»Danke. Das ist alles.«

Er hängte ein und wandte sich wieder an Tania Biacis. »Sollen wir uns dann unten treffen?«, schlug er beiläufig vor, als ob sie seit Jahren zusammen zum Mittagessen gingen.

Sie nickte. »Fein. Und jetzt geh bitte und hör mal, was Moscati von dir will, sonst lässt er das wieder an mir aus.«

Lorenzo Moscati, der Chef von Criminalpol, war ein kleiner, untersetzter Mann, dessen sanfte und rundliche Gesichtszüge aussahen, als ob sie von einer unsichtbaren Strumpfmaske geglättet würden.

»Na endlich!«, rief er, als Zen eintrat. »Ich habe alle zusammentrommeln können bis auf Sie. Wo haben Sie gesteckt?

Aber macht nichts, es hätte eh keinen Sinn gehabt, wenn Sie zur Einsatzbesprechung gekommen wären. Es ging nur um die Sicherheitsvorkehrungen für den Camorra-Prozess nächste Woche in Neapel. Doch das betrifft Sie ja nicht, weil Sie dann in Sardinien sind, Sie Glücklicher! Der Bericht, den Sie über den Fall Burolo geschrieben haben, ist sehr gut angekommen, wirklich sehr gut. Wir wollen, dass Sie dorthin fahren, und das Ganze sozusagen mit Fleisch füllen. Sie reisen am Montag. Klären Sie die Einzelheiten wegen des Flugs und so weiter mit Ciliani.«

Zen nickte. »Wo ich einmal hier bin, würde ich gerne etwas mit Ihnen besprechen«, sagte er.

Moscati sah auf seine Uhr. »Ist es dringend?«

»Das könnte man schon sagen. Ich glaube, jemand versucht, mich umzubringen.«

Moscati warf einen kurzen Blick auf seinen Untergebenen, um sich zu vergewissern, ob er richtig gehört hatte, und um gleichzeitig festzustellen, ob Zen einen Witz gemacht hatte. »Wie kommen Sie darauf?«

Zen fragte sich, wo er anfangen sollte. »Mir sind in letzter Zeit komische Sachen passiert. Jemand hat das Schloss von meiner Wohnungstür geknackt und ist eingebrochen, während ich nicht da war. Doch anstatt was mitzunehmen, hat er was dagelassen.«

»Was denn?«

»Zuerst einen Umschlag mit Schrotkugeln. Dann etwas, das mir ein paar Tage vorher an der Bushaltestelle gestohlen worden war.«

»Was?«

Zen zögerte. Er konnte Moscati natürlich nichts von dem abhandengekommenen Videoband erzählen. »Ein Buch, das ich in der Manteltasche hatte. Ich nahm an, ein Dieb hätte es für meine Brieftasche gehalten. Doch als ich gestern Abend nach Hause kam, lag in meiner ganzen Wohnung Papier.

Man hatte sämtliche Seiten aus dem Buch herausgerissen und über den Fußboden verstreut.«

»Hört sich nach einem Scherzkeks mit einem merkwürdigen Sinn für Humor an«, sagte Moscati mit einer wegwerfenden Handbewegung. »Ich würde mir keine …«

»Das habe ich zuerst auch gedacht.« Er erwähnte nicht, dass sein Hauptverdächtiger Vincenzo Fabri gewesen war. »Dann fiel mir ein, dass die Witwe des Richters, den man gerade erschossen hat, sagte, dass ihrem Mann genau die gleichen Dinge passiert wären, bevor er ermordet wurde. Außerdem hat jemand vor Kurzem meine Wohnung von einem gestohlenen Alfa Romeo aus beobachtet, und gestern ist mir jemand durch die halbe Stadt gefolgt. Dennoch schien das alles keinen Sinn zu ergeben, bis ich erfuhr, dass man in der Nähe von Viterbo einen Informanten namens Parrucci gefunden hatte, der zu Tode geröstet worden war. Parrucci war der Hauptzeuge in einem Mordfall, den ich vor zwanzig Jahren bearbeitet habe, als ich in Mailand tätig war. Der Untersuchungsrichter in diesem Fall war Giulio Bertolini.«

Jede Spur von Ungeduld war aus Moscatis Verhalten verschwunden. Er nahm Zens Worte gierig auf.

»Ein Gangster namens Vasco Spadola wurde des Mordes für schuldig befunden und zu einer lebenslänglichen Gefängnisstrafe verurteilt. Man hat ihn vor ungefähr einem Monat aus dem Gefängnis entlassen. Seitdem wurden sowohl der Richter, der den Fall vorbereitet hat, als auch der Mann, der gegen Spadola ausgesagt hat, ermordet. Von daher scheint die Folgerung nicht allzu weit hergeholt, dass der Polizeibeamte, der die Untersuchung leitete, der Nächste auf seiner Liste ist.«

Ein merkwürdiges Leuchten trat in Moscatis Augen. »Dann ist es also doch nichts Politisches!«

»Die Ermordung von Richter Bertolini? Nein, das war ein reiner Racheakt, eine persönliche Vendetta. Sehen Sie, das Beweismaterial gegen Spadola war gefälscht und Parruccis

Aussage von der Familie des Opfers gekauft. Bertolini hat das vermutlich nicht gewusst, aber …«

»Ist Ihnen klar, was das bedeutet?«, sagte Moscati voller Begeisterung. »Die Politischen haben diese Bertolini-Geschichte als Beweis dafür hingestellt, dass der Terrorismus doch noch nicht am Ende ist und sie deshalb immer noch sehr viel Geld und Personal brauchen. Wenn wir beweisen können, dass das keine politische Sache war, werden sie da nie drüber hinwegkommen. Dieser Schuft von Cataneo wird es bestimmt einen Monat lang nicht wagen, sein Gesicht in der Öffentlichkeit zu zeigen!«

Zen nickte matt, als er begriff, weshalb sein Vorgesetzter sich plötzlich so sehr für diese Angelegenheit interessierte. »Derweil ist mein Leben in Gefahr«, erinnerte er ihn. »Zwei Männer wurden bereits ermordet, und ich bin Nummer drei. Ich bitte um Schutz.«

Moscati packte Zen am rechten Arm gerade oberhalb des Ellbogens, als ob er ihm Mut und Zuversicht per Transfusion übertragen wollte. »Keine Sorge, den werden Sie bekommen! Den allerbesten. Für solche Fälle haben wir eigens eine Eliteabteilung eingerichtet. Alles handverlesene Männer, Waffenexperten, erstklassig ausgebildet, denen steht die beste und modernste Ausrüstung zur Verfügung. Wenn die auf Sie aufpassen, werden Sie so sicher sein, wie der Staatspräsident selbst.«

Zen zog die Augenbrauen hoch. Das klang zu schön, um wahr zu sein. »Ab wann werden diese Leute eingesetzt?«

Moscati hob um Geduld und Verständnis bittend die Hände. »Sie werden natürlich zurzeit sehr stark in Anspruch genommen. Im Gefolge der Ermordung Bertolinis sind alle ein wenig besorgt. Es wird darum gehen müssen, die Situation laufend neu zu überprüfen, abzuschätzen, wie sich die Bedrohung entwickelt, und die verfügbaren Kräfte dementsprechend einzusetzen.«

Zen nickte. Es war zu schön, um wahr zu sein. »Aber in der Zwischenzeit postieren Sie einen Mann vor meinem Haus?«

Moscati machte eine Geste des Bedauerns. »Das liegt nicht in meiner Hand, Zen. Seitdem diese neue Abteilung existiert, müssen alle Anträge auf Schutz über sie laufen. Damit sie eine Grafik der potenziellen Bedrohungen zu einem gegebenen Zeitpunkt erstellen können, die sie dann in den Computer eingeben, um zu sehen, ob sich ein zusammenhängendes Muster ergibt. Zumindest behaupten sie das. Wenn Sie mich fragen, die wollen bloß nicht, dass ihnen einer in ihren Bereich hineinfunkt. Doch wie dem auch sei, mir sind leider die Hände gebunden. Wenn ich anfange, jemanden für Schutzmaßnahmen abzuordnen, dann werden die Zeter und Mordio schreien, und wir kriegen keine Ruhe mehr.«

Zen nickte und wandte sich zum Gehen. Aus bürokratischer Sicht war Moscatis Haltung vollkommen logisch. Und er wusste nur zu gut, dass es reine Zeitverschwendung gewesen wäre, ihn auf die Diskrepanz zwischen Logik und gesundem Menschenverstand hinzuweisen.

Da der Arbeitstag für die Angestellten im Staatsdienst gerade sein Ende nahm, konnte man hören, wie überall im Ministerium die Türen aufgingen. Auf den Fluren ertönte ein Stimmengewirr, das sich, durch die gute Akustik verstärkt, rasch zu einem Tumult entwickelte, der das Wogen der noch unsichtbaren Menge auf die Eingangshalle zu ankündigte, wo Zen wartete. Innerhalb einer Minute waren sie überall. Selbst die riesige Treppe konnte kaum die Masse von Menschen fassen, die erpicht darauf waren, nach Hause zu kommen, zu Mittag zu essen und sich auszuruhen oder zu ihren heimlichen Nachmittagsjobs auf dem florierenden schwarzen Arbeitsmarkt zu eilen, »dem Italien, das funktioniert«, wie Fausto Arcuti gescherzt hatte.

Seit Tania Biacis seine Einladung zum Mittagessen angenommen hatte, zerbrach Zen sich den Kopf darüber, in welches

Restaurant sie gehen sollten. Angesichts ihrer reichhaltigen Erfahrung im Essengehen war das etwas, was man nicht auf die leichte Schulter nehmen durfte. Die einzigen Lokale, die er selbst zurzeit kannte, waren alle in der Nähe des Ministeriums und wurden regelmäßig von dessen Angestellten aufgesucht, deshalb wäre es nicht ratsam, dorthin zu gehen. Abgesehen von dem Risiko, Tania zu kompromittieren, hatte Zen auch keine Lust, sich mit den wissenden Blicken, Seitenhieben und anzüglichen Fragen seiner Kollegen herumzuschlagen. Außerdem war es wichtig, die richtige Kategorie zu wählen. Es durfte natürlich nichts Billiges oder Abgerissenes sein, aber es sollte auch nicht zu großartig oder anspruchsvoll sein, damit sie nicht den Eindruck bekäme, er versuche es mit der primitiven alten Masche: »Ich gebe so viel Geld für dich aus, also musst du mir auch ein bisschen entgegenkommen.« Und schließlich musste man auch die praktische Seite bedenken. Wenn Tania um drei zu Hause sein musste, dann mussten sie im Zentrum bleiben, wo um diese Zeit die meisten besseren Restaurants wahrscheinlich voll waren. Alles, was Zen einfiel, kam aus einem dieser Gründe nicht infrage. Er war immer noch ratlos, als Tania aufkreuzte.

»Also, wo gehen wir hin?«, fragte sie.

Sie hörte sich nervös und ein wenig schnippisch an, als ob es ihr bereits leidtäte, dass sie zugesagt hatte. Zen geriet in Panik. Er hätte niemals Fantasie und Wirklichkeit auf diese Weise verwechseln dürfen. Die Situation war vollkommen falsch. Das würde zwangsläufig zu einer Katastrophe führen.

»Es gibt da ein Lokal an der Piazza Navona«, hörte er sich sagen, als er ihr voran in das fahle Sonnenlicht trat. »Im Sommer ist es voller Touristen, aber um diese Jahreszeit …«

Er fügte nicht hinzu, dass er das letzte Mal mit Ellen dort gewesen war.

Vor dem Ministerium hielt Zen ein Taxi an. Die kurze Fahrt trug nicht gerade dazu bei, seine Befürchtungen zu zerstreuen, dass ein größeres Fiasko bevorstand. Er und Tania saßen so weit wie möglich auseinander und tauschten kurze Banalitäten aus, wie ein Ehepaar nach einem Streit.

Das Taxi ließ sie an dem kleinen Springbrunnen auf der Südseite der Piazza heraus. Als sie in die grandiose Weite des Platzes hinaustraten, rasten zwei Jugendliche auf einem Moped vorbei, von denen der eine auf dem Rücksitz stand und sich an den Schultern des Fahrers festhielt. Der Lärm schreckte einen Taubenschwarm auf, der sich wie ein einziges Wesen erhob und um den Obelisken flatterte, der aus dem Springbrunnen in der Mitte aufragte, während auf den grauen Steinen am Boden ein zweiter Schwarm von Schatten diese Bewegung imitierte. Der dadurch erzeugte Luftzug versprühte das Wasser, das aus den Öffnungen des Brunnens heraussprudelte, zu einem feinen Tropfenschleier, auf dem kurz Teile eines Regenbogens aufleuchteten. Einen Augenblick glaubte Zen, dass doch noch alles gut gehen würde. Dann fiel sein Blick auf das Restaurant. Es war abgeschottet und verriegelt, Tische und Stühle hoch aufgetürmt. Und er wusste, dass sein erster Eindruck richtig gewesen war. »Chiuso per turno« verkündete ein Schild im Fenster.

Tania Biacis sah auf ihre Uhr. »Es ist schon spät.«

Zen nickte. »Vielleicht sollten wir es auf ein andermal verschieben.«

Er wusste, es würde kein anderes Mal geben.

Tania starrte gebannt auf die Fassade des gegenüberliegenden Palazzos, als ob sie versuchte, eine Botschaft aus den in Stein gehauenen Ornamenten und Schnörkeln zu entziffern. »Du wohnst doch nicht weit von hier, oder? Wir könnten uns etwas in einer Rosticceria holen und mit zu dir nehmen, wenn du nichts dagegen hast. Das Essen ist ja nicht so wichtig. Wir wollten uns doch eigentlich unterhalten, oder?«

Wie sie das sagte, klang es so natürlich und vernünftig, dass Zen kaum überrascht war.

»Tja, wenn das … in Ordnung ist.«

»In Ordnung?«

»Ich meine, von mir aus ist es in Ordnung.«

»Von mir aus auch. Sonst hätte ich es nicht vorgeschlagen.«

»Dann ist es gut.«

»Sieht so aus«, sagte sie mit einem leicht ironischen Lächeln.

»Woher weißt du, wo ich wohne?«, fragte Zen, während sie die Piazza entlanggingen.

»Ich hab im Telefonbuch nachgesehen. Ich hatte geglaubt, du wärst der einzige Zen, aber es gibt ungefähr ein Dutzend davon in Rom. Sind die anderen mit dir verwandt?«

Zen schüttelte geistesabwesend den Kopf. Er fragte sich, ob Vasco Spadola die gleiche simple Methode angewandt hatte, um ihn ausfindig zu machen.

In einer Rosticceria etwas nördlich der Piazza kauften sie eine doppelte Portion von dem einzigen Hauptgericht, das noch da war, einem Kaninchenragout, sowie zwei von den eiförmigen Reiskroketten, die »Telefonkabel« genannt werden. Wenn man sie auseinandernimmt, löst sich nämlich die geschmolzene Mozzarellakugel in der Mitte in lange, wellige Strähnen auf. Dann gingen sie weiter aus der Altstadt hinaus und über den Fluss. Zen blieb stehen, um Tania auf die Aussicht zur Insel stromab aufmerksam zu machen, auf die dicht beieinanderstehenden Platanen, die das steinige Ufer säumten, auf den Fluss selbst, der so sanft und ruhig dahinfloss wie eine dunkle Ader in einem polierten Stück Marmor. Während sie sich alles ansah, drehte er sich erneut um. Diesmal konnte kein Zweifel mehr bestehen.

Sie gingen weiter auf die prunkvoll verzierte Fassade eines Gebäudes zu, das ein Opernhaus oder der Palast eines verrückten Königs hätte sein können, in Wirklichkeit aber der Gerichtshof war. Hier warteten sie, bis die Autos an der Ampel zögernd und widerwillig zum Stehen kamen, dann überquerten sie die Lungotevere und wandten sich am Gerichtsgebäude nach rechts.

»Moment mal«, sagte Zen zu Tania, als sie um die Ecke bogen.

Kurz darauf tauchte ein junger Mann in einem Jeansanzug mit Schafsfellkragen auf, der es offenbar eilig hatte. Zen trat ihm in den Weg und wedelte mit seinem Dienstausweis. »Polizei! Ihre Papiere!«

Der Mann gaffte ihn mit offenem Mund an. »Ich hab nichts getan!«

»Das sag ich ja auch nicht.«

Der Mann zückte seine Brieftasche und fischte einen zerfledderten Personalausweis auf den Namen Roberto Augusto Dentice heraus. Auf dem Foto wirkte er jünger, schüchtern und lernbegierig. Zen riss ihm die Brieftasche aus der Hand.

»Dazu haben Sie kein Recht!«, protestierte der junge Mann.

Zen beachtete ihn nicht weiter, blätterte die einzelnen Fächer der Brieftasche durch und sah sich die Papiere und Fotos an. Unter anderem war da eine von der römischen Questura ausgestellte Lizenz, die es Roberto Augusto Dentice erlaubte, in der Provinz Rom als Privatdetektiv tätig zu sein.

»Okay, was geht hier vor?«, fragte Zen.

»Wie meinen Sie das?«

»Jemand hat Sie angeheuert, mir zu folgen. Wer und warum?«

»Ich weiß nicht, wovon Sie reden. Ich bin bloß spazieren gegangen.«

»Und ich nehme an, gestern sind Sie auch nur spazieren gegangen, als Sie mir den ganzen Weg von diesem Restaurant zum Palatinischen Hügel gefolgt sind? Sie scheinen wirklich gern spazieren zu gehen. Sie sollten dem Club Alpino beitreten.«

Hinter ihnen auf der Hauptstraße ertönte ein Hupkonzert, das sich anhörte wie die Sirene eines Ozeanriesen.

»Wovon reden Sie da?«, sagte der Mann. »Ich war gestern den ganzen Tag zu Hause.«

Zen hatte große Lust, Dentice unter irgendeinem Vorwand festzunehmen und ihn mit einem von den härteren Beamten in ein Zimmer zu sperren, aber er arbeitete nicht mehr bei der Questura, wo man schon mal zu solchen Methoden griff, und außerdem wartete Tania auf ihn.

»Okay«, sagte er ganz ruhig mit drohendem Unterton. »Ich will Ihnen erklären, wovon ich rede. Dieser Job, den Sie da machen, was immer das auch sein mag, der endet hier. Und wenn Sie mir noch einmal über den Weg laufen, und sei es ganz zufällig, in einem Bus oder einer Bar oder sonst wo, dann wird Ihnen diese Lizenz entzogen, und ich werde todsicher dafür sorgen, dass Sie nie mehr eine neue bekommen. Ich hoffe, wir verstehen uns.«

Diese Taktik erwies sich als unerwartet erfolgreich. Auf Drohungen und Gewalt hätte der Mann möglicherweise aufsässig reagiert, doch bei dem Gedanken an Arbeitslosigkeit brach sein Widerstand abrupt zusammen. »Es hat mir niemand gesagt, dass Sie ein Bulle sind!«, klagte er.

»Was *hat* man Ihnen denn gesagt?«

»Ich sollte Ihnen einfach nach der Arbeit folgen.«

»Wem haben Sie Bericht erstattet?«

»Er rief mich abends an. Und er hat bar bezahlt. Ich weiß nicht, wer er ist, das schwöre ich bei Gott!«

Zen gab dem Mann Brieftasche und Papiere zurück und wandte sich ohne ein weiteres Wort ab.

»Was war denn da los?«, fragte Tania, während sie weitergingen.

»Mein Fehler. Ich hab ihn mit jemandem verwechselt, den ich im Zusammenhang mit der Ermordung Bertolinis vernehmen wollte.«

Das war bereits das zweite Mal an diesem Tag, dass er gegen seinen Grundsatz verstoßen hatte, Tania nicht anzulügen, dachte Zen. Aber wahrscheinlich war das auch von Anfang an ein unrealistisches Ideal gewesen.

Es war ein merkwürdiges Gefühl, die Frau mit nach Hause zu nehmen, über die er in letzter Zeit so viel nachgedacht hatte, in ihrer Begleitung an dem Café an der Ecke vorbeizugehen, unter Giuseppes Adleraugen gemeinsam den Hausflur zu betreten, mit dem Lift in den vierten Stock zu fahren, die Wohnungstür aufzuschließen und ihr in seine Wohnung, in sein anderes Leben Einlass zu gewähren.

Er war sich intensiv bewusst, dass zum ersten Mal seit Jahren seine Mutter nicht da war. Befreit von den Ritualen und Regeln, die ihre Gegenwart normalerweise auferlegte, wirkte die Wohnung größer und weniger überladen als sonst, voller vielversprechender Möglichkeiten. Einen Augenblick regten sich bei Zen Gewissensbisse, als ob er seine Mutter bewusst zu den Nieddus ausquartiert hätte, um Tania mit in die Wohnung nehmen zu können. Es war alles merkwürdig aufregend, und er ertappte sich dabei, wie er darüber spekulierte, was nach dem Mittagessen passieren könnte. Zu seiner eigenen Überraschung stellte Zen fest, dass er sich sehr gut vorstellen konnte, mit Tania ins Bett zu gehen. Ganz ohne voyeuristischen Kitzel malte er sich aus, wie sie beide in dem großen Bett mit dem Messingrahmen lägen, in dem er schon zu lange alleine schlief. Nackt wirkte Tania bestimmt noch größer und dünner als sonst, aber das machte nichts. Sie sah aus, als ob sie dorthin gehörte.

Zen verdrängte diese Gedanken aus seinem Kopf, nicht aus Prüderie, sondern aus reinem Aberglauben. Im Leben kommt es selten so, wie man es sich vorstellt, überlegte er, also war es umso unwahrscheinlicher, dass er und Tania im Bett landen würden, je wahrscheinlicher ihm das vorkam.

Maria Grazia war gesagt worden, sie brauche im Augenblick nicht zu kommen, und da Zen keine Ahnung hatte, wo sie das Alltagsgeschirr und -besteck aufbewahrte, durchstöberte er mit Tania die Küche und die Anrichte im Esszimmer, wobei sie Porzellan, Silber und Kristall hervorholten, das Zen zum letzten Mal vor ungefähr zwölf Jahren gesehen hatte, bei einem Essen anlässlich seines Hochzeitstags. Unbeeindruckt von dieser formalen Pracht, aßen sie ihre Reiskroketten mit den Fingern, wischten das Ragout mit dem Brot von gestern vom Teller und tranken eine lauwarme Flasche Spumante, die seit vorletztem Jahr Weihnachten auf einem Regal im Wohnzimmer stand. Tania aß mit Appetit und ohne Hemmungen. Als sie schließlich ihre abgenagten Kaninchenknochen beiseiteschoben, verkündete sie: »Das war das Beste, was ich seit Langem gegessen habe.«

Zen rückte die Obstschale in ihre Richtung. »Das kann ich kaum glauben.«

Sie warf ihm einen erstaunten Blick zu.

»Ich meine, so wie du lebst«, erklärte er.

»Ach, das!«

Sie schälte eine Mandarine und fing an, sie in Streifen zu teilen.

»Hör mal, wir sollten da etwas klären«, sagte sie. »Weißt du, ich habe dir nicht ganz die Wahrheit gesagt.«

Er dachte daran, wie sie zusammen in dem davonrasenden Taxi gesessen hatten, während das einfallende Licht die Rundung ihrer Brüste und die Form ihrer Schenkel hervorhob.

»Ich weiß«, sagte er.

Sie sah ihn schon wieder erstaunt an. »War das so offensichtlich?«

»Na, hör mal!«, rief er. »Hast du wirklich geglaubt, ich würde dir abnehmen, dass du dir all diese Mühe machst, mich bittest, einen Anruf von der Arbeit vorzutäuschen und all das andere, bloß damit du ins Kino gehen kannst? Ich meine, du brauchst mir das nicht zu erklären. Es ist mir egal, was du tust. Und selbst wenn es das nicht wäre, dann ginge es mich nichts an.«

Tania starrte ihn mit wachsendem Verständnis an. »Aber genau das wollte ich! Weiter nichts! All die anderen Male hab ich gelogen, als ich dir von den Filmen erzählte, die ich angeblich gesehen habe, und von der Oper und vom Theater und alles andere.«

Sie senkte den Kopf, weil ihr Tränen in die Augen traten. »Deshalb wurde ich so verlegen, als du mich im Taxi fragtest, wohin ich wollte. Ich hatte nichts Schlimmes zu verbergen, jedenfalls nicht, was du dachtest! Es war nur so, dass meine erbärmliche kleine Täuschung aufgeflogen war, und ich schämte mich so sehr! Es fing alles an, als du von einem Film sprachst, über den ich was in der Zeitung gelesen hatte. Das ist alles, was ich jemals gemacht habe, darüber zu lesen. Deshalb dachte ich, es wäre lustig, so zu tun, als ob ich ihn gesehen hätte. Dann habe ich das auch noch mit anderen Dingen angefangen und mir ein Fantasieleben aufgebaut, das ich jeden Morgen bei der Arbeit mit dir teilte. Das war nicht wirklich, Aurelio, nichts davon! Ganz im Gegenteil! Wir gehen nie irgendwohin, unternehmen überhaupt nichts. Alles, was Mauro will, ist, zu Hause mit seiner Mutter und seiner Schwester und irgendwelchen Cousins und Cousinen oder Onkeln und Tanten, die zufällig gerade da sind, herumzusitzen.

Die Ironie daran ist, dass genau das mich am Anfang so zu Mauro hingezogen hat, die Tatsache, dass er eine richtige Familie hat. Meine Eltern sind – wie du weißt – tot, und mein einziger Bruder ist vor Jahren nach Australien ausgewandert. Nun ja, jetzt hab ich eine Familie, und *was* für eine! Weißt du, wie seine Mutter mich nennt? ›Die große Fotze‹. Ich hab sie hinter meinem Rücken über mich reden hören. ›Warum musstest du diese große Fotze heiraten?‹, fragt sie ihn. Sie glauben, ich könnte ihren furchtbaren Dialekt nicht verstehen. ›Du hättest niemals eine Fremde heiraten dürfen. Weib und Vieh sollte man vor der eigenen Haustür suchen.‹ So reden sie! Und so denken sie!«

Sie verstummte. Draußen auf der Straße schlug eine Autotür zu. Schritte näherten sich dem Haus. Zen stand auf und lauschte angespannt.

»Was ist das, Aurelio?«

Er ging zum Fenster und sah nach draußen. Dann lief er schnell in die Diele und machte die Tür hinter sich zu. Er nahm den Hörer ab und wählte 113, den Notruf der Polizei. Mit leiser Stimme, damit Tania ihn nicht hören konnte, gab Zen seinen Namen, Adresse und Dienstgrad durch. »Vor meinem Haus steht ein gestohlenes Fahrzeug. Ein roter Alfa Romeo, Kennzeichen Roma 84693 P. Schicken Sie sofort einen Wagen hierher, und nehmen Sie den Fahrer wegen Diebstahl fest. Seien Sie jedoch vorsichtig. Er könnte bewaffnet sein.«

»In Ordnung, Dottore.«

Zen hatte gerade den Hörer aufgelegt, als er ein Geräusch aus dem Wohnzimmer hörte. Nein, es war weiter weg, jenseits des Wohnzimmers. Es kam aus dem Treppenhaus.

Sein Herz fing an zu rasen, und sein Atem ging stoßweise. Langsam und bedächtig ging er durch die Zimmertür und am Fernseher vorbei, wobei er mit den Fingerspitzen über den Rücken des Sessels seiner Mutter fuhr. Wie hatte er so dumm sein können, so leichtsinnig und egoistisch? Zu glauben, dass ihm tagsüber nichts passieren könnte, sondern nur im Dunkeln, wie ein kleines Kind! Einen Menschen, den er liebte, in eine Wohnung mitzunehmen, in der – wie er wusste – eine tödliche Gefahr drohte. Sie hatten das Haus beobachtet, hatten ihn und Tania hineingehen sehen und genügend Zeit gehabt, ihren Angriff vorzubereiten. Jetzt wollten sie ihn fertigmachen.

Als er sich der Tür mit dem Glaseinsatz näherte, die auf den Flur hinausführte, hörte er ein lautes Klicken, gefolgt von dem charakteristischen Quietschton, mit dem die Wohnungstür aufging. Eine Etage höher piepste der Kanarienvogel die klagende Antwort.

Die Szene, die sich auf der Glastür widerspiegelte, war fast eine Wiederholung der Szene, die sich vergangene Nacht abgespielt hatte. Nur wusste Zen diesmal, dass er die Tür nicht offen gelassen hatte, und die dunkle Gestalt, die durch den Flur auf ihn zukam, rief nicht mit vertrauter Stimme seinen Namen, und sie trug eine Schrotflinte.

»Was ist los, Aurelio?«

Tania stand auf der Schwelle zur Diele und sah ihn besorgt an. Zen gab ihr ein Zeichen zurückzutreten, aber sie nahm das nicht zur Kenntnis. Draußen auf der Straße hörte man das an- und abschwellende Geräusch einer Sirene, das eine Zeit lang in dem engen Stadtkern gefangen schien, sich dann aber rasch dem Haus näherte. Der Schütze, der inzwischen die Hälfte des Flurs zurückgelegt hatte, hielt inne. Die Sirene verstummte direkt vor dem Haus mit einem dumpfen Brummen.

Zen zuckte zusammen, als ihn etwas an der Schulter berührte. Er wirbelte herum und starrte aufgebracht auf Tanias Hand. Sie stand dicht hinter ihm und sah ihn mit einem Ausdruck zärtlicher Besorgnis an. Er blickte zu der Spiegelung des Flurs auf der Oberfläche der Glastür. Der Schütze war verschwunden. Zen packte Tania ganz plötzlich und hielt sie nach Luft ringend und am ganzen Körper zitternd fest.

Dann stieß er sie ebenso abrupt wieder von sich. »Es tut mir leid! Es tut mir leid!«, rief er immer wieder. »Ich wollte das nicht! Aber es ist einfach passiert!«

Nach einem kurzen Augenblick kam sie von sich aus zu ihm zurück und nahm ihn in die Arme.

»Es ist ja gut«, sagte sie zu ihm. »Es ist alles gut.«

Ich wollte es nicht tun. Ich machte nur mal wieder einen Besuch. Sie hätten allerdings nicht versuchen sollen, mich auszusperren, oder es richtig machen sollen. Doch so, wie es war, schob und drehte ich, bis das ganze Ding zusammenkrachte.

Aber es hat mich wütend gemacht. Sie hätten das nicht tun sollen.

Ich dachte, dass sie durch den Lärm heruntergerannt kämen, aber sie waren taub und blind wie immer. Um wieder meine eigene zu haben, beschloss ich, die Flinte verschwinden zu lassen. Flinten sind mir nicht fremd. Mein Vater war für seine Treffsicherheit bekannt. Sonntags nach dem Mittagessen, wenn die Tiere in den Pferch getrieben und mit dem Lasso eingefangen, wie kleine Riesen zu Boden gezwungen und mit Medizin betäubt oder einem Brandzeichen gekennzeichnet worden waren, pflegten die Männer Bierflaschen in die Luft zu schleudern und darauf zu schießen. Betrunken, wie er war, das köstliche Fett von dem Schweinchen, das sie auf dem Feuer gebraten hatten, glänzte noch auf seinen Lippen und seinem Kinn, vermochte mein Vater doch stets das Ziel zu treffen und das Tal von dem Geräusch zerplatzenden Glases widerhallen zu lassen. »Da ist nichts dabei!«, pflegte er zu scherzen. »Du musst nur den Abzug drücken, und die Flinte erledigt den Rest.«

Als ich sie aus dem Gestell herausnahm, hörte ich im Nebenzimmer jemanden lachen. Schmierig, dumm und arrogant war sein Lachen, wie das der jungen Männer, die auf der Straße herumlungerten und an ihren Schwänzen fummelten, als wenn sie die Hosentaschen voller Geld hätten. In diesem Augenblick beschloss ich, mich zu zeigen. Da würde ihnen das Lachen vergehen. Das würde ihnen was zum Nachdenken geben.

Dann ereignete sich alles ohne mein Zutun. Ein Mann ging auf mich los. Eine Frau rannte fort. Ich drückte immer wieder den Abzug.

Vater hatte recht. Die Flinte erledigte den Rest.

Sardinien

Samstag, 05.05–12.50

Ein kalter, scharfer Wind, beladen mit Salz und Dunkelheit, heulte und toste um das Schiff und suchte nach Schwachstellen. Im Gegensatz dazu war das Meer ruhig. Seine glänzend schwarze Oberfläche, die sich im Mondlicht sanft kräuselte, ging unmerklich in das allgemeine Dunkel über. Die kleinen, plätschernden Wellen, die unten gegen die Metallplatten schlugen, schienen keine erkennbare Wirkung auf das Schiff zu haben, das so ruhig lag, als ob es bereits am Kai festgemacht wäre.

Ein Mann hielt sich an der Reling fest, die von zahllosen Anstrichen wulstig geworden war, und schaute so konzentriert wie ein Offizier auf Wachtposten in die Nacht hinaus. In seinem offenen Mantel, der wie ein Umhang um ihn herumflatterte, wirkte er relativ korpulent, doch wenn der Wind einen Augenblick innehielt, wurde deutlich, dass er für seine Größe ziemlich schlank war. Eine Krawatte von unbestimmter Farbe wurde vom Wind wie ein Fragezeichen gegen sein Hemd gedrückt. Sein Gesicht war hager und glatt, er hatte eine Adlernase und schieferblaue Augen, deren Blick so verwirrend direkt war wie der eines Kindes. Sein Haar, dessen unauffälliges Braun jetzt mit silbergrauen Strähnen an den Schläfen durchsetzt war, war von Natur aus lockig, und der Wind warf es vor und zurück wie die aufgewühlten kleinen Wellen in einer Sturmszene auf einer griechischen Vase.

Ein paar Hundert Meter hinter dem Schiff spiegelte sich der Vollmond auf der schwankenden Meeresoberfläche. Dieser zitternde helle Fleck vermittelte eine unheimliche Illusion von Tiefe, als ob er von einem riesigen Scheinwerfer herrühre, der vom Meeresgrund nach oben gerichtet war. Es war tatsächlich tief hier vor der Ostküste der Insel, wo die Berge zum Meer hin immer steiler abfielen. Zen atmete die wilde Luft ein und versuchte, am Horizont Land zu erkennen. Aber nichts verriet die Nähe der Küste, außer vielleicht der Tatsache, dass die Dunkelheit vor ihm noch dichter und undurchdringlicher schien. Vor zwanzig Minuten hatte der Steward an seine Kabinentür geklopft, um ihn zu wecken, und behauptete, dass ihre Ankunft unmittelbar bevorstünde. Als er an Deck kam, hatte Zen Lichter, rege Betriebsamkeit und einen ersten Blick auf sein Ziel erwartet. Aber da war nichts. Das Schiff hätte genauso gut mitten im Ozean in eine Flaute geraten sein können.

Doch das störte ihn nicht. Er fühlte sich losgelöst, anonym und von allen überflüssigen Lasten befreit. Rom war bereits unvorstellbar weit weg. Irgendwo vor ihm lag Sardinien, unbekanntes Neuland. Und was die Gründe anging, weshalb er hier um fünf Uhr morgens an Deck einer Fähre der tyrrhenischen Schifffahrtsgesellschaft stand, so erschienen die ihm absolut unwirklich und bedeutungslos.

Als er noch einmal Ausschau hielt, war alles bereits vorbei. Die dunkle Wand vor ihm hatte sich in zwei Hälften geteilt: Den unteren Teil bildeten die angedeuteten Konturen einer Gebirgskette, darüber lag der Himmel, der auf die nahende Dämmerung zu warten schien. Die Lichter des Hafens tauchten hinter einer Landzunge auf, die sich jetzt vom offenen Meer und der kleinen, dahinter liegenden Bucht abhob. Indem er die hellen Flecken wie Sternbilder las, konnte Zen Kaimauern und Molen, Kräne und Straßen im Dämmerlicht ausmachen. Die Dinge fingen allmählich an, Form und Gestalt anzunehmen, aufzuwachen, sich anzuziehen und vorzeigbar zu machen. Der Augenblick war vorüber. Bald schon würde es ein Tag wie jeder andere sein.

Unten in der Bar konnte man das bereits deutlich spüren. Eine überwiegend aus Männern bestehende Horde, mehr oder weniger zerzaust und schlecht gelaunt, drängte sich um einen schläfrigen Kassierer, um einen Quittungsbon zu ergattern, für den man dann an der Bar einen Plastikbecher mit starkem schwarzen Kaffee bekam. Auf den Bänken ringsum erwachten junge Leute nach einer ungemütlichen Nacht, kratzten sich am Rücken und tauschten kleine Scherze oder Zärtlichkeiten aus. Zen war es gerade gelungen, seinen Kaffee zu bestellen, als eine roboterhafte Stimme aus dem Lautsprecher alle Fahrer aufforderte, sich zur Ausfahrt auf das Autodeck zu begeben. Er stürzte seinen Kaffee hastig runter, wobei er sich Mund und Rachen verbrühte, bevor er in das Innere des Schiffes hinunterstieg.

An diesem kleinen Hafen auf dem Weg nach Cagliari, dem eigentlichen Ziel des Schiffs, strebten fast ausschließlich Handels- oder Militärfahrzeuge an Land. Keine der beiden Sorten nahm auch nur die geringste Kenntnis von den Schildern, die die Autofahrer baten, ihre Motoren nicht eher anzulassen, bis die Ladeklappe geöffnet war. Durch Wolken von Dieselabgasen bahnte Zen sich den Weg zu seinem Auto, das zwischen einem großen Lkw und einem Bus voller Wehrpflichtiger eingequetscht war, die weitaus weniger lebendig als am Vorabend wirkten, wo sie den Hafen von Civitavecchia mit der erzwungenen Fröhlichkeit Verzweifelter erfüllt hatten. Er schloss die Tür auf und kletterte hinein. Fausto Arcuti hatte gute Arbeit geleistet, das war überhaupt keine Frage. Als er gestern Nachmittag wieder in die Rally Bar gekommen war, hatte Zen einen Umschlag in Empfang genommen, der einen Schlüsselbund und einen Zettel mit der Notiz »Via Florio, 63« enthielt. Er drehte den Zettel um und schrieb: »Vielen Dank für die prompte Bedienung. Die Parrucci-Geschichte hat nichts, ich wiederhole, nichts mit Ihnen zu tun. Gruß.« Er gab ihn dem Barmann und ging um die Ecke zur Via Florio.

Es war überhaupt nicht nötig, auf die Hausnummer zu achten. Der Wagen, eine weiße Mercedes-Limousine mit cremefarbenen Ledersitzen, hob sich bereits von Weitem von den ramponierten Autos der Anwohner von Testaccio ab. Die Zürcher Nummernschilder waren erst kürzlich angebracht worden, wie man an den hellen Kratzern auf den rostigen Muttern sehen konnte. Anmeldungs- und Versicherungsnachweise waren keine auf der Windschutzscheibe, aber das wäre bei einem so kurzfristigen Auftrag auch ein bisschen viel verlangt. Zen nahm seine Brieftasche heraus und inspizierte den Schweizer Personalausweis auf den Namen Reto Gurtner, den er noch von einer Undercover-Tätigkeit von vor sechs Jahren hatte. Er war natürlich gefälscht, aber von höchster Qualität, ein Produkt der Geheimdienststelle in Prato, wo – wie man munkelte – eine große Anzahl der besten Fälscher des Landes für SISMI arbeitete, anstatt im Gefängnis zu sitzen. Wegen der primitiven Beleuchtung und Zens verkrampfter Haltung wirkte das Foto wie ein Verbrecherfoto der Polizei, was nicht weiter erstaunlich war, schließlich war es mit derselben Fotoausrüstung aufgenommen worden. Herr Gurtner aus Zürich sah aus, als ob er zu fast allem fähig wäre, überlegte Zen, selbst einem Unschuldigen auftragsgemäß etwas anzuhängen.

Während er, abgeschirmt durch die luxuriöse Karosserie des Mercedes, zwischen den stinkenden Lkws und Bussen saß, dachte Zen darüber nach, dass – egal was in Sardinien passieren würde – es ihm zumindest gelungen war, seine dringlichsten Probleme in Rom noch vor der Abreise zu klären. Die Polizei-Streife, die er per Notruf von seiner Wohnung aus alarmiert hatte, nahm einen Mann fest, der versucht hatte, in dem roten Alfa Romeo zu fliehen. Er entpuppte sich als ein gewisser Giuliano Acciari, ein Ganove aus der Gegend mit einem längeren Vorstrafenregister wegen Einbrüchen und kleineren Gewaltverbrechen. Zen erkannte in ihm denjenigen, der ihn in der Schlange an der Bushaltestelle bestohlen hatte, auch wenn er das der Polizei gegenüber nicht erwähnte. Acciari war zwar unbewaffnet, und auch eine ausgiebige Suche brachte die Schrotflinte nicht zum Vorschein, die er vermutlich beiseitegeschafft hatte, als er die Sirene hörte. Doch die Polizei hielt ihn wegen des gestohlenen Alfa Romeos fest und versicherte Zen, dass man sich alle Mühe geben würde, jegliche Information, die er über den Aufenthaltsort von Vasco Spadola haben könnte, aus ihm herauszuholen.

Eine Reihe von Erschütterungen und ein verändertes Turbinengeräusch kündigten an, dass das Schiff angelegt hatte, doch es vergingen noch weitere zehn Minuten, bis das Tageslicht endlich durch einen Spalt in das finstere Fahrzeugdeck drang. Die Busse und Lkws zu beiden Seiten von Zen setzten sich rumpelnd in Bewegung, und dann – viel zu rasch – war auch er schon an der Reihe.

Zen hatte Ende der Fünfzigerjahre Autofahren gelernt, aber er hatte nie den rechten Geschmack daran gefunden. Und während die Straßen voller, die Geschwindigkeiten höher und die Autofahrer immer jähzorniger wurden, hatte er keinen Grund gesehen, seine Einstellung zu ändern. Allerdings bemühte er sich, diese für sich zu behalten, weil ihm sehr wohl bewusst war, dass man ihn andernfalls als Dissidenten, wenn nicht sogar als Ketzer betrachten würde. Aber in der jetzigen Situation hatte er keine andere Wahl gehabt: Er konnte niemanden mitschleppen, der für ihn Chauffeur gespielt hätte. Andererseits wäre es nicht besonders glaubwürdig, wenn Herr Reto Gurtner, der reiche Zürcher Bürger, mit öffentlichen Verkehrsmitteln durch die sardische Wildnis reisen würde.

Zens Fahrstil glich dem eines ältlichen Bauern, der mit 20 Stundenkilometern in einem klapprigen Fiat-Lieferwagen mit profillosen Reifen dahintuckerte und die hysterisch hupende und blinkende Nachhut, die sich hinter ihm bildete, fröhlich ignorierte. Die Fahrt von Rom zum Hafen von Civitavecchia war bereits eine zweieinhalbstündige Qual gewesen, doch von der Fähre herunterzukommen, stellte ihn vor noch viel größere Probleme mit Kupplung und Lenkung, als er schon bei den unzähligen Ampeln auf der Via Aurelia gehabt hatte, an denen der Mercedes jedes Mal wie ein Pferd vor einem Zaun zu scheuen schien. Nachdem er den Wagen dreimal abgewürgt hatte und dann durch übertriebenes Lenken beinahe die Schiffswand gerammt hätte, gelang es Zen schließlich, die Stahlrampe zu passieren, die auf sardischen Boden führte, beziehungsweise auf die steinerne Hafenmole, an der die Fähre festgemacht war. Einigermaßen überrascht stellte er fest, dass es keinerlei Formalitäten gab, keine Pässe, keinen Zoll. Aber rein bürokratisch gesehen war er ja auch immer noch in Italien.

Es war Zens erster Besuch auf der Insel. In Italien müssen zwar alle Polizisten eine gewisse Zeit in einem der drei »Problemgebiete« des Landes ableisten, doch Zen hatte sich statt für Sizilien oder Sardinien für das Alto Adige entschieden, weil er von dort aus leicht nach Venedig kommen und seine Mutter besuchen konnte.

Der Hafen bestand nur aus ein paar Kais, wo die Schiffe vom und zum Festland einmal die Woche anlegten und russische Frachter regelmäßig Ladungen von Sägespänen für die örtliche Papiermühle entluden. Am Ende des Kais schlängelte sich eine schmale, schlecht befestigte Straße zwischen rosafarbenen Felsnasen dahin. Zen fuhr durch eine verstreute Ansammlung von behelfsmäßigen Häusern, die kein richtiges Dorf bildeten, und an der Landzunge vorbei, die von der Hauptküstenlinie zum Hafen hin vorsprang. Die Sonne war noch hinter den Bergen, doch der Himmel war klar und von einem zarten, winterlichen Blau. Möwen schossen auf der Suche nach Futter hin und her, und ihre Schreie hallten durch die kühle Luft.

Als er durch die kleine Stadt fuhr, wo die Straße ins Landesinnere die Küstenstraße kreuzte, verspürte Zen den Drang, das Auto anzuhalten, sich in ein Café zu setzen und anzufangen, Anhaltspunkte zu sammeln, die Luft zu schnuppern und sich zu orientieren. Aber das konnte er nicht, denn in Sardinien war er nicht Aurelio Zen, sondern Reto Gurtner, und obwohl er bisher nur eine vage Vorstellung von Gurtners Charakter hatte, war er sicher, dass anzuhalten und die Atmosphäre in sich aufzunehmen nicht dazu gehörte. Oder vielmehr war er sicher, dass die Einheimischen das annehmen würden, und einzig und allein deren Sicht der Dinge zählte. Ein reicher Schweizer, der mit seinem Mercedes an einer Dorfkneipe anhielt, um seinen morgendlichen Cappuccino zu trinken, wäre sofort ein verdächtiger Schweizer, und das konnte sich Zen am allerwenigsten erlauben. Er wusste, er durfte sich den klaren Himmel, die reine Luft und die morgendliche Hochstimmung nicht zu Kopf steigen lassen. In diesen Bergen, die die Sonne abblockten und dem Meer den Rücken kehrten, lebten Männer, die Tausende von Jahren der Fremdherrschaft überlebt hatten, indem sie ihren Verstand und ihre intimen Kenntnisse des Landes einsetzten. Generationen von Polizisten, zuweilen unterstützt von der Armee, waren dorthin abberufen worden, um immer wieder zu versuchen, die komplizierten, archaischen und ungeschriebenen Regeln des *Codice Barbaricine* zu brechen und die in Rom erlassenen Gesetze durchzusetzen. Sie alle waren gescheitert. Selbst Mussolinis brutale Vorgehensweise, die sich als erfolgreich gegen die vornehmlich großstädtische Mafia erwiesen hatte, war diesen Schäfern gegenüber wirkungslos geblieben, die einfach in die Berge verschwinden konnten. Die Massenverhaftungen von Verwandten bei Razzien in ganzen Dörfern stärkten lediglich die Macht der Banditen, da sie sie zu lokalen Volkshelden machten. Jegliche Zusammenarbeit mit den Behörden wurde als Verrat der übelsten Sorte angesehen und dementsprechend bestraft. Für die Sarden waren Italiener vom Festland entweder Polizisten, Soldaten, Lehrer, Finanzbeamte, Bürokraten oder – in jüngerer Zeit – Touristen. Sie blieben eine Weile, nahmen sich, was sie wollten, und wenn sie wieder gingen, wussten sie immer noch so wenig wie vorher über die Einheimischen, die raue Variante des Lateinischen, die sie sprachen, und die komplizierten und oft grausamen Gesetze, mit denen die Auseinandersetzungen unter den Schäfern geregelt wurden, deren Herden frei in dem weiten Gebirge herumzogen. Aus diesem Grund hatte sich Zen entschlossen, seine inoffizielle Undercover-Operation in der Verkleidung eines Ausländers anzugehen. Zwar waren auf Sardinien alle Außenseiter von vornherein verdächtig, doch ein Ausländer würde vermutlich weniger Verdacht erregen als ein einsamer Italiener, den man automatisch für irgendeine Art Regierungsspion halten würde. Außerdem hatte Herr Reto Gurtner einen guten Grund, diese abgelegene Ecke der Insel zu dieser ungewöhnlichen Jahreszeit zu besuchen. Er war nämlich auf der Suche nach einem Anwesen.

Der Mercedes brummte zielstrebig die Straße entlang, die sich von der Küste aus durch eine ausgedörrte und verbrannte Landschaft schlängelte. Auf beiden Seiten erhoben sich gezackte Kalksteinfelsen wie Zähne aus der unfruchtbaren roten Erde. Dort wuchsen riesige Kakteen mit großen stachligen Ohren. Daneben gab es kleine Eukalyptus- und Olivenhaine sowie vereinzelt Stellen mit verwildert und verkümmert aussehenden Weinstöcken. Auf der Straße war erfreulich wenig Verkehr, und Zen war gerade richtig in Fahrt gekommen, als er an einem Bahnübergang, der durch eine Kette, an der ein Blechschild baumelte, gekennzeichnet war, zum Anhalten gezwungen wurde. Er hatte die schmalspurigen Eisenbahngleise, die neben der Straße herliefen, verschwommen wahrgenommen, doch sie schienen in so schlechtem Zustand zu sein, dass er angenommen hatte, die Strecke würde nicht mehr benutzt.

Auf der anderen Seite der Kette plauderte eine ältere Frau mit einem Jungen, der eine Schultasche bei sich hatte, auf der in leuchtendem Grün und Orange »Iron Maiden« stand. Beide wandten sich um und starrten den Mercedes an. Zen schenkte ihnen einen höflichen und ausdruckslosen Blick, den er für typisch schweizerisch hielt. Sie starrten weiter zu ihm herüber. Zen benutzte die Gelegenheit, um die Karte zurate zu ziehen. Das war ganz bestimmt auch etwas typisch Schweizerisches.

Eine uralte Diesellok mit zwei klapprigen Wagen kam schwankend an der Kreuzung zum Stehen. Der Iron-Maiden-Fan stieg zu einer Horde weiterer Schüler, die Lok stieß eine dunkle Rauchwolke aus, und dann war die Straße wieder frei. Zen legte den Gang ein, würgte den Wagen ab, machte die Handbremse los, fing an, rückwärtszurollen, betätigte die Kupplung, ließ den Motor wieder an, würgte den Wagen nochmals ab, zog die Handbremse, ließ die Kupplung los, startete erneut den Motor, löste die Handbremse, betätigte die Kupplung und fuhr los. Er hatte das Gefühl, dass nichts von alledem typisch schweizerisch war. Der Blick, mit dem ihn die Schrankenwärterin bedachte, deutete an, dass sie genau dasselbe dachte.

Durch die Information aus der Karte und das eine oder andre verblasste und verrostete Straßenschild bestärkt, fuhr Zen 12 Kilometer weiter ins Landesinnere, bevor er nach links in eine steile Straße bog, die sich in Haarnadelkurven den Berghang hinaufschlängelte. An jeder Biegung konnte er einen Blick nach oben auf das Dorf werfen. Je näher er kam, desto weniger verlockend wirkte es. Aus der Ferne sah es wie eine Naturkatastrophe aus, ein Erdrutsch vielleicht. Aus der Nähe glich es einem riesigen Müllabladeplatz. Es hatte nichts spezifisch Sardisches an sich. Es hätte sich genauso gut um eine der tausend Gemeinden im Süden Italiens handeln können, die nur durch die Geldspritzen von Gastarbeitern am Leben erhalten wurden und deren Häuser wie Kraut und Rüben durcheinanderstanden, viele davon unfertig, auf den nächsten Scheck aus dem Ausland wartend. Die vorherrschenden Farben waren Weiß und Ocker, die grundlegende Form rechteckig. So wie er da über den steilen Abhang verteilt war, hatte der Ort etwas Launenhaftes und Provisorisches an sich, als ob einen Tag später schon alles abgebaut und woandershin versetzt sein könnte. Und genauso gut hätte das Ganze bereits da gewesen sein können, als selbst Rom noch ein Dorf war.

In den letzten Kurven der Straße hatte sich ein Neubaugebiet breitgemacht. Einige der Gebäude waren lediglich Skelette aus Stahlbeton, bei anderen standen zwar die Außenmauern, aber sie waren noch unbewohnt. Einige wenige wurden Stockwerk für Stockwerk hochgezogen, wobei das Parterre bereits benutzt wurde, während die erste Etage ein provisorisches Flachdach bildete, aus dem die rostigen Moniereisenstäbe für die nächste Etappe herausragten wie die Stängel einer besonders widerstandsfähigen einheimischen Pflanzenart, die gelernt hatte, in Zement zu gedeihen. Die Straße verengte sich allmählich und wurde zur Hauptstraße des eigentlichen Dorfes. Zen bugsierte den Mercedes mühsam an den parkenden Lieferwagen und Lkws vorbei, wobei er dem entgegenkommenden Verkehr ängstlich die Vorfahrt ließ, bis er an eine kleine Piazza kam, die in Wirklichkeit kaum mehr als eine Verbreiterung der Hauptstraße war. Die Häuserzeile wurde hier von einer Terrasse unterbrochen, die mit knorrigen Bäumen bepflanzt war und ein atemberaubendes Panorama bot, das sich bis zur Küste und über das Meer erstreckte. Irgendwo da unten lag, wie Zen wusste, mit dem bloßen Auge nicht zu erkennen, die Villa Burolo.

Er parkte auf der anderen Seite der Piazza vor einem niedrigen, ziemlich neuen Gebäude mit dem Schild: »Bar – Restaurant – Hotel«. Es war noch früh, und die wenigen Leute, die unterwegs waren, hatten alle irgendwas zu erledigen, aber Zen spürte deutlich ihre Blicke, als er aus dem Auto stieg und sein Gepäck aus dem Kofferraum nahm. »Ein Fremder in der Stadt«, überlegten sie. »Ausländischer Wagen. Ein Tourist? Zu dieser Jahreszeit?« Zen war sich ihrer Verblüffung und ihres Argwohns sehr wohl bewusst. Er wollte diesen Eindruck aber noch ein wenig kultivieren, wollte, dass Fragen gestellt und mögliche Folgerungen erwogen wurden, bevor er eine Antwort lieferte, die – wie er hoffte – allseits Erleichterung und Zufriedenheit auslösen würde.

Er schob sich durch die Glastür in eine Bar, die womöglich der letzte Schrei gewesen war, als sie irgendwann Mitte der Sechzigerjahre gebaut wurde, aber inzwischen auf unelegante Weise gealtert war. Auf dem grob aufgetragenen Putz lag eine dicke Staubschicht, die getönten Metallblenden waren verbeult und verkratzt, die Kiefernholzverkleidung war von der Sonne ausgeblichen, durch verschüttete Getränke verdreckt und wellte sich an einigen Stellen von der Wand. All diese Details wurden gnadenlos von allen Seiten durch eine Anzahl von Spiegeln zurückgeworfen, durch die der Raum größer wirken sollte, die ihn jedoch in Wirklichkeit zu einem albtraumhaften Labyrinth von trügerischen Blickwinkeln und optischen Sackgassen machten.

»Mit oder ohne?«, wollte der Inhaber wissen, als Zen ihn nach einem freien Zimmer fragte.

Zen hatte sich einige Gedanken darüber gemacht, wie Reto Gurtner sprechen sollte, und sich schließlich gegen irgendeinen merkwürdigen Akzent oder absichtliche Fehler entschieden. Es wäre typisch schweizerisch, beschloss er, ein pedantisch korrektes Italienisch zu sprechen, aber langsam und schwerfällig, so als ob alle Worte gleichberechtigte Bürger seien und es ungerecht und undemokratisch wäre, einige auf Kosten von anderen hervorzuheben.

»Wie bitte?«

»Dusche.«

»Ja, bitte. Mit Dusche.«

Der Inhaber riss einen Schlüssel von einer Reihe Haken und knallte ihn auf die Theke. Er war mollig, hatte einen buschigen schwarzen Bart und schütteres Haar. Sein Verhalten war bewusst unfreundlich, als ob die schiere Notwendigkeit ihm das schändliche Gewerbe aufzwinge, Gäste gegen Geld aufzunehmen, das er als eine Art von Prostitution verabscheute. Er nahm Zens gefälschten Ausweis, ohne genauer hinzusehen, und fing an, die relevanten Daten auf das polizeiliche Anmeldeformular zu übertragen.

»Wäre es möglich, einen Cappuccino zu bekommen?«, fragte Zen höflich.

»An der Bar.«

Zen tat ordnungsgemäß die vier Schritte, die ihn von dieser Einrichtung trennten. Der Inhaber füllte das Formular zu Ende aus, hielt es gegen das Licht, als ob er das Wasserzeichen begutachten wollte, faltete es mit übertriebener Sorgfalt in der Mitte und legte es zusammen mit dem Ausweis in einen kleinen, in die Wand eingelassenen Safe. Dann ging er zur Theke und fing an, ein paar Gläser zu spülen.

Ein älterer Mann betrat die Bar. Er trug einen braunen Cordanzug mit Lederflicken auf dem Hosenboden und an den Knien sowie eine flache Kappe. Sein Gesicht war hart, glatt und unregelmäßig wie ein Stück Granit, das jahrhundertelang Wind und Wetter ausgesetzt war.

»Ah, Tommaso!«, rief der Inhaber und stellte ein Glas Wein auf die Theke. Der Mann stürzte den Wein in einem Zug hinunter und begann, sich eine Zigarette zu drehen. Währenddessen plauderte er angeregt mit dem Inhaber in einer Sprache, die für Zen ebenso gut Arabisch hätte sein können.

»Könnte ich bitte einen Cappuccino haben?«, fragte er wehleidig.

Der Wirt schaute ihn an, als ob er ihn noch nie gesehen hätte. Er schien über seine Anwesenheit verwirrt und ärgerlich zugleich zu sein. »Cappuccino?«, fragte er in einem Ton, der andeutete, dass es sich bei diesem Getränk wohl um eine exotische, ausländische Spezialität handeln müsse.

Zen hätte am liebsten auf den groben Klotz einen groben Keil gesetzt, doch er war sicher, dass Reto Gurtner sich nicht provozieren ließe, sondern sanft und höflich bleiben würde.

»Wenn Sie so freundlich wären. Vielleicht könnten Sie mir auch sagen, wie ich zur Praxis von Dottor Confalone komme«, fügte er hinzu.

Der ältere Mann, der gerade das Zigarettenpapier befeuchtete, hielt inne und sah auf. Er spuckte eine Tabakfaser aus, die sich auf seine Zunge verirrt hatte. »Gegenüber der Post«, sagte er.

»Ist das weit?«

Es gab ein kurzes Rauschen, als der Wirt die Milch unter Dampf aufschäumen ließ. »Fünf Minuten«, sagte er rasch, als ob er dem alten Mann zuvorkommen wollte, damit dieser keine weiteren unklugen Enthüllungen von sich gäbe.

Zen rührte Zucker in seinen Kaffee. Er selbst nahm nie Zucker, aber er glaubte, dass Reto Gurtner eine Vorliebe für Süßes hätte. Ebenso waren die Zigaretten, die er herausnahm, nicht seine üblichen Nazionali, sondern kosmopolitische Marlboros. »Ich habe nämlich eine Verabredung«, erklärte er umständlich, an niemanden direkt gewandt. »In einer halben Stunde. Ich weiß nicht, wie das hier in Italien ist, aber in der Schweiz ist es sehr wichtig, pünktlich zu sein. Besonders wenn es um Geschäfte geht.«

Weder der Inhaber noch der alte Mann zeigten das geringste Interesse an dieser Bemerkung, doch daran, wie sie es bewusst vermieden, sich anzusehen, konnte Zen erkennen, dass die Nachricht angekommen war. Das beunruhigende Geheimnis um Herrn Gurtners plötzliches Erscheinen im Dorf war nur noch ein Rätsel, zu dessen Lösung es bereits konkrete Anhaltspunkte gab.

Es war gerade kurz nach neun, als Zen adrett und frisch rasiert das Hotel verließ. Die Hauptstraße des Dorfes war eine tiefe, schattige Schlucht, doch die Gassen und Treppen, die zu beiden Seiten abzweigten, waren von der Sonne überflutet, die auf leuchtend weiße Wände mit dunklen rechteckigen Öffnungen fiel. Dahinter und darüber erhoben sich zerklüftete Felsen mit widerstandsfähigen grünen Büschen, das uralte bergige Rückgrat der Insel, die letzte Spur des versunkenen tyrrhenischen Kontinents.

Zen schritt entschlossen voran und lächelte auf eine ausdruckslos höfliche Art jeden an, der ihm entgegenkam, wie ein wohlwollender, aber ziemlich einfältiger Riese. Die Sarden sind von allen Mittelmeervölkern am kleinsten, wogegen Zen überdurchschnittlich groß für einen Italiener war, was er teilweise vielleicht den absonderlichen Theorien seines Vaters über Ernährung zu verdanken hatte. Als autodidaktischer Sozialist hatte dieser sich für viele nutzlose Dinge begeistert, zuletzt sogar kurzfristig für Mussolinis leeren Patriotismus. Außerdem war da noch ein primitiver Vegetarismus, insbesondere die Vorstellung, dass Bohnen und Milch die Grundlage einer gesunden Ernährung bildeten. Von dem Augenblick an, als Aurelio von der Muttermilch entwöhnt war, hatte er jeden Mittag einen großen Teller Brei aus diesen beiden Zutaten gegessen. Der Glaube seines Vaters an die Wirkung dieses Wunderessens basierte auf einem Gemisch unausgegorener Ideen, die er seiner eklektischen Lektüre aus allen Bereichen entnommen hatte. Durch puren Zufall war er dabei auf zwei billige und leicht erhältliche Quellen komplementärer Proteine gestoßen mit dem Ergebnis, dass Zen unbeeinträchtigt von den Folgen des Fleisch- und Fischmangels aufwuchs, der die Entwicklung anderer Kinder während des Krieges in Venedig gehemmt hatte.

Die Reaktionen auf Herrn Gurtners unverbindliches Schweizer Lächeln unterschieden sich auf interessante Weise. Die jungen Männer, die auf der Piazza herumhingen, nicht etwa, weil sie keine Arbeit bekommen konnten, sondern weil Arbeiten ganz unter ihrer Würde war, betrachteten ihn wie ein exotisches Tier in einem Wanderzirkus, fanden ihn merkwürdig und ein wenig absurd, aber potenziell gefährlich. Für die Älteren, die auf den steinernen Bänken zwischen den Bäumen hockten, war er bloß ein weiteres Stück in dem hoffnungslosen Puzzle, zu dem das Leben für sie geworden war, etwas, worüber sie den Kopf schüttelten und unzusammenhängende Bemerkungen machten.

Die Männer – alt wie jung – traten in Gruppen auf und benutzten die öffentlichen Plätze als erweitertes Wohnzimmer, während die Frauen, die Zen sah, immer allein und in Bewegung waren. Sie hatten nur ein Durchgangsrecht und hasteten umher, als ob sie jeden Augenblick zur Rechenschaft gezogen werden könnten, wobei sie ihre geflochtenen Einkaufskörbe wie eine Art offizielle Legitimation umklammerten. Die Verheirateten ignorierten Zen völlig, die im heiratsfähigen Alter warfen ihm herausfordernde und messerscharfe Blicke zu. Nur die alten Frauen, die von dem Feind nichts mehr zu befürchten oder zu erhoffen hatten, musterten ihn gelassen, aber nicht unfreundlich. In ihren schwarzen Kleidern wirkten sie wie Pyramiden aus Reifen von unterschiedlicher Größe, so sehr verjüngte sich ihr Körper von den wuchtigen Hüften über die rundliche Taille bis zu dem kleinen, in ein Tuch gehüllten Kopf.

Die Ausnahme, die diese Regel weiblicher Betriebsamkeit bestätigte, war eine schwachsinnige Frau, die auf Zen zutrat, als er sich gerade seinem Ziel näherte, und ihn um Geld bat. Selbst nach sardischen Maßstäben war sie außergewöhnlich klein, fast zwergenhaft. Sie trug einen dunkelblauen Pullover und einen langen weiten Rock aus einem schweren marineblauen Stoff. Kopf und Füße waren unbedeckt und schmutzig, und sie humpelte auf eine derart aggressive Weise, dass Zen annahm, sie täusche das vor oder übertriebe zumindest aus geschäftlichen Gründen ihre Behinderung. Er hielt ihr 500 Lire hin, bevor ihm klar wurde, dass Herr Reto Gurtner aus einem Land kam, das stolz darauf war, für alle seine Bürger gut zu sorgen, und deshalb Betteln prinzipiell verurteilen würde. Glücklicherweise war die Frau eindeutig zu verstört, um solche Feinheiten wahrnehmen zu können. Zen zwang ihr das Geld förmlich in die Hand, während sie ihn gebannt anstarrte wie jemand, der einen Fremden versehentlich für einen alten Bekannten gehalten hat. Er wandte sich zu der Eingangstür um, neben der ein großes Plastikschild prangte mit der Aufschrift: »Dott. Angelo Confalone – Rechtsanwalt – Notar – Immobilienmakler – Bilanzbuchhalter – Versicherungsagent – Steuer- und Vermögensberater.« Außerdem ziehen wir Zähne und erstellen Horoskope, dachte Zen, als er die Stufen zum zweiten Stock hinaufstieg.

Angelo Confalone war ein eleganter junger Mann, der Herrn Gurtner, in spürbarem Gegensatz zu den eisigen Mienen und feindlichen Blicken, die man ihm bisher beschert hatte, überaus herzlich begrüßte. Es sei ihm ein Vergnügen, gab er zu verstehen, mit jemandem zu tun zu haben, der so distinguiert und weltoffen sei, so ganz anders als seine übliche Klientel. Er selbst stammte, wie sich schnell herausstellte, nicht aus Sardinien, sondern aus Genua, aber seine Schwester hatte jemanden aus der Gegend geheiratet, und der habe ihn darauf hingewiesen, dass es im Ort einen freien Posten gäbe. Aber das sei eine lange Geschichte, und er wolle Herrn Gurtner nicht damit langweilen, aber um es kurz zu machen, irgendwo müsse man schließlich anfangen.

Zen nickte zustimmend. »Bei uns gibt es eine Redensart.

Egal wie hoch der Berg ist, man muss ihn von unten ersteigen.«

Der Anwalt lachte mit lebhafter Unaufrichtigkeit und machte Herrn Gurtner ein Kompliment wegen seines Italienischs.

»Doch könnten wir nun bitte zum Geschäftlichen kommen«, sagte Zen. »Soweit ich weiß, haben Sie etwas für mich.«

»In der Tat.«

In der Tat! Als Reto Gurtner ihn am Vortag anrief und ihm eröffnete, dass er ein geeignetes Feriendomizil für einen Klienten in der Schweiz suche, konnte Angelo Confalone sein Glück kaum fassen. Denn von dem Moment an, als Oscar Burolos Sohn ihm den Auftrag erteilte, das unglückselige sardische Refugium seines Vaters zum Verkauf anzubieten, hatte Confalone sich ständig gefragt, welcher halbwegs normale Mensch um alles in der Welt die Villa Burolo würde kaufen wollen, nachdem die Gräuel, die sich dort ereignet hatten, so reißerisch in der Öffentlichkeit breitgetreten worden waren. Aus diesem Grund hatte Enzo Burolo angeboten, die Provision zu verdoppeln, um das Anwesen so schnell wie möglich loszuwerden, doch Confalone sah trotzdem keine Möglichkeit, wie er diese durchaus erstrebenswerte Belohnung für sich an Land ziehen könnte. Also war er zu dem Schluss gekommen: Falls nicht zufällig irgendein reicher Ausländer daherkommt, vertue ich bloß meine Zeit.

Und siehe da, nur wenige Wochen später rief Reto Gurtner an. Er sagte, er habe sich bereits mehrere Objekte im Norden der Insel angesehen, doch sein Klient hätte ihn eigens darum gebeten, sich auch an der Ostküste umzuschauen, wo er vor einigen Jahren Urlaub gemacht habe und an deren überwältigende, wilde Schönheit er sich gern erinnere. Ob Dottor Confalone zufällig von einem geeigneten Objekt gehört hätte, das zum Verkauf …

Jeder, der auch nur einen der vielen Titel hatte, die auf Angelo Confalones Geschäftstafel standen, hätte eigentlich gewitzt genug sein sollen, angesichts dieses glücklichen Zufalls aufzuhorchen. Doch unser junger Anwalt war zu sehr damit beschäftigt, seinen Anteil am Verkauf des Anwesens zu errechnen, das jetzt natürlich in einer völlig anderen Preisklasse lag als der dahinvegetierende Bauernhof, dessen ursprünglichen Verkauf an Oscar Burolo er ebenfalls vermittelt hatte.

Mit sich und der Welt zufrieden, betrachtete Confalone seinen Gast. »Wie Ihnen zweifellos bewusst ist, Herr Gurtner, sind Objekte, die den Anforderungen Ihres Klienten vom Standard her entsprechen, in dieser Gegend dünn gesät. Und bis so etwas zum Verkauf angeboten wird, muss man normalerweise jahrelang warten. Doch wie es der Zufall will, bin ich in der Lage, Ihnen eine Villa anzubieten, die gerade erst verfügbar geworden ist und die ich mit gutem Gewissen und ohne Übertreibung als das erlesenste Objekt dieser Art beschreiben kann, das es auf der Insel gibt, die Gosta Smeralda eingeschlossen.«

In diesem Sinne fuhr er noch eine Weile fort und ließ sich über die fantasievolle Art aus, wie man das einstige Bauernhaus modernisiert und erweitert hatte, ohne seine einzigartige, bescheidene Herkunft zu verleugnen. »Der vorige Besitzer war ein Mann von Weitblick und Wagemut, der seine unbegrenzten Mittel und seine Erfahrung im Baugewerbe in dieses Objekt …«

»Er verwirklichte einen Traum?«, soufflierte Zen.

Confalone nickte energisch. »Ganz genau. Das hätte ich selbst nicht besser ausdrücken können. Er verwirklichte einen Traum.«

»Und warum verkauft er ihn jetzt, seinen Traum?«

Die Lebhaftigkeit des Anwalts schlug um. »Aus familiären Gründen«, murmelte er. »Da ist jemand … gestorben. In der Familie.«

Mit einer gewissen Beklommenheit wartete er auf Herrn

Gurtners Antwort. Für die Summe, die die Burolos boten, war Confalone durchaus bereit, die Wahrheit ein wenig zu verschleiern. Aber Geld war nicht alles. Er musste auch an seine Karriere denken, und deshalb konnte er es sich nicht erlauben zu lügen.

Doch Reto Gurtner schien zufrieden zu sein. »Ich würde dieses überaus interessante Objekt gern sofort sehen«, erklärte er und stand auf.

Man konnte Confalones Stimme seine Erleichterung anhören. »Gewiss, selbstverständlich! Es wäre mir eine Ehre, Sie persönlich zu begleiten und …«

»Vielen Dank, das ist nicht nötig. Da ist doch bestimmt ein Hausmeister. Wenn Sie nur so freundlich wären, dort anzurufen und den Leuten zu sagen, dass ich komme, dann würde ich mich lieber selbst umschauen. Wissen Sie, wir Schweizer sind nämlich sehr gründlich. Ich möchte Ihre Geduld nicht auf die Probe stellen!«

Nachdem er noch weiter höflich insistiert hatte, gab Angelo Confalone charmant nach. Die doppelte Provision und keine Zeit für die Honneurs verschwendet! Er konnte sein Glück kaum fassen.

Zen verließ die Anwaltskanzlei begleitet von einem Hupkonzert, da die Straße von einem Lkw blockiert wurde, der das Lebensmittelgeschäft nebenan mit Milchprodukten belieferte. Er schlüpfte durch den schmalen Spalt zwischen Lkw und Mauer und setzte seinen Weg über die rissigen Betonplatten fort, mit denen die Straße gepflastert war, sehr zufrieden damit, wie die Dinge liefen. In Rom war ihm die Idee, seine offizielle Mission durch ein wenig Eigeninitiative zu forcieren, bestenfalls als verzweifelter Versuch erschienen, auch die letzte Möglichkeit auszuschöpfen, ungünstigstenfalls als tollkühner Plan, der ohne Weiteres zur Katastrophe und nachfolgender Demütigung führen könnte. Doch hier auf der Insel erschien ihm Rom selbst ganz unbedeutend, eine Stadt, so weit entfernt und fremd wie Marseille oder Madrid. Einzig und allein hier konnte er hoffen, eine Lösung seines Problems zu finden.

Nicht dass er erwartete, den Fall Burolo zu »knacken«. Denn da gab es eigentlich überhaupt nichts zu knacken. Das Beweismaterial gegen Renato Favelloni war überwältigend. Die einzige Frage war, ob er die Tat selbst begangen oder einen Profi angeheuert hatte. Der Schlüssel zu der ganzen Geschichte lag in den Videobändern und Computerdisketten, die in dem unterirdischen Gewölbe in Oscar Burolos Villa aufbewahrt wurden. Hier hatte Burolo in elektronischer Form alle Informationen gespeichert, die den unaufhaltsamen Aufstieg des Bauunternehmers bis ins kleinste Detail dokumentierten. Nach dem Blutbad war das Material von den Behörden beschlagnahmt worden, doch als die Mitarbeiter des Untersuchungsrichters es überprüften, stellten sie fest, dass die Computerdaten unwiederbringlich zerstört waren, vermutlich durch Kontakt mit einem starken Magnetfeld.

Daraufhin verbreitete sich das hartnäckige Gerücht, dass die Disketten vollkommen in Ordnung gewesen seien, als sie von den Carabinieri beschlagnahmt wurden. Es verstärkte sich noch, als ungefähr einen Monat später ein führendes Nachrichtenmagazin eine angebliche Transkription eines Teils von Burolos Dokumentation veröffentlichte. Dieses Material betraf einen Vertrag, der 1979 über den Bau eines neuen Gefängnisses in der Nähe von Latina abgeschlossen worden war, eine Schöpfung der faschistischen Ära an der Küste von Latium, im Volksmund »Latrina« genannt. Burolo Costruzioni hatte die geschätzten Kosten für das Projekt um 60 Prozent unterboten. Folglich wurde das Angebot angenommen, obwohl der beigefügte Plan an einigen Stellen nur vage und an anderen äußerst ungenau war.

Sobald man mit den Arbeiten begonnen hatte, stellte sich heraus, dass das Gelände sumpfig und für die vorgesehene

Bauweise vollkommen ungeeignet war. Burolo Costruzioni beantragte auf der Stelle beim Bauministerium eine erste Änderung des Finanzplans, der noch viele folgen sollten, wodurch die Kosten für das Gefängnis von den ursprünglich vorgesehenen vier Milliarden Lire schließlich auf 36 Milliarden anstiegen. So viel war allgemein bekannt. Darüber hinaus machte der Artikel deutlich, wie das Ganze bewerkstelligt worden war.

Obwohl der Artikel den Politiker, um den es in Burolos elektronischen Aufzeichnungen ging, nicht namentlich als »l'Onorevole« benannte, ließ er beim Leser jedoch kaum Zweifel darüber aufkommen, dass es sich um eine führende Persönlichkeit einer der kleineren Parteien in der Regierungskoalition handelte, die zu dem Zeitpunkt, als der Gefängnisvertrag abgeschlossen wurde, Bauminister war. Laut seinen Aufzeichnungen hatte Oscar Burolo Renato Favelloni 350 Millionen Lire dafür bezahlt, dass Burolo Costruzioni den Zuschlag bekommen würde. Dazu hatte Oscar einen Kommentar gesetzt, den einige Leute typisch für seine süffisante Art fanden, dass nämlich diese Zuwendung die übliche Rate überschritt, die sich offenbar zwischen 6 und 8 Prozent des vertraglich festgelegten Honorars bewegte. In den Aufzeichnungen waren auch die Daten und Orte aufgeführt, an denen Oscar sich mit Favelloni in Verbindung gesetzt, außerdem ein Termin, wo er l'Onorevole selbst getroffen hatte.

Kaum war der Artikel erschienen, wurden die verantwortlichen Journalisten in Nuoro vor Gericht geladen und aufgefordert offenzulegen, woher ihre Informationen stammten. Als sie sich weigerten, steckte man sie prompt wegen Aussageverweigerung ins Gefängnis. Aber damit war die Sache noch nicht beendet, denn in der nächsten Ausgabe brachte das Magazin ein Interview mit Oscars Sohn. Enzo Burolo bestätigte nicht nur die in dem ersten Artikel gemachten Behauptungen, sondern fügte noch neue und gravierendere Vorwürfe hinzu. So erklärte er unter anderem, dass sein Vater ein halbes Jahr vor seiner Ermordung 70 Millionen Lire gezahlt hätte, um den Auftrag für ein neues Elektrizitätswerk der ENEL, des staatlichen Stromlieferanten, zu bekommen. Doch trotz dieses exorbitanten Schmiergelds ging Burolo Costruzioni leer aus.

Laut Enzo war Oscar Burolo derart aufgebracht, dass er schwor, nie wieder Bestechungsgelder zu zahlen. Und von da an ging es mit seiner Firma rapide bergab. In einem verzweifelten Versuch, diesen Kreislauf zu durchbrechen, hatte sich Oscar mit anderen Bauunternehmern zu einem Ring zusammengeschlossen, der sich um Aufträge zu realistischen Preisen bemühte, doch jedes Mal wurde ihr Angebot aus technischen Gründen für ungültig erklärt und der Auftrag an ein Unternehmen außerhalb des Rings vergeben.

Burolo Costruzioni befand sich bald am Rande des Konkurses, doch als Oscar sich bei den Banken um einen Kredit bemühte, musste er feststellen, dass er nicht mehr zu den bevorzugten Kunden zählte. Seine Briefe wurden verlegt, man rief ihn nicht zurück, und die Leute, die er mit Geschenken und Gefälligkeiten überhäuft hatte, waren ständig unerreichbar. Voller Zorn und Verzweiflung spielte Oscar seinen letzten Trumpf aus und setzte sich mit Renato Favelloni in Verbindung, um den Schutz von l'Onorevole selbst zu fordern. Falls der nicht gewährt würde, drohte er Favelloni, würde er das volle Ausmaß ihrer Zusammenarbeit enthüllen, unter anderem durch einen detaillierten Bericht über die bei der Gefängnisgeschichte in Latina gezahlten Bestechungsgelder sowie ein Videoband, das Favelloni selbst zeige, wie er in einem unbedachten Moment über seine Beziehung zu diversen mächtigen Männern, einschließlich l'Onorevole, spräche. Die Verhandlungen zogen sich den ganzen Sommer über hin, doch laut Enzo war das eine reine Verzögerungstaktik, die die Feinde seines Vaters benutzt hätten, um ihre definitive Antwort vorzubereiten, die dann ja auch an jenem verhängnisvollen Augusttag nach allen Regeln der Kunst erteilt wurde, nur ein paar Stunden nachdem Renato Favelloni die Villa verlassen hatte.

Von diesem Augenblick an entwickelte der Fall Favelloni eine unwiderstehliche Eigendynamik. Zwar gab es immer noch Leute, die Zweifel anmeldeten. Sie gaben beispielsweise zu bedenken, wenn die Zerstörung von Burolos Dokumentation ebenso entscheidend für das Gelingen der Verschwörung gewesen sei, wie der Mord an Oscar selbst, wie habe dann das Magazin an eine intakte Kopie einer der belastendsten Disketten kommen können? Und noch stichhaltiger, warum hatte der Mörder eine so laute Waffe wie die Schrotflinte benutzt, wenn er Zeit brauchte, um die Aufzeichnungen zu zerstören und außerdem seine Flucht zu bewerkstelligen? Doch diese Fragen wurden schon bald beantwortet. Die Informationen des Magazins stammten angeblich nicht von der Originaldiskette, sondern von einer Kopie, die Burolo raffinierterweise anderswo deponiert hatte, damit sie im Falle seines Todes publik gemacht werden könnte. Was den Lärmfaktor betraf, so gab es keinerlei Beweise, dass die Disketten und Videos nicht bereits vor den Schüssen gelöscht wurden. Das auf der Videoaufnahme zu hörende metallische Geräusch schien diese Annahme sogar zu bestärken. Was die Waffe anging, so war die vermutlich absichtlich gewählt worden, um das Verbrechen als zufällige Gewalttat erscheinen zu lassen. Kurz gesagt, derartige Einwände schienen lediglich haarspalterische Versuche zu sein, die Beweislast gegen Favelloni und seine Herren im Palazzo Sisti zu schwächen, die mittlerweile überwältigend war.

Zum Glück tangierte der eigentliche Fall Zen nur am Rande. Realistischerweise konnte er wohl kaum damit rechnen, Favelloni aus der Patsche zu helfen. Sein Ziel bestand schlicht und ergreifend darin zu vermeiden, sich mächtige und gefährliche Feinde im Palazzo Sisti zu machen, und das würde ihm am ehesten gelingen, wenn er sich ein Beispiel an Vincenzo Fabri nahm. Mit anderen Worten, es musste so aussehen, als ob er auf alle möglichen krummen Touren versucht hätte, Padedda etwas anzuhängen, aber es hatte einfach nicht geklappt. Das war nicht so leicht, wie es sich anhörte. Er musste sehr behutsam vorgehen, wenn er vermeiden wollte, einen Unschuldigen ins Gefängnis zu schicken, und dennoch Palazzo Sisti davon überzeugen wollte, dass er kein illoyaler Mitarbeiter war, den man unbarmherzig abservieren konnte, sondern wie Fabri ein wohlmeinender Sympathisant, der leider den Anforderungen nicht gewachsen war. In Rom waren ihm seine Erfolgsaussichten äußerst ungewiss erschienen, doch allmählich glaubte er, dass er es schaffen könnte. Das Blatt hatte sich mit der Festnahme von Giuliano Acciari gewendet und auch – warum sollte er es sich nicht eingestehen – mit dem Mittagessen mit Tania und der Umarmung, in der es seinen Abschluss gefunden hatte. Fatalistisch, wie er war, hatte Zen aus bitterer Erfahrung gelernt, dass es keinen Sinn hatte, etwas zu erzwingen, wenn die Dinge nicht so liefen, wie man wollte. Doch jetzt, wo sich alles in seinem Sinne entwickelte, wäre es ebenso dumm, die Situation nicht auszunutzen.

Er schlenderte die Straße entlang und warf einen Blick auf die Schaufenster und in die dunklen Gassen, die zu beiden Seiten abgingen, und betrachtete die Gesichtszüge und Gesten der Leute, die ihm über den Weg liefen.

Dann sah er etwas – oder glaubte es zu sehen –, was all seine zuversichtlichen Überlegungen in sich zusammenfallen ließ. In einer links von der Hauptstraße abzweigenden Sackgasse, in der mit Müll gefüllte Plastiksäcke, ein paar Ölfässer und etwas Bauschutt herumlagen, stand eine Gestalt, die etwas in der Hand hielt, das wie eine Pistole aussah.

Einen Augenblick später war sie verschwunden, und Zen fragte sich, ob sie tatsächlich da gewesen war. Sei doch nicht albern, sagte er zu sich selbst, als er in die Gasse hineinging, wild entschlossen, dieses Trugbild, das seine überreizte Fantasie erzeugt hatte, zu vertreiben. Der Mann, der in seine Wohnung in Rom eingebrochen war, saß sicher in Haft, und selbst wenn Spadola seine Vendetta persönlich aufgenommen hatte, wie hätte er sein Opfer so schnell aufstöbern können? Zen hatte gute Gründe gehabt, äußerst vorsichtig zu sein, als er den Mercedes abholte und damit nach Civitavecchia fuhr. Er hatte dabei allerdings weniger an Spadola als an die Leute aus dem Palazzo Sisti gedacht. Doch es war ihm niemand gefolgt, da war er ganz sicher.

Die Gasse verengte sich zu einem Spalt zwischen den Gebäuden, kaum breit genug, um jemanden durchzulassen. Nachdem sich seine Augen an die Dunkelheit gewöhnt hatten, sah Zen, dass sie noch ein Stück steil abfiel und dann scharf nach links abbog, wo sie wahrscheinlich in eine andere Straße mündete. Es gab keinerlei Anzeichen, dass gerade jemand hier gewesen war.

Als er hinter sich Schritte hörte, die ihm den Fluchtweg abschnitten, wirbelte er herum. Einen Augenblick lang schien sich alles spiegelbildlich zu wiederholen: Erneut sah er sich einer Gestalt gegenüber, die eine Pistole hielt. Doch diesmal handelte es sich um eine kurze Maschinenpistole. Außerdem trug der Mann einen Kampfanzug, und es bestand kein Zweifel, dass das, was er da erlebte, Realität war. Am Ende der Gasse stand ein blauer Jeep mit der Aufschrift »Carabinieri«.

»Papiere!«, bellte der Mann.

Zen griff automatisch nach seiner Brieftasche. Dann ließ er die Hand wieder sinken. »Die hat man mir im Hotel abgenommen«, erklärte er, wobei er seinen nördlichen Akzent leicht betonte.

Der Carabiniere musterte ihn von oben bis unten. »Hier gehts aber nicht zum Hotel.«

»Ich weiß. Ich war einfach neugierig. Wissen Sie, ich komme nämlich aus der Schweiz. Bei uns sind die Städte viel nüchterner angelegt, ohne diese interessanten und malerischen Winkel.«

Du übertreibst, sagte er zu sich selbst. Doch der Carabiniere schien sich ein wenig zu beruhigen. »Tourist?«, stellte er nickend fest.

Zen spulte seine einstudierte Geschichte ab, wobei er sich bemühte, den Namen Angelo Confalone mehrmals zu erwähnen. Der Gesichtsausdruck des Carabiniere veränderte sich allmählich, und er betrachtete Zen nicht länger argwöhnisch, sondern ein wenig herablassend und gönnerhaft. Schließlich begleitete er ihn zur Straße zurück.

»Trotzdem«, sagte er, als sie bei dem Jeep ankamen, »wäre es vielleicht besser, das hier nicht zu gründlich zu erkunden. Letztes Frühjahr gab es einen Fall, da hat man ein deutsches Touristenpaar mit einer Kugel im Kopf in einem Campingbus gefunden. Sie waren bestimmt auf etwas gestoßen, was sie nicht sehen sollten. Das kann hier in dieser Gegend jedem passieren. Man braucht nur zur falschen Zeit am falschen Ort zu sein.«

Der Jeep donnerte davon.

Ich hatte geglaubt, dass sich mit ihrem Tod alles ändern würde, aber nichts änderte sich, Nacht für Nacht kehrte ich zurück, als ob beim nächsten Mal die Strafe aufgehoben würde, der Traum zerbrechen könnte. Umsonst. Selbst hier, wo die Dunkelheit vollkommen ist, wusste ich, dass ich nur auf Abruf da war. Daran würde sich nie etwas ändern. Ich war vertrieben, für immer in die Welt des Lichts verbannt, das trennt und alles durchdringt, und uns die schmerzlichen Entfernungen schonungslos vor Augen führt.

Vielleicht hatte ich noch nicht genug getan, überlegte ich. Vielleicht war ein weiteres Opfer erforderlich, ein weiterer Tod. Aber wessen? Ich verlor mich in müßigen Spekulationen. Es gibt eine Macht, die uns bestraft, so viel schien klar. Ihr

Einfluss reicht überallhin, durchdringend und geheimnisvoll. Doch kann man auch auf sie Einfluss nehmen? Da wir bestraft werden, müssen wir Unrecht getan haben. Kann dieses Unrecht getilgt werden? Und so weiter, endlos, immer im Kreis, wurde mir ganz schwindlig bei der Suche nach einer durchlässigen Stelle in den Wänden, die mich einschlossen, die mich ausschlossen.

Ein guter Schlächter besudelt das Fleisch nicht, pflegte mein Vater zu sagen, obwohl alles andere besudelt wurde, Kleider, Haut und Gesicht, wenn er das Tier zu Boden rang und ihm keuchend das lange Messer in die Kehle rammte, von Kopf bis Fuß in Blut getränkt, während das Schwein noch zuckte. Doch wenn er es aufhängte und die Haut abzog, war das Fleisch makellos. Genau das musste ich sein, dachte ich. Ein guter Schlächter, ruhig, geduldig und gleichgültig. Was mir fehlte, war das auserwählte Opfer.

Dann kam der Polizist.

Samstag, 20.10–22.25

Gegen acht Uhr abends befand sich Herr Reto Gurtner in einer philosophischen Stimmung. Aurelio Zen dagegen war betrunken und einsam.

Die Nacht lag schwer und dicht über dem Ort, und gelegentlich grollte ein Donner. In der Bar drängten sich Männer jeden Alters. Sie erzählten, rauchten, tranken und spielten Karten. Abgesehen von einzelnen verstohlenen Blicken, ignorierten sie den Fremden, der ziemlich weit hinten im Raum an einem Tisch saß. Doch seine Anwesenheit störte sie, das war keine Frage. Es wäre ihnen viel lieber, wenn er nicht da gewesen wäre. In früheren, raueren Zeiten hätten sie ihn einfach aus dem Lokal geworfen und aus dem Ort gejagt. Da das nicht mehr möglich war, überlegte der philosophische Gurtner, schlossen sie sich gegen ihn zusammen, zwangen ihn durch ihre Willenskraft zur Nicht-Existenz und ekelten ihn hinaus.

Trotz der offenkundigen Unterschiede in Alter, Bildung und Einkommen waren die Männer hier sehr ähnlich angezogen und trugen robuste, triste und praktische Kleidung. In Rom achtete man heutzutage zuallererst auf die Klamotten, nicht auf die serienmäßig produzierten Gestalten, deren einziger Zweck darin zu bestehen schien, das, was sie am Körper trugen, so vorteilhaft wie möglich zur Schau zu stellen. Doch hier, in dieser schmuddeligen, sardischen Dorfkneipe, kam es noch immer auf die Leute an. Wir haben das Kind mit dem Bad ausgeschüttet, überlegte der philosophische Gurtner. Indem wir Armut und Vorurteil ausrotten, rotten wir auch etwas aus, das genauso selten ist wie jene bedrohten Arten, um die die Umweltschützer so viel Aufhebens machen, und ebenso unmöglich zu ersetzen, wenn es erst einmal ausgestorben ist.

Blödsinn, rief Aurelio Zen ärgerlich und goss sich ein weiteres Glas Vernaccia aus der Karaffe ein, die er bestellt hatte. Die geladene Atmosphäre, seine unangenehme Aufgabe, das Gefühl, vollkommen isoliert zu sein, und die Tatsache, dass er Tania sehr vermisste, das alles zusammen versetzte ihn in eine verdrießliche und irrationale Stimmung. Und dieser snobistische und herablassende Zürcher gab ihm noch den Rest. Was bildete der sich eigentlich ein, hierherzukommen und sich darüber auszulassen, dass Armut etwas Romantisches und Wertvolles wäre? Nur ein Staat, der auf so krasse und süffisante Weise materialistisch ist wie die Schweiz, konnte es sich erlaubten, derart in Sentimentalitäten zu schwelgen.

Er stürzte den gelbbraunen Wein, der sich wie Weinbrand im Glas bewegte, hinunter. Er schmeckte immer besser. Noch einmal erwog er, Tania anzurufen, und verwarf diese Idee wieder. Je häufiger er sich liebevoll an alles erinnerte, was an jenem Mittag passiert war, umso unwahrscheinlicher kam es ihm vor. Er hatte sich das Leuchten in ihren Augen und die Begeisterung in ihrer Stimme ganz bestimmt nur eingebildet. Die Tatsachen an sich waren ja wohl unbestritten, es kam allein darauf an, wie man sie interpretierte. Das galt auch für den Fall Burolo. Das galt eigentlich für alles.

Zen starrte konzentriert auf die Tischplatte, die auf faszinierende Weise immer wieder verschwamm und wieder klar wurde. Einen Augenblick lang schien ihm die ganze Wahrheit blitzartig aufzugehen, eine ganzheitliche Theorie der menschlichen Existenz, eine einfache Grundformel, die alles erklärte.

Der Wein ist sehr stark, erklärte Reto Gurtner mit seinem leicht pedantischen Akzent. Du hast eine ganze Menge davon auf leeren Magen getrunken. Er ist dir zu Kopf gestiegen. Du musst jetzt sehen, dass du was zu essen kriegst.

Nun, das war leicht gesagt! Hatte er denn nicht schon die ganze Zeit auf ein Zeichen aus dem Restaurantbereich gewartet? Jetzt war es schon fast Viertel nach acht und das Licht noch immer gedämpft und der Vorhang zugezogen. Wann um Himmels willen aß man hier?

Schon wieder grollte der Donner in der Ferne und erinnerte Zen an den Düsenjäger, der ihn bei der Villa erschreckt hatte. Zu dem Zeitpunkt hatte es noch kein Anzeichen von Gewitter gegeben. Ganz im Gegenteil, der Himmel war vollkommen wolkenlos, ein perfektes, blassblaues Gewölbe, von dem die Wintersonne mild erstrahlte, wie ein im Alter sanft gewordener Tyrann. Der Weg zur Villa führte über dieselbe Straße, auf der er hergekommen war, doch in dieser Richtung sah sie ganz anders aus. Statt einer einschüchternden Gebirgswand, die den Blick versperrte, fiel die Landschaft in sanftem Bogen mit kleinen Hügeln und Felsvorsprüngen bis zum Meer ab, ein schimmerndes Panorama, das sich ins Ungewisse erstreckte wie eine Reihe von Punkten nach einem unvollständigen Satz. Die vorherrschenden Farben waren ein rötliches Ocker und Olivgrün, die wie die Zutaten einer Sauce miteinander vermischt waren, doch ihre Eigenart beibehielten und gleichzeitig etwas Neues schufen. In dieser weiten Landschaft gab es so gut wie keine Anzeichen menschlicher Gegenwart bis auf ein paar ferne Rauchwolken von der Papiermühle in der Nähe des Hafens, wo er heute Morgen an Land gegangen war. Das Einzige, was das Auge beleidigte, war ein großer grüner Fleck weiter links am Rande des Gebirgszugs. Sein fast neonartiger Farbton erinnerte Zen an die kitschigen Postkarten in seiner Jugend. Wahrscheinlich war es ein Wald, doch wie konnte ein Wald, der in diesem kargen Boden gedieh, auf eine so wahnwitzige Art leuchten?

Die Straße schlängelte sich in Kurven zur Hauptstraße hinunter, die über die Berge in die Provinzhauptstadt Nuoro führte, wo Renato Favelloni zurzeit in Polizeigewahrsam schmachtete. Der unbefestigte Weg auf der anderen Seite endete laut Karte ein kurzes Stück weiter an einer abgelegenen Station der schmalspurigen Eisenbahnlinie. Zen bog nach rechts ab und nahm dann einige Kilometer weiter die Abzweigung nach links in eine dringend reparaturbedürftige Straße, die zunächst in sanften Wellen durch das Tal lief, bis sie die Eisenbahngleise überquerte, auf der anderen Seite anstieg und in die Küstenstraße mündete.

Ein gutes Stück vor dieser Kreuzung kam ein hoher Maschendrahtzaun aus der Gebirgskette zur Linken herunter und säumte die Straße. In regelmäßigen Abständen warnten große Schilder: »Privatgrundstücke – Betreten verboten – Zaun elektrisch geladen – Achtung frei laufende Löwen«. Die Landschaft war kahl und vom Wind zerzaust, ein trostloses Chaos aus Felsen, Büschen und verkümmerten Bäumen. Nach einer Weile ging eine asphaltierte Auffahrt links von der Straße ab, die zu einem massiven, in den Maschendrahtzaun eingesetzten Stahltor führte.

Noch bevor der Mercedes richtig zum Stehen gekommen war, begann sich das Tor langsam zu öffnen. Zen trat aufs Gaspedal und würgte den Wagen, der noch im dritten Gang war, prompt ab. Nachdem es ihm beim dritten Versuch schließlich gelungen war, den Motor wieder anzulassen, fuhr er durch die offene Sperre, wurde aber sogleich wieder von einem zweiten Tor gestoppt, das genauso aussah wie das erste, das sich inzwischen hinter ihm geschlossen hatte, sodass das Auto nun zwischen dem Maschendraht und einem parallel verlaufenden Zaun aus messerscharfem Stacheldraht eingesperrt war. Auf den inneren Türpfosten montierte ferngesteuerte Kameras tasteten mit unpersönlicher Neugierde den Mercedes ab. Nach ungefähr dreißig Sekunden schwang das innere Tor leise auf und gewährte Zen Einlass in den Landsitz des verstorbenen Oscar Burolo.

Der schmale Asphaltstreifen wand sich träge den Hügel hinauf. Nach ungefähr 50 Metern erspähte Zen eine Reihe kurzer Metallpfosten, die in unregelmäßigen Abständen in die Landschaft eingepasst worden waren und die dritte und ausgeklügeltste Sicherheitsvorrichtung der Villa markierten: einen Phasen suchenden Mikrowellenzaun, unsichtbar, nicht greifbar und unmöglich unbemerkt zu überwinden. Innerhalb dieser dreifach gesicherten Umzäunung wurde das gesamte Grundstück außerdem durch wärmeempfindliche Infrarot-Detektoren, ein Fernsehsystem mit Bewegungsmelder, sowie durch Mikrowellen-Radar überwacht. Alle Experten waren sich einig gewesen, dass die Sicherheitsvorkehrungen der Villa Burolo eigentlich übertrieben waren. Trotzdem hatten sie nicht ausgereicht.

Oscars Privatstraße ging stetig bergan und zwängte sich gewaltsam durch uralte Abschnitte von Bruchsteingemäuer, das kaum von den immer wieder aus der Erde hervorragenden Felsblöcken zu unterscheiden war, Brocken in allen Größen, die herumlagen wie zur Ernte bereite Früchte. Doch in Wirklichkeit wuchs hier nichts bis auf ein paar niedrige Wacholderbüsche, Liguster, Lorbeer, Heidekraut, Rosmarin und Stechginster, lauter stachliges Gestrüpp, so hart und widerstandsfähig wie die Felsbrocken selbst.

Schließlich wurde das Gelände für ein kurzes Stück flach und fiel dann jäh ab in eine Senke, in der – vor den bitterkalten Nordwinden geschützt – das Haus lag. Von dieser Seite aus schien die Villa Burolo eine vollkommen moderne Schöpfung zu sein. Süd- und Ostseite des ursprünglichen Bauernhauses wurden durch neu angebaute Flügel verdeckt, die Gästesuiten, Koch- und Spülküche, Wäscheraum, Garage und Bedienstetenwohnung beherbergten. Rechts davon befanden sich auf einem steinbruchartigen, aus dem Hang herausgebrochenen Areal der Hubschrauberlandeplatz und ein Stahlmast, auf dem das Funkfeuer für nächtliche Landungen und die Antennen für Oscars aufwendige Funksprechausrüstung untergebracht waren.

Zen stellte den Mercedes ab und ging zum Haupteingang hinüber, der von einem leicht maurisch aussehenden, spitzen Bogen gekrönt wurde. Weder Klingel noch Türklopfer waren zu sehen, und als sich die Tür beim Näherkommen öffnete und der Hausmeister erschien, wurde Zen klar, dass es absurd gewesen war, dergleichen zu erwarten. In der Villa Burolo kam niemand überraschend zu Besuch, wo doch vom Eingangstor bis zur Haustür jede Bewegung von vier unabhängigen elektronischen Überwachungssystemen aufgezeichnet wurde.

Zen brauchte nur einen Blick auf Alfonso Bini zu werfen, und er wusste, weshalb der Hausmeister praktisch von Anfang an als Verdächtiger ausgeschlossen worden war. Bini gehörte zu den Leuten, die dermaßen in ihrer Dienerrolle aufgingen, dass man sich kaum vorstellen konnte, dass er in der Lage wäre, sich die Schnürsenkel zuzubinden, ohne dass man ihn dazu anwies. Er begrüßte den distinguierten Besucher aus dem Ausland zurückhaltend und korrekt. Ja, Dottor Confalone hatte ihm die Situation erklärt. Ja, er würde Signor Gurtner gerne herumführen.

Zweifellos auf Confalones Anweisung hin begann die Führung mit dem neuen Flügel, um auf keinen Fall die Vorstellung aufkommen zu lassen, das Anwesen sei irgendwie primitiv oder rustikal. Zen ließ sich geduldig sämtliche Errungenschaften modernen Komforts zeigen, angefangen von En-suite-Whirlpools über eine vollständig eingerichtete Turnhalle bis zu einer Küche, die einem Drei-Sterne-Hotel alle Ehre gemacht hätte. Im Wäscheraum faltete eine verängstigt aussehende Frau Handtücher. Zen nahm an, dass sie die Hausmeistersfrau war, auch wenn Bini sie ignorierte, als ob sie nur eins von den Geräten wäre, die in peinlichster Ordnung an den Wänden aufgereiht waren. Für Zen war das einzig Interessante ein kleiner Raum, der mit Monitoren und unzähligen Schaltern vollgepackt war. »Für die Sicherheit?«, fragte er.

Bini nickte und wies auf eine Reihe roter Schalter neben der Tür hin, die mit den Bezeichnungen der verschiedenen Alarmsysteme beschriftet waren. Angeschaltet waren jedoch nur die Feldsensoren der inneren Umzäunung und der Mikrowellenradar.

»Es muss also die ganze Zeit jemand hier sein?«, fragte Zen.

Bini verneinte das mit einem missbilligenden Ton. »Nur wenn man die Bildschirme überprüfen will. Wenn eines der Systeme irgendetwas Ungewöhnliches wahrnimmt, wird Alarm ausgelöst.«

Er drückte einen Schalter mit der Aufschrift »Test«. Von überall her ertönte ein schrilles elektronisches Kreischen.

»Sehr eindrucksvoll«, murmelte Zen. »Da braucht sich mein Klient ganz bestimmt keine Sorgen zu machen, dass jemand einbrechen könnte.«

Der Hausmeister sagte kein Wort. Sein Gesicht war so angespannt, als ob es jeden Augenblick zu zerspringen drohte.

Nachdem die luxuriösen Errungenschaften der Villa abgehakt waren, wurde Zen durch den älteren Teil des Hauses geführt, damit er dessen ästhetischen Wert schätzen lernen sollte. Ein kurzer, durch die dicken Außenwände des ursprünglichen Bauernhauses gebrochener Durchgang führte sie in ein weiträumiges Wohnzimmer, das mit Ledersesseln, Hartholztischen mit Einlegearbeiten, Perserteppichen und Regalen voller Bücher mit altertümlichen Einbänden ausgestattet war. Der Kopf eines mürrisch dreinblickenden Wildschweins ragte von dem Gemäuer über dem riesigen offenen Kamin ins Zimmer, als ob das Tier durch die Wand gerast und dort stecken geblieben wäre.

Zen ging zu dem geschnitzten Waffenständer aus Rosenholz neben der Tür und begutachtete die ausgestellten Schrotflinten, unter anderem eine alte Beretta und eine sehr gut erhaltene Purdy. »Gehören die mit zum Inventar?«, fragte er.

Der Hausmeister zuckte die Achseln.

»Da scheint eine zu fehlen«, fuhr Zen fort und deutete auf das leere Fach.

Bini wandte sich demonstrativ zur Schiebetür, die auf die Terrasse hinausging.

»Was ist das?«, rief Zen hinter ihm her und zeigte auf eine Holzluke im Fußboden.

»Der Keller«, antwortete der Hausmeister tonlos.

»Und die nächste Tür?«

Bini tat so, als ob er nichts gehört hätte. Zen ließ ihn einfach stehen und ging durch die Tür ins Esszimmer der Villa. Im Wohnzimmer hatte man das originale Mauerwerk aus optischen Gründen roh belassen, doch hier war alles verputzt und weiß gestrichen worden. Zen sah sich in dem Raum um, der ihm durch das Video erschreckend vertraut war. Irgendwie fand er es schockierend, dass die Wände nicht bespritzt und blutverschmiert, sondern makellos sauber waren. Ein schlurfendes Geräusch von der Tür her erinnerte ihn an die Gegenwart des Hausmeisters.

»Frisch gestrichen?«, fragte Zen schnuppernd.

Für einen Augenblick erwachte in dem passiven Blick des alten Mannes etwas zum Leben. Angelo Confalone hatte ihn natürlich sorgfältig instruiert. »Kein Wort darüber, was passiert ist! Erwähne Burolos Namen nicht! Halt einfach den Mund, und mit ein bisschen Glück kannst du sogar deinen Job behalten.«

Bini hatte diese Anweisungen bisher, so gut er konnte, befolgt, doch allmählich wurde seine Anspannung unübersehbar.

»Schön sauber«, kommentierte Zen anerkennend.

Der Mund des Hausmeisters sprang zu einem gespenstischen Grinsen auf. »Meine Frau, die macht alles sauber, jeden Tag …«

Zen nickte. Er hatte gelesen, was im Ermittlungsbericht über das Ehepaar stand. Giuseppina Bini gehörte zu den älteren Frauen, die zu einer Zeit aufgewachsen waren, als Ärzte teuer und häufig auch noch unfähig waren, und die sich deshalb zwanghaft bemühten, Krankheit und Tod abzuwehren, indem sie Schmutz und Staub, die Überbringer tödlicher Krankheiten, aus jeder Ecke des Hauses verbannten. Aus diesem Grund galt es als nahezu sicher, dass die getrockneten Blutflecken, die man auf dem Fußboden des Esszimmers und auf der Kellertreppe gefunden hatte, von dem leicht verwundeten Mörder stammten. In diesem Fall, überlegte Zen, musste er die Disketten und Bänder *nach* der Tat zerstört haben, trotz des enormen Risikos, sich noch länger am Tatort aufzuhalten, nachdem der Alarm ausgelöst und die Polizei bereits unterwegs war. Das ergab einfach keinen Sinn, sagte er sich zum zigsten Mal. Wenn es darum ging, Burolo und seine Aufzeichnungen zu vernichten, hätte der Mörder ganz bestimmt entweder eine Waffe mit Schalldämpfer benutzt oder Bini und seine Frau ebenfalls ausgeschaltet, um genügend Zeit zu haben, Burolos Aufzeichnungen zu zerstören und zu fliehen. Und wenn die Disketten und Bänder erst gelöscht worden waren, nachdem die Carabinieri sie beschlagnahmt hatten – bei seinen Beziehungen hätte Palazzo Sisti das durchaus erreichen können –, warum war der Mörder dann überhaupt in den Keller gegangen und hatte die Regale verwüstet?

Es ergab wirklich überhaupt keinen Sinn, auch wenn Zen das quälende Gefühl nicht losließ, die Lösung unmittelbar vor seiner Nase zu haben, ganz simpel und völlig offenkundig. Doch das war ohnehin nicht sein eigentliches Problem. Bei seinem Besuch in der Villa ging es nicht darum, den Tatort zu besichtigen. Um jedoch den Schein zu wahren, bat er Bini, ihm den Keller zu zeigen, bevor sie nach draußen gingen. Zuvorkommend hob der Hausmeister einen Messingring hoch und öffnete die Bodenluke, unter der eine Reihe ausgetretener Stufen zum Vorschein kamen, die nach unten führten.

»Er ist nicht abgeschlossen?«, fragte Zen.

Bini betätigte einen Schalter an der Wand, worauf unten ein Neonlicht aufflackerte. »Hier gibt es keine Schlösser«, sagte er. »Wenn man seine Juwelen in einem Safe aufbewahrt, braucht man die Schmuckkassette nicht abzuschließen.«

Der Keller war weiträumig und erstreckte sich über die gesamte Breite des ursprünglichen Bauernhauses. Zen sog die Luft ein.

»Ganz nett frisch hier unten.«

Der Hausmeister deutete auf einen schmalen Spalt in Bodenhöhe. »Die Luft kommt von dort. Früher hat man hier Käse und Schinken zum Trocknen gelagert. Selbst im Sommer bleibt es kühl.«

Zen nickte. Die konstante Temperatur war zweifellos der Grund, weshalb Oscar diesen Raum als Archivgewölbe benutzt hatte. Doch nun erleuchteten die beiden Neonröhren leere weiß getünchte Wände und einen kahlen Steinfußboden. Nichts wies mehr darauf hin, dass sich hier einst das Nervenzentrum eines Unternehmens befunden hatte, dem es offenbar gelungen war, den Traum der Alchimisten zu erfüllen, Dreck in Gold umzuwandeln.

Dann kehrten sie ins Erdgeschoss zurück, und der Hausmeister führte Zen auf die Terrasse. »Der Swimmingpool«, verkündete er.

Die Ausgeburten wilder Torheit und exzessiver Launen sterben mit dem überdimensionalen Ego, das sie geschaffen hat, und ihre Überreste sind ein deprimierender Anblick. Selbst ohne Wasser und mit einer Plane abgedeckt, bleibt ein Swimmingpool immer noch ein Swimmingpool, doch bei dem von Oscar kreierten Strand gab es nur ein Entweder-Oder. Nachdem der Stöpsel gezogen und die Maschinen abgestellt waren, präsentierte sich das Ganze als das, was es in Wirklichkeit war, eine geschmacklose, protzige Scheußlichkeit. Der herbeigeschaffte Sand war schmutzig und verbraucht, zwischen den Felsen konnte man die Nahtstellen aus Zement erkennen, und die geheimnisvolle, azurblaue Tiefe erwies sich als blaue Farbschicht, mit der man die riesige Betongrube überzogen hatte, in der jetzt irgendein kleines Tier ertrunken in einer langsam versickernden Pfütze lag.

»Wir können das alles wieder in Gang setzen«, versicherte Bini seinem Gast. »Es steht alles bereit.«

Doch er klang nicht sehr überzeugt. Selbst wenn ein verrückter Ausländer das Anwesen kaufen würde, würde es nie mehr wie vorher sein. Die Villa Burolo war kein Haus, sondern eine Show. Jetzt, wo der Star tot war, würde es nur noch Pleiten geben.

»Nun, es scheint sich wirklich um ein sehr angenehmes und eindrucksvolles Anwesen zu handeln«, bemerkte Zen mit dem für einen Schweizer angemessenen Mangel an Begeisterung. »Ich werde mich selbst noch ein wenig auf dem Gelände umsehen.«

Bini ging zurück ins Haus, sichtlich erleichtert, dass er diese Feuerprobe hinter sich gebracht hatte.

Als er verschwunden war, schlenderte Zen gemächlich die Terrasse entlang und um den Teil herum, der noch von dem alten Bauernhaus erhalten war. Trotz der Umzäunung hatte man nicht das Gefühl, sich auf einem bewachten Grundstück zu befinden, denn die Grenzen des Anwesens lagen geschickterweise so, dass man sie von der Villa aus nicht sehen konnte. Dennoch war die Aussicht enorm und reichte vom Meer über das breite Tal, das er mit dem Mercedes durchquert hatte, bis hin zu dem Berghang, an dem das Dorf gerade noch als aufdringlicher kleiner Fleck zu erkennen war.

Als er an das Esszimmerfenster kam, sah Zen sich um, um

sich zu vergewissern, dass er nicht beobachtet wurde. Dann bückte er sich, um die leichte Verfärbung auf den Steinplatten zu betrachten. Sie markierte die Stelle, an der Rita Burolo verblutet war. Noch etwas, das keinen Sinn ergab, dachte er. Von den Ermittlungsbeamten hatte niemand zu der bemerkenswerten Tatsache Stellung genommen, dass der Mörder nicht versucht hatte herauszufinden, ob Signora Burolo tot war oder nicht. Tatsächlich war sie, als sie gefunden wurde, bereits in ein irreversibles Koma gefallen, aber wie konnte der Mörder das wissen? Ein etwas anderer zeitlicher Ablauf, eine stärkere Konstitution der Frau oder ein geringerer Blutverlust, und der Fall Burolo wäre gelöst gewesen, bevor er richtig angefangen hätte.

Und das war nicht das einzige Mal, dass sich der Mörder extrem unprofessionell und unvorsichtig verhalten hatte. Denn obwohl Oscar Burolo häufig Videokameras in der Villa versteckt hatte, um das belastende Material aufzuzeichnen, das er in dem Gewölbe archivierte, tarnte er diese heimlichen Operationen hinter seinem ganz offen ausgelebten Spleen, fröhliche Szenen am Pool und informelle Dinner-Partys zu filmen. Deshalb hatte man erst gar nicht versucht, die große, auf ein Stativ in der Ecke des Esszimmers montierte Videokamera zu kaschieren. Letztlich war zwar keine einzige Aufnahme von dem Mörder auf das Band gekommen, doch wie konnte er da so sicher sein? Selbst wenn auch nur eine sehr geringe Möglichkeit bestanden hatte, dass ein belastender Hinweis von der Kamera eingefangen worden war, warum hatte er noch nicht einmal versucht, das Band herauszunehmen oder zu vernichten?

Erneut spürte Zen, wie sein Verstand von dem Gefühl überschwemmt wurde, dass irgendetwas an dem Fall Burolo extrem anomal sei. Was bedeutete diese fast übernatürliche Gleichgültigkeit denn anderes als das Wissen des Mörders, dass er unverwundbar sei? Er hatte es nicht nötig, Vorsichtsmaßnahmen zu treffen. Die Bemühungen von Polizei und Justiz waren genauso vergeblich wie Oscar Burolos Überwachungsanlagen. Der Mörder konnte weder festgenommen noch aufgehalten werden.

Er ging über die Terrasse zur Westseite der Villa zurück. Jenseits der traurigen Ruinen des Pools stieg das Gelände steil an zu dem giftgrünen Wald, der ihm zuvor schon aufgefallen war. Die Bäume waren irgendeine Art von Koniferen, die so dicht gedrängt in Reih und Glied nebeneinanderstanden, dass das Ganze wie ein Wiederaufforstungsprojekt aussah. Dahinter lag der Hauptgebirgszug, eine zerklüftete Granitmasse, die nur kurz von einer glatten Mauer unterbrochen wurde, vermutlich ein Damm. Zen ging weiter die Terrasse entlang bis zu der Mauer, hinter der sich die Bedienstetenräume und der Hubschrauberlandeplatz verbargen. Es handelte sich um eine halbherzige Imitation der traditionellen Weideeinfriedigungen, allerdings höher und aus Zementsteinen. Auf der anderen Seite befand sich ein gepflegter Gemüsegarten mit einem Bewässerungssystem. Das Wasser wurde von einem Hahn an der Außenmauer über einen Schlauch zu den Pflanzen geleitet. Zen bog in einen Pfad, der bergauf zu ein paar niedrigen Betonhütten führte, die ungefähr 50 Meter vom Haus entfernt standen und teilweise von einer Reihe Kirschbäume verdeckt wurden.

Als er an den Bäumen vorbeiging, wurde die Luft von einem tiefen Knurren mit einem melancholischen Nachhall zerrissen, das bei Zen eine Gänsehaut auslöste. Es gab insgesamt drei Hütten, eine kleine und zwei große. Die beiden großen grenzten hinten an ein mit schwerem Maschendraht eingezäuntes Gehege, und sie hatten Schiebetüren aus Metall, von denen eine einen Spalt offen stand. Von dort war das Geräusch gekommen.

Im Inneren der Hütte war es vollkommen dunkel. Ein heißer, stickiger und beißender Geruch lag in der Luft. Weiter hinten raschelte etwas unruhig in der Ecke. Nachdem sich Zens Augen an die Dunkelheit gewöhnt hatten, konnte er eine Gestalt erkennen, die sich über irgendeinen Haufen auf dem Fußboden beugte. Die Luft erzitterte erneut von diesem vibrierenden Geräusch, das sich anhörte, als ob ein Riese röchelnd seinen Rausch ausschläft. Die kauernde Gestalt wirbelte plötzlich herum, als ob sie bei etwas Unerlaubtem erwischt worden wäre. »Wer sind Sie?«

Zen ging ein bis zwei Schritte vor.

»Kommen Sie nicht näher!«

Der Mann kam mit leichten, federnden Schritten auf ihn zu. Er war klein und stämmig, hatte drahtiges, schwarzes Haar und das Gesicht eines kampflustigen Gnomen. »Was machen Sie hier?«

»Ich sehe mir das Haus an.«

»Das hier ist aber nicht das Haus.«

Zen setzte sein törichtes schweizerisches Lächeln auf. »Ich sehe mir das Grundstück an, hätte ich sagen sollen.«

Der Mann starrte ihn mit deutlichem Misstrauen an. »Wer sind Sie?«, fragte er erneut.

Zen streckte seine Hand aus, die jedoch ignoriert wurde. »Reto Gurtner.«

»Sie sind Italiener?«

»Schweizer.«

Wieder war das tiefe Knurren zu hören. Im Innern der Hütte hörte es sich noch viel gefühlsgeladener an, ein Ausdruck von Schmerz und Verlust, der fast unerträglich war.

»Was war das für ein Geräusch?«, fragte Zen.

Der Mann starrte ihn feindselig an, als wollte er ausprobieren, wie lange Zen seinem Blick standhalten könnte. »Ein Löwe«, sagte er schließlich.

»Ah, ein Löwe.«

Zen behielt seinen höflichen Konversationston bei, als ob Löwen etwas wären, das in keinem Haushalt fehlen dürfte.

»Aus welcher Ecke der Schweiz kommen Sie?«

Er trug Jeans und ein blaues T-Shirt. An seinem Gürtel hing ein großes Jagdmesser in einer Lederscheide. Seine nackten Arme waren behaart und muskulös. Eine lange weiße Narbe lief in einer geraden Linie von unterhalb seines rechten Ellbogens bis zum Handgelenk.

»Aus Zürich«, antwortete Zen.

»Sie wollen das Haus kaufen?«

»Nicht für mich. Ich bin hier im Auftrag eines Klienten.«

Die Worte des jungen Mannes im Palazzo Sisti hallten in seinem Kopf wider. »Sie werden den Tatort besichtigen, mit Zeugen reden und Verdächtige vernehmen. Im Verlauf Ihrer Ermittlungen werden Sie auf konkrete Beweise stoßen, die Furio Pizzonis Alibi zerstören und ihn mit dem Mord an Oscar Burolo in Verbindung bringen. Das Ganze wird nicht mehr als ein paar Tage in Anspruch nehmen.«

Etwas unglaublich Großes und Schnelles flog urplötzlich über ihre Köpfe hinweg und nahm ihnen einen Augenblick das Licht wie eine kurze Sonnenfinsternis. Einen Augenblick später gab es einen ohrenbetäubenden Krach, als ob eine große Steinsäule auf die Hütte gestürzt wäre. Selbst nachdem der eigentliche Moment vorbei war, hallte das Grollen und Donnern noch einige Sekunden in Wänden und Fußboden nach.

Der Löwenhüter lag im äußersten Winkel der Hütte auf den Knien und beugte sich über den Haufen am Boden. Zen ging auf ihn zu, wobei seine Schuhe auf dem Stroh raschelten, das überall verstreut herumlag.

»Kommen Sie nicht näher!«, rief der Mann.

Zen blieb stehen. Er sah sich in der heißen, stillen, düsteren und übel riechenden Hütte um. Auf dem Fußboden lagen zwei Mistgabeln, einige Plastikeimer, eine Schaufel und ein paar Ketten und Seile unordentlich herum. Eine aufgerollte Peitsche und eine halbautomatische Schrotflinte hingen an in die Dachstützen eingeschlagenen Nägeln.

»Was war das?«, fragte Zen.

Der Mann erhob sich. »Die Luftwaffe. Sie kommen hierher und veranstalten Übungstiefflüge über den Bergen. Als Signor Burolo noch …«

Er brach ab.

»Ja?«, ermunterte ihn Zen.

»Da haben sie uns nicht belästigt.«

Das kann ich mir gut vorstellen, dachte Zen. Das war mit einer saftigen Spende für das Offizierskasino geregelt worden.

Das tiefe, melancholische Knurren war erneut zu hören, ein schwaches Echo des soeben durch den Düsenjäger verursachten Lärms, wie ein Kind, das unsicher ein Wort nachspricht, das es nicht versteht.

»Der klingt aber nicht glücklich, der Löwe«, stellte Zen fest.

»Er stirbt.«

»Weshalb?«

»Er ist alt.«

»Die Flugzeuge stören ihn?«

»Fremde auch.«

Der Mann sprach mit abweisendem Tonfall. Zen deutete auf die Narbe an seinem Unterarm. »Aber, wie ich sehe, ist er immer noch gefährlich.«

Der Mann schob sich an ihm vorbei zur Tür.

»Wirklich saubere Arbeit«, bemerkte Zen, der ihm nach draußen folgte. »Eher wie von einem Messer oder einer Kugel als wie von Krallen.«

»Sie wissen wohl viel über Löwen?«, fragte der Wärter sarkastisch, als sie in den strahlenden Sonnenschein und die frische Luft traten.

»Nur was in der Zeitung steht.«

Der Mann ging zu der kleineren Hütte hinüber und holte einen Plastikeimer mit einem blutigen Gemisch aus Herzen, Lungen und Därmen.

»Wie ich sehe, haben Sie eine Schrotflinte hier«, fuhr Zen fort, »dann wird es wohl einen Grund geben, Angst zu haben.«

Der Mann betrachtete ihn mit leerem Blick. »Es gibt immer einen Grund, Angst zu haben, wenn man mit Lebewesen zu tun hat, für die Töten etwas ganz Natürliches ist.«

So herausfordernd, wie er da stand, den Eimer mit den Innereien in der Hand, bereit, die großen Raubtiere zu füttern, mit denen nur er umgehen konnte, war leicht zu erkennen, dass Furio Padedda auf einen bestimmten Typ Frau anziehend wirken musste. In diese Betonhütte also war Rita Burolo gekommen, um sich mit dem Löwenhüter zu vergnügen, nicht ahnend, dass ihre Eskapaden von der Infrarot-Videoanlage, die ihr Mann unter dem Dach aufgebaut hatte, aufgezeichnet wurden.

Wie hatte sich Oscar gefühlt, als er sich diese Bänder ansah, im Vergleich mit denen harte Porno-Videos angeblich harmlos wirkten, wie hämische Quellen aus dem Büro des Untersuchungsrichters verlauten ließen? War es schlichter Voyeurismus gewesen, oder beabsichtigte er, seine Frau zu erpressen? Verfügte sie über ein eigenes Vermögen? Hatte er gehofft, auf diese Weise den Konkurs abwehren zu können, bis sich l'Onorevole aufgrund seiner Drohungen gezwungen sah, zu seinen Gunsten einzugreifen? Mal angenommen, er hatte ihr von der Existenz der Videobänder erzählt, und sie hatte diese Information an ihren Liebhaber weitergegeben. Für einen stolzen, feurigen Sarden hätte die Tatsache, dass seine amourösen Abenteuer für die Nachwelt aufgezeichnet worden waren, Grund genug für einen Mord sein können. Beziehungsweise, räsonierte Zen, während er verdrossen seinen Vernaccia schlürfte, man könnte es ohne Weiteres so darstellen. Und darauf kam es ihm letztendlich an.

Die Bar hatte sich merklich geleert, weil es die Männer nach Hause zu den Mahlzeiten trieb, für die ihre Frauen und

Mütter am Vormittag eingekauft hatten. Zen starrte mit trüben Augen auf seine Armbanduhr. Schließlich entzifferte er, dass es zwanzig vor neun war. Er schob seinen Stuhl zurück, stand unsicher auf und ging zur Theke, wo der stämmige Wirt Gläser ausspülte. »Wann gibt es was zu essen?«

Reto Gurtner hätte die Frage sicher höflicher formuliert, doch der war am Tisch zurückgeblieben.

»Morgen«, antwortete der Wirt, ohne von seiner Tätigkeit aufzusehen.

»Wie bitte?«

»Das Restaurant ist außerhalb der Saison nur sonntags mittags geöffnet.«

»Das haben Sie mir aber nicht gesagt!«

»Sie haben ja nicht gefragt.«

Zen wandte sich, eine obszöne Bemerkung murmelnd, ab.

»Ein Stück weiter die Straße runter gibts eine Pizzeria«, fügte der Wirt mürrisch hinzu.

Zen stürmte durch die Glastür des Hotels. Die Piazza lag still und verlassen da. Als er an dem Mercedes vorbeikam, streichelte Zen ihn wie ein liebes, treues Haustier, wie etwas, das ihm an diesem unwirtlichen Ort ein Gefühl der Sicherheit gab. Ein Donnergrollen war zu hören, schon näher, aber immer noch leise, eine stark gezügelte Geste.

An der Ecke der Piazza befand sich das einzige öffentliche Telefon des Dorfes, eine Hightech-Glaszelle, die dort stand, als wäre sie gerade aus dem All gelandet. Zen beäugte sie wehmütig, doch das Risiko war einfach zu groß. Tania hatte inzwischen genügend Zeit gehabt, über alles nachzudenken. Mal angenommen, sie wäre schnippisch oder gleichgültig. Nach ihrer übermäßigen Wärme am Vortag wäre das wie eine kalte Dusche. Natürlich würde er sich irgendwann damit auseinandersetzen müssen, doch nicht jetzt, wo er noch so viele andere Probleme hatte.

Das Dorf war ruhig und ausgestorben, fast wie eine Geisterstadt. Zen stolperte, nach der Pizzeria Ausschau haltend, vor sich hin. Plötzlich hielt er inne, wirbelte hastig herum und suchte die leere Straße hinter sich ab. Da war niemand. Aber was war das gewesen? Ein Geräusch? Oder nur eine betrunkene Wahnvorstellung? »Sie waren bestimmt auf etwas gestoßen, was sie nicht sehen sollten«, hatte der Carabiniere über das ermordete Paar in dem Campingbus gesagt. »Das kann hier in dieser Gegend jedem passieren. Man braucht nur zur falschen Zeit am falschen Ort zu sein.«

Als sich der Alkoholdunst in Zens Kopf einen Augenblick klärte, hatte er die Vorstellung, dass ein Kind eine Gasse entlanghuschte, die parallel zur Hauptstraße verlief und von Zeit zu Zeit in den dunklen Passagen auftauchte, dort wo die Stufen nach oben führten. Ein Kind, das im Dunkeln Verstecken spielte. Hatte er sich das eingebildet, oder hatte er tatsächlich aus dem Augenwinkel heraus am äußeren Rand seines Gesichtsfeldes etwas erspäht, etwas, das er zwar gesehen, aber noch nicht verarbeitet hatte?

Er schüttelte heftig den Kopf, als ob er ihn von all diesem Unsinn befreien wollte. Dann setzte er – diesmal ein bisschen eiliger – seinen Weg fort.

Die Pizzeria lag genau an der Ecke, von der aus die Straße in Kurven bergab an den neuen Wohnblocks am Rande des Dorfes vorbeiführte. Die äußere Fassade war deprimierend einfach, ein Stahlbetongerüst, das mit nackten Steinen ausgefüllt war, und am Fenster stand in selbstklebenden Plastikbuchstaben: »Pizza Tavola Calda« – doch drinnen war das Lokal hell, farbenfroh und freundlich, mit den traditionellen Masken, Puppen, geflochtenen Körben und gewebten Wandbehängen geschmückt. Zu Zens Überraschung hieß ihn der junge Mann, der dort bediente, herzlich willkommen. Es ging eindeutig bergauf.

Nach einem üppigen Antipasto mit luftgetrocknetem Schinken aus der Gegend und Salami, einer großen Pizza und fast einer ganzen Karaffe Wein, sah alles noch viel besser aus. Zen zündete sich eine Zigarette an und sah zu der Gruppe junger Leute hinüber, die verschwörerisch in der Ecke um einen Tisch voll mit leeren Softdrink-Flaschen hockten. Wenn er jetzt noch jemanden gehabt hätte, mit dem er reden könnte, wäre alles perfekt gewesen. Doch so, wie die Dinge lagen, war die einzige Quelle seiner Unterhaltung das Etikett der Mineralwasserflasche, die er bestellt hatte. Darauf versicherte ein Professor der Universität Cagliari, dass der Inhalt frei von mikrobakteriologischen Verunreinigungen sei, und pries zugleich die Tugenden dieses Mineralwassers derart, als ob ausreichende Mengen davon gegen alles gut seien, außer gegen das Altern. Zen studierte die chemische Analyse, die Dinge aufführte wie abbassamento crioscopico, concentrazione osmotica und conducibilità elettrica specifica a 18°. In jedem Liter waren 0,00009 Gramm Barium enthalten. War das nun was Gutes oder was Schlechtes?

Die Tür zur Pizzeria öffnete sich, und die schwachsinnige Zwergin trat ein, die er bereits am Morgen vor Confalones Kanzlei gesehen hatte. Sie war triefend nass, und Zen wurde plötzlich klar, dass das gedämpfte Geräusch, das er schon seit einiger Zeit wahrgenommen hatte wie eine atmosphärische Störung im Radio, von einem Wolkenbruch herrührte. In dem Moment ertönte ein ohrenbetäubender Donnerschlag, offenbar direkt über ihnen. Einer der jungen Leute kreischte in gespielter Panik, die anderen kicherten nervös. Die Bettlerin humpelte in theatralischer Weise zu Zens Tisch und verlangte Geld.

»Ich habe Ihnen heute Morgen schon was gegeben«, antwortete Reto Gurtner in widerwilligem Tonfall.

Der Wirt brüllte wütend etwas auf Sardisch, und die Frau wandte sich mit einem Gesicht ab, das so ausdruckslos war wie die hölzernen Karnevalsmasken an der Wand, und setzte sich auf einen Stuhl neben der Tür, von wo aus sie den sintflutartig herniederprasselnden Regen beobachtete. Sie muss einiges wissen, überlegte Zen, so wie sie von einem Ort zum anderen läuft mit dem Passierschein der Verrückten.

Als der Wirt Zens Tisch abräumte, entschuldigte er sich dafür, dass man ihn belästigt hatte. »Ich versuche, sie hier rauszuhalten, aber was kann man dagegen tun? Sie weiß nicht, wo sie hinsoll.«

»Obdachlos?«

Der Mann zuckte die Achseln. »Sie hat einen Bruder, aber bei dem will sie nicht wohnen. Behauptet, er sei ein Betrüger. Sie schläft draußen, in Höhlen oder Schäferhütten, manchmal sogar auf der Straße. Sie ist harmlos, aber ziemlich verrückt. Ist allerdings auch kein Wunder nach allem, was sie mitgemacht hat.«

Er gab sich keinerlei Mühe, leiser zu sprechen, obwohl die Frau ganz in der Nähe wie eine große Puppe auf ihrem Stuhl hockte. Zen sah zu ihr hinüber, aber sie starrte immer noch gebannt auf die Tür.

»Das ist schon in Ordnung«, erklärte der Wirt. »Sie versteht kein Italienisch, nur Dialekt.«

Zen ergriff begierig die Gelegenheit, sich zu unterhalten. »Was ist denn mit ihr passiert?«

Der junge Mann schüttelte seufzend den Kopf. »Ich war zu der Zeit noch nicht hier, aber die Leute sagen, dass sie eines Tages einfach verschwunden ist, vor vielen Jahren. Sie war damals ungefähr fünfzehn. Die Familie sagte, sie lebe jetzt bei Verwandten, die in die Toskana gezogen waren. Dann starben ihre Eltern vor ein paar Jahren bei … einem Unfall. Der Sohn war gerade beim Militär. Als die Polizei in das Haus ging, fanden sie Elia wie ein Tier im Keller eingesperrt, nahezu blind, total verdreckt und fast wahnsinnig.«

Reto Gurtner machte einen entsprechend entsetzten Eindruck angesichts dieses Beispiels südländischer Barbarei. »Aber warum?«

Der junge Mann seufzte. »Nun, Sie müssen verstehen, in diesem Dorf ist es jetzt so wie auch sonst überall. Fernsehen, Popmusik, Motorräder.«

Er deutete auf die Jugendlichen in der Ecke. »Die jungen Leute gehen bis spät in der Nacht aus, sogar die Mädchen. Sie machen, was sie wollen. Vor zwanzig Jahren war das anders. Die Leute sagen, dass Elia sich mit einem Mann von einem Bauernhof in der Nähe traf. Wahrscheinlich ist sie in einer Sommernacht zu lange weggeblieben, und …«

Er brach ab, als die Tür mit einem lauten Knall aufging und drei Männer eintraten. Die Bettlerin sprang von ihrem Stuhl auf und starrte sie an. Einer der Männer schleuderte ihr ein paar Worte im Dialekt entgegen. Sie zuckte zurück, als ob er sie geschlagen hätte, und rannte hinaus. Der Regen hatte so plötzlich aufgehört, wie er begonnen hatte.

Die drei Neuankömmlinge trugen die ortsübliche schwere Kluft, strapazierfähig, anonym und in Massenproduktion hergestellt, doch ihr Verhalten war alles andere als anonym oder konventionell. Sie belegten die Pizzeria in einer Weise mit Beschlag, als ob dort ihnen zu Ehren eine Party veranstaltet würde. Der Anführer, der offenbar schon ziemlich viel getrunken hatte, fühlte sich derart zu Hause, dass es schon unverschämt wirkte. Er ging hinter die Theke und probierte von den diversen Vorspeisen, wobei er mit seiner lauten und rauen Stimme ununterbrochen redete. Zen konnte von alldem nichts verstehen. Obwohl der Wirt lächelte und, wie es von ihm erwartet wurde, mit Humor auf das Treiben reagierte, schien ihn das einige Mühe zu kosten, und Zen glaubte, dass es ihm lieber wäre, wenn die Männer wieder gingen.

Nachdem sie ihre Runde gedreht, mit dem Wirt und seiner Frau gescherzt und sich einen Teller mit Oliven und Salami und einen Liter Wein geschnappt hatten, ließ sich das Trio am Tisch neben Zen nieder. Sobald ihre anfängliche gute Laune abgeebbt war, wurde ihre Stimmung zusehends trübsinnig, als ob auf allen dreien schwere und durch nichts zu behebende Sorgen lasteten. Insbesondere der Anführer wirkte nicht nur auf grimmige Art unzufrieden, sondern er sah Zen außerdem so böse an, als ob der an all seinen Problemen schuld sei. Mit seinem pechschwarzen, borstigen Bart, dem lockigen Haar und der riesigen Hakennase hätte er gut und gerne aus dem Nahen Osten stammen können. Bei ihm schien die phönizische Vergangenheit der Insel wieder durchzuschlagen. Er erinnerte Zen an jemanden, den er schon einmal gesehen hatte, doch er konnte sich nicht erinnern, an wen. Von Zeit zu Zeit, in einer Trinkpause zwischen zwei halb heruntergeschütteten Gläsern Wein, murmelte der Mann etwas im Dialekt zu seinen Gefährten, verbitterte Bemerkungen, auf die er keine Antwort erhielt.

Zen wurde allmählich unruhig. Der Mann war ziemlich betrunken, er schien geladen und unberechenbar und starrte ihn immer eindeutiger an, als ob es für ihn der krönende Abschluss des Abends sein würde, diesen Fremden zusammenzuschlagen. Um die Situation zu entschärfen, bevor sie außer Kontrolle geriet, beugte sich Zen zu den drei Männern herüber. »Entschuldigen Sie«, sagte er in bester Reto-Gurtner-Manier. »Könnten Sie mir vielleicht sagen, ob es hier in der Nähe eine Werkstatt gibt?«

»Eine Werkstatt?«, antwortete der Mann nach kurzem Zögern. »Wofür?«

Zen erläuterte, dass sein Auto ein merkwürdig klopfendes Geräusch von sich gäbe und er Angst habe, es könne seinen Geist aufgeben.

»Was für eine Marke?«

»Ein Mercedes.«

Nachdem er sich mit seinen Kumpanen kurz im Dialekt beraten hatte, antwortete der Mann, dass Vasco im Ort die Reparaturen ausführe, aber sicher keine Ersatzteile für einen

Mercedes habe. Ansonsten gäbe es einen Mechaniker in Lanusei, aber der hatte morgen geschlossen, weil Sonntag war. »Machen Sie hier Ferien?«, fragte er.

Während Zen seine übliche Erklärung, wer er sei und was er hier mache, herunterspulte, veränderte sich der Gesichtsausdruck des Mannes allmählich von Feindseligkeit zu wohlwollendem Interesse. Nach wenigen Minuten forderte er Zen auf, sich zu ihnen an den Tisch zu setzen. Zen zögerte, doch nur für den Bruchteil einer Sekunde. Das war eine Aufforderung, die abzulehnen entschieden unklug wäre.

Nach einer Dreiviertelstunde und einer weiteren Flasche Wein wurde er fast wie ein alter Freund behandelt. Der Mann mit der Hakennase, der sich mit dem Namen Turiddu vorstellte, war offensichtlich hocherfreut, einen neuen Zuhörer für seine langen und ziemlich weitschweifigen Monologe zu haben. Seine Begleiter sagten kaum ein Wort. Turiddu redete, und Zen hörte zu und warf gelegentlich eine höfliche Frage ein mit dem Ausdruck staunender und unvoreingenommener Begeisterung für alles Sardische. Turiddus Kümmernisse waren, wie sich herausstellte, eher globaler als persönlicher Natur. Alles war falsch, alles war schlecht und wurde immer schlechter. Das Land, womit er diesen besonderen Teil der Oliastra zu meinen schien, befand sich in totalem Chaos. Es war eine Katastrophe. Die Regierung in Rom pumpte zwar Geld hinein, doch das wurde alles vergeudet, versickerte in den siebartigen Kanälen der Entwicklungsbehörden, der landwirtschaftlichen Aufsichtsämter der einzelnen Provinzen und der Landgewinnungsgremien.

»In früheren Zeiten wurde alles vom Grundbesitzer geregelt, der entschied alles. Ohne seine Einwilligung konntest du noch nicht einmal furzen, aber zumindest war er der Einzige, der was zu sagen hatte. Jetzt haben wir lauter neue Bosse, all diese Schreibtischtäter in der regionalen Regierung, Hunderte und Aberhunderte. Und was machen die? Genau dasselbe wie der Grundbesitzer. Sie sorgen erst mal für sich selbst!«

Turiddu brach kurz ab, um noch mehr Wein in sich hineinzuschütten und eine von Zens Zigaretten anzunehmen. »Und wenn sie es dann doch mal schaffen, was zu tun, dann wird alles nur noch schlimmer! Die alten Grundbesitzer, die hatten Ahnung vom Land. Es gehörte ihnen, und es war ihnen verdammt wichtig, dass es gut instand gehalten wurde, auch wenn wir uns bei der Arbeit den Arsch aufreißen mussten. Aber diese Bürokraten, was wissen die schon? Die sitzen bloß in irgendeinem Büro in Cagliari rum und sehen sich den lieben langen Tag Landkarten an!«

Turiddus Kumpane ließen diese Tiraden mit einem nachsichtigen und leicht verlegenen Lächeln über sich ergehen. Sie schienen ihm zwar durchaus zuzustimmen, hielten es wohl aber für zwecklos und ziemlich erniedrigend, das alles zu erwähnen, insbesondere einem Fremden gegenüber.

»Da oben in den Bergen gibts einen See«, fuhr Turiddu fort und zündete sich lässig ein Streichholz am Daumennagel an. »Früher ging ein Fluss von dort ins Tal, wo er unterirdisch in den Höhlen verschwand. Das Gestein in dieser Gegend ist so weich, dass das Wasser durchsickert. Was machen also diese Schweine in Cagliari? Sie sind hingegangen, haben auf ihre Karten geguckt und diesen Fluss gesehen, der nirgendwo hinzufließen schien. Dann haben sie gesagt: ›Lasst uns diesen See eindämmen, dann wird all das Wasser nicht mehr vergeudet, sondern wir können es runter nach Oristano leiten und damit die Felder bewässern.‹«

Turiddu unterbrach sich und rief dem Pizzawirt etwas auf Sardisch zu. Darauf kam der junge Mann mit einer Flasche ohne Etikett und vier neuen Gläsern an ihren Tisch. »Seien Sie vorsichtig«, warnte er Zen mit humorvoller Übertreibung und tippte gegen die Flasche. »Dynamit!«

»Dynamit, ich glaub, ich spinne«, brummte Turiddu, als er

weg war. »Zu Hause hab ich ein Zeug, den echten Stoff, dagegen schmeckt das hier wie Wasser.«

Er machte die vier Gläser bis zum Rand voll, wobei er etwas auf dem Tischtuch verschüttete, und stürzte seines in einem Zug herunter. »Jedenfalls, diese Klugscheißer in Cagliari konnten nicht kapieren, dass das ganze Wasser aus dem See nicht einfach verschwindet. Unterirdisch war es immer noch da, wenn man nur wusste, wo man suchen sollte. Alle Bauernhöfe hier in der Gegend sind über Höhlen gebaut, in denen der Fluss unterirdisch fließt. Damit und mit ein bisschen Futter konnte man die Rinder durch den Winter bringen und sie dann im Frühjahr oben in den Bergen frei laufen lassen. Doch seitdem dieser Scheißdamm da ist, fließt das ganze Wasser – *unser* Wasser – zur anderen Seite, zu den schlaffen und faulen Arschlöchern an der Westküste. Als ob die es nicht schon bequem genug hätten! Oh, natürlich hat man uns eine Entschädigung gezahlt. Ein paar lausige Millionen Lire, um ein neues Haus hier im Dorf zu bauen. Und was meinen die, was wir hier tun sollen? Es gibt keine Arbeit. Das bisschen Regen, das es gibt, verschwindet in den Bergen, und das Winterfutter ist einen Scheißdreck wert. Was ist los? Du trinkst ja nichts.«

Zen kippte gehorsam die Flüssigkeit in seinem Glas herunter, wie es der Sarde getan hatte, und erstickte fast. Das war roher Grappa, hart und ungefiltert, praktisch purer Alkohol.

»Gut«, keuchte er. »Stark.«

Turiddu zuckte die Achseln. »Zu Hause hab ich einen, dagegen schmeckt der hier wie Wasser.«

Die Tür zur Pizzeria wurde aufgestoßen. Zen sah sich um und erkannte Furio Padedda, der mit einem anderen Mann hereinkam. Zen wandte sich wieder seinen neuen Gefährten zu und war froh über ihre Gesellschaft und ihren Schutz.

»Sag mal, warum ist das Waldstück auf der anderen Seite

des Tales so grün? Es sieht fast so aus, als ob es bewässert würde.«

Turiddu fing derart schallend an zu lachen, dass er schließlich einen Hustenanfall bekam. »Das wird es auch, mit unserem Wasser!«

Er füllte die Gläser erneut mit Grappa. »Diesen Damm, den haben sie auf die ganz billige Tour gebaut. So ein paar Gauner aus Neapel. Da läuft Wasser raus, nicht viel, aber die ganze Zeit. Obendrauf ist der Boden zwar trocken, doch diese Bäume haben Wurzeln von 20 Metern und länger. Und da unten ist es sumpfig. Die Bäume gedeihen wie Mastgänse.«

Zen sah zu Furio Padedda und seinem Begleiter hin, die in der Nähe der Tür saßen und Bier tranken. Trotz seiner Betrunkenheit war Turiddu Zens Interesse an den Neuankömmlingen nicht entgangen. »Kennst du die?«, fragte er, indem er verächtlich mit seinem Daumen auf den anderen Tisch deutete.

»Einen von ihnen. Wir haben uns heute in der Villa kennengelernt, wo er arbeitet.«

Turiddu sah ihn vollkommen entgeistert an. »Dieses Ding? Das willst du doch nicht etwa kaufen?«

Zen gab sich so taktvoll wie möglich. »Die endgültige Entscheidung liegt natürlich bei meinem Klienten. Aber es scheint ein attraktives Haus zu sein.«

Zens Gesichtsausdruck blieb aalglatt.

Einen Augenblick lang kämpfte Turiddu sichtlich mit seinen Gedanken. »Es hat früher meiner Familie gehört«, erklärte er schließlich. »Bevor die uns das Wasser weggenommen haben.«

Er stierte Zen betrunken in einer Weise an, die deutlich zu verstehen gab, er solle es bloß nicht wagen, seiner Geschichte keinen Glauben zu schenken. Zen nickte nachdenklich. Es mochte zwar stimmen, doch er bezweifelte es. Turiddu war wahrscheinlich irgend so ein Fantast, jemand, dessen Sehnsüchte und Ambitionen zu groß für seine dörfliche Umgebung waren, aber nicht groß genug, als dass er sich trauen würde fortzugehen.

Der Sarde lachte wieder. »Hast du die elektrischen Zäune und die Tore und all das gesehen? Er hat ein Vermögen dafür ausgegeben, dieses Haus sicher zu machen, der arme Irre. Und alles für die Katz!«

Zen zog die Stirn in Falten. »Du meinst, dass das Sicherheitssystem irgendwie defekt ist?«

Doch Turiddu verfolgte diesen Gedanken nicht weiter. Er blickte mit verschwommenem Gesichtsausdruck um sich, eine Zigarette, die er vergessen hatte anzuzünden, hing von seinen Lippen. »Hör auf meinen Rat, mein Freund«, sagte er. »Lass die Finger von diesem Ort. Da sind schreckliche Dinge passiert, Dinge, die kein Wasser abwaschen kann, selbst wenn es welches gäbe. Oben im Norden gibt es viele schöne Villen, an der Küste, Häuser für reiche Ausländer. Hier unten haben die nichts zu suchen. Zu viele böse Buben. So wie der da drüben zum Beispiel.«

Er nickte in Richtung Furio Padedda, der gerade sein Bier austrank.

»Ist er ein Freund von dir?«, fragte Zen.

Turiddu schlug so fest auf den Tisch, dass die Flasche fast umgefallen wäre. »Der? Der hat keine Freunde, jedenfalls hier nicht! Er ist ein Fremder. Ich meine, Freunde hat er schon, da oben in den Bergen.«

Er senkte seine Stimme, bis sie nur noch ein verschwörerisches Flüstern war. »Die bauen da oben kein Getreide an, musst du wissen. Die bauen überhaupt nichts an, die faulen Schweine. Die nehmen sich einfach, was sie wollen. Schafe, Rinder. Manchmal auch Menschen. Dann werden sie ganz schnell reich!«

Einer seiner Gefährten machte eine kurze, eindringliche Bemerkung auf Sardisch. Turiddu runzelte missbilligend die Stirn, sagte jedoch nichts.

Ein Schatten fiel auf den Tisch. Zen blickte auf und stellte fest, dass Furio Padedda hinter ihm stand. »Guten Abend, Herr *Gurtner*«, sagte er, die ausländische Anrede betonend.

»Was zum Teufel willst du, Padedda?«, grölte Turiddu.

»Ich wollte nur unseren Freund aus der Schweiz begrüßen. Wie ich sehe, habt ihr was getrunken. Sogar reichlich.«

»Das geht dich einen Scheißdreck an«, erklärte Turiddu.

»Ich dachte eher an Herrn Gurtner«, fuhr Padedda mit gelassener Stimme fort. »Er sollte vorsichtig sein. Unser sardischer Grappa ist vielleicht ein bisschen stark für ihn.«

Er rief seinen Begleiter herüber. »Ich möchte Ihnen meinen Freund Patrizio vorstellen. Herr Reto Gurtner aus Zürich.«

Patrizio streckte seine Hand aus und sagte etwas Unverständliches. Zen lächelte höflich. »Tut mir leid, ich verstehe keinen Dialekt.«

Padeddas Augen verengten sich. »Noch nicht mal Ihren eigenen?«

Schweigen legte sich wie ein dichter Nebel über die Pizzeria. Man konnte es fühlen, schmecken, riechen und sehen.

»Patrizio hat acht Jahre in der Schweiz gelebt und am Sankt-Bernhard-Tunnel gearbeitet«, erklärte Padedda. »Er spricht fließend Schweizerdeutsch. Merkwürdigerweise scheint Herr Reto Gurtner das nicht zu können.«

Ich habe ihn sofort erkannt. Die halten sich für so schlau, all die anderen, doch ihre Schlauheit kommt bei mir nicht an. Wie ein Gift, das nicht wirkt, eine Krankheit, gegen die ich immun bin. Ihre Zaubertricks sind nur für sie selbst bestimmt, für die Kinder des Lichts, für die alles so ist, wie es scheint, einfach so wie es aussieht. Der Polizist hat sich bloß falsche Papiere und ein großes Auto besorgt, und – presto! – hatte er sich in seinen und in ihren Augen auf magische Weise in einen ausländischen Geschäftsmann verwandelt, der Grundbesitz erwerben will. Sie glauben an Eigentum, an Dokumente und Papiere, an Namen und Daten. Wie hätten sie ihm da nicht glauben sollen? Wie hätten sie seine Lügen durchschauen sollen, wo ihr eigenes Leben aus Lügen besteht?

Doch ich wusste in dem Moment, als ich ihn sah, wer er war. Ich wusste, warum er gekommen war und weshalb er das Haus sehen wollte. Ich wusste, was hinter seinen verstohlenen Fragen und seinen anzüglichen Bemerkungen steckte, hinter all seinem Herumschnüffeln.

Ich war sehr kühn und trat ihm ganz offen entgegen. Er wich zurück, als ob er mich nicht kennen würde. Die Dunkelheit zeigte für einen Moment ihre Macht, wie eine kurze Sonnenfinsternis, und ich konnte den Tod in seinen Augen lesen. Ich habe das früher bei den Tieren gesehen, die Vater tötete. Ich wusste, was es bedeutete.

Vielleicht spürte auch er, dass da etwas vor sich ging. Vielleicht ahnte er sogar, dass sein Leben in Gefahr war. Doch wie hätte er auch nur die geringste Vorstellung haben können, von wem diese Gefahr ausging?

Sonntag, 07.00–11.20

Wäre der Entführungsversuch nicht ausgerechnet auf dem Rückweg von der Dorfkirche passiert, hätte Oscar Burolo ihr möglicherweise als Zeichen seiner Wertschätzung einen Satz echter Glocken gestiftet. Das wäre genau die Art pompöser Geste gewesen, die er liebte und so inszenierte, als ob es sich um einen spontanen Akt von Großzügigkeit handelte, obwohl er in Wirklichkeit die Kosten bis auf die letzte Lira kalkuliert und einen stattlichen Rabatt von der Gießerei bekommen hätte im Gegenzug für irgendwelche Bauarbeiten, bei denen aus einem anderen Auftrag abgezweigtes Material wiederverwendet worden wäre. Jedenfalls hätte die Kirche ihre Glocken bekommen. Doch wie die Dinge lagen, musste man sich mit einem auf Schallplatte aufgenommenen Glockengeläut begnügen, das über Lautsprecher übertragen wurde, und davon wurde Aurelio Zen am nächsten Morgen kurz vor Tagesanbruch geweckt. Die Schallplatte war sehr alt mit vielen Kratzern, deren Knacken Zens benebeltes Gehirn als Schüsse interpretierte, die ein im Glockenturm hockender Schütze mit hoher Geschwindigkeit auf ihn abfeuerte. Zum Glück hatten sich die Kugeln, bis sie sein Zimmer erreichten, erheblich verlangsamt, sodass sie schließlich nur noch wie Libellen sein Gesicht umkreisten, mal zur einen, mal zur anderen Seite schnellten wie harmlose Quälgeister.

Als die in die schwarzen Rillen gepressten Glocken schließlich verstummten, öffnete Zen die Augen und sah sich einem Gewirr von Farben und verschwommenen Formen gegenüber, in dem er weder Größe noch Entfernung ausmachen konnte. Geduldig wartete er darauf, dass die Dinge so langsam wieder einen Sinn ergäben, doch als sich seine Umgebung nach einigen Minuten immer noch nicht wieder scharf stellte, machte er sich allmählich Sorgen, ob er eventuell einen permanenten Hirnschaden davongetragen haben könnte. Er setzte sich mühsam im Bett auf und lehnte sich vorsichtig gegen das hölzerne Kopfende zurück.

Jetzt wurde es ein wenig besser. Zwar hatte er immer noch rasende Kopfschmerzen und meinte, er müsse sich jeden Augenblick übergeben, doch zu seiner großen Erleichterung fingen – wenn auch nur sehr zögernd – die Gegenstände im Raum an, wieder die Form und Anordnung anzunehmen, die er vom Vortag her vage in Erinnerung hatte. Dort stand der große Sperrholzkleiderschrank mit der Tür, die sich nicht richtig schließen ließ, und den Kleiderbügeln aus Draht, die wie Fledermäuse an einem Ast dort hingen. Und da war der kleine Tisch mit der unpraktischen Keramiklampe und den drei billigen, hässlichen Holzstühlen, die wie Flüchtlinge um ihn herumhockten, die auf schlechte Nachrichten warten. Von der Decke, die die Farbe verschütteter Milch hatte, hing an einer langen rostigen Kette eine trübe Lampe, deren asymmetrischer dicker Glasschirm um 1963 herum sehr futuristisch ausgesehen haben musste.

Außerdem war da das Waschbecken, das Brett für das Waschzeug unter dem Spiegel und die kaputte Birne darüber, der metallene Papierkorb mit der Mülltüte und das vergitterte Fenster, das sperrangelweit offen stand. Er hatte offenbar vergessen, es zu schließen, als er ins Bett gegangen war. Das war auch der Grund, weshalb es im Raum so klirrend kalt zu sein schien und weshalb er durch das Läuten wach geworden war. Im Bett spürte er die Kälte allerdings nicht, wahrscheinlich weil er bis auf Schuhe und Jackett immer noch vollständig angezogen war. Er ließ seinen Blick vorsichtig über den Fußboden gleiten, eine kühle, schwarz-weiß gesprenkelte und auf Hochglanz polierte Kunststofffläche. Da standen die beiden auf die Seite gekippten Schuhe, über ihnen lag das achtlos weggeworfene Jackett mit dem Rücken nach unten, wie die Umrisszeichnung eines Mordopfers.

Von dieser Anstrengung erschöpft, legte er sich zurück und versuchte, die Ereignisse des vergangenen Abends aus den Scherben zusammenzusetzen. Abgesehen davon, dass er den schlimmsten Kater seines Lebens hatte, war etwas passiert, das nichts Gutes bedeutete. Aber was war passiert?

Er erinnerte sich, wie er ins Hotel zurückgekommen war. Die Bar war leer bis auf den alten Mann mit Namen Tommaso und einen jüngeren Mann, der an dem Flipper in der Ecke spielte. Der Inhaber rief Zen zu sich und gab ihm seinen Ausweis und eine Rechnung. »Das Hotel wird wegen Renovierung geschlossen.«

»Das haben Sie mir aber nicht gesagt, als ich mein Zimmer bezogen habe.«

»Dann sage ich es Ihnen eben jetzt.«

Der Mann am Flipper hatte sich zu ihnen umgedreht, und Zen erkannte ihn. Er wusste sogar seinen Namen – Patrizio –, obwohl er keine Ahnung hatte, wie und wo sie sich kennengelernt hatten. Was hatte er bloß den ganzen Abend gemacht?

Zen schob dieses hartnäckige Problem beiseite, setzte die Füße mit einem Schwung auf den eiskalten Fußboden und stand auf. Das war ein Fehler. Bisher hatte er sich nur mit dem elektrischen Sturm in seinem Kopf, einem Magen, der von dem ganzen Gift, das darin herumschwappte, übel zugerichtet war, zuckenden Gliedern, schmerzenden Gelenken und einem Mund, der anscheinend durch eine Gipsnachbildung ersetzt worden war, auseinandersetzen müssen. Das einzig Gute dabei war, dass sich nicht das ganze Zimmer wie ein Karussell um ihn drehte. Deshalb war es ein Fehler gewesen aufzustehen.

Waschen, Rasieren, Anziehen und Packen waren für Aurelio Zen an diesem Morgen allesamt Stationen des Kreuzwegs. Doch erst als er sich in dem irrtümlichen Glauben, dass ihm davon besser würde, eine Zigarette anzündete und in der Marlboro-Packung ein Streichholzmäppchen mit der Aufschrift »Pizzeria Il Nuraghe« fand, hob sich ganz plötzlich der barmherzige Nebelschleier, der sich über die Ereignisse des vergangenen Abends gelegt hatte.

Er brach auf einem der wackligen Holzstühle zusammen, der mit einem fürchterlichen Quietschen über die gebohnerten Fliesen rutschte. Zen merkte es nicht. Er befand sich nicht mehr in seinem Hotelzimmer. Er saß an dem Tisch in der Pizzeria, so betrunken wie noch nie in seinem Leben, grauenvoll, besinnungslos besoffen. Fünf Männer, drei sitzend und zwei stehend, starrten ihn mit dem Ausdruck purer und gehässiger Feindseligkeit an. Die Situation war vollkommen außer Kontrolle geraten. Und daran würde sich nichts ändern, was er auch sagte oder tat.

Einen Augenblick lang glaubte er, dass sie ihn zusammenschlagen würden, doch schließlich hatten sich Furio Padedda und sein Freund auf dem Absatz umgedreht und waren hinausgegangen. Dann hatte der Mann namens Turiddu ein paar Geldscheine auf den Tisch geworfen und war mit seinen Gefährten ebenfalls wortlos gegangen.

Draußen war die Luft nach dem Regen schwer von den Gerüchen: Kreosot, wilder Thymian, verbranntes Holz, Urin und Motoröl. Nach der Stille auf der Straße zu urteilen, hätte es früh am Morgen sein können. Dann durchschnitt das Geräusch eines Motorrades die Nacht wie ein primitiver Dosenöffner, der ganz ausgefranste Ränder hinterlässt. Die Maschine tauchte aus einer dunklen Gasse auf und bewegte sich langsam und bedrohlich auf Zen zu. Im diffusen Mondlicht erkannte Zen, dass der Fahrer Furio Padedda war. Der Sarde saß auf dem Motorrad wie auf einem Pferd, das er durch Zusammenpressen der Knie vorantrieb. Von einem Riemen über seiner Schulter baumelte eine doppelläufige Schrotflinte.

Dann erschien ein Stück vor Zen eine Gestalt auf der Straße. Einer von vorne und einer von hinten, der klassische Hinterhalt. Jetzt wäre die vorschriftsmäßige Verhaltensweise, in die Offensive zu gehen und einen von beiden außer Gefecht zu setzen, bevor sie ihn in die Mangel nehmen konnten. Doch wenn Zen sich vorschriftsmäßig verhalten hätte, wäre er erst gar nicht ohne Rückendeckung in diese Situation geraten. Selbst in seiner Glanzzeit vor zwanzig Jahren wäre er mit keinem der Männer fertig geworden, geschweige denn mit beiden. Als Zen sich dem Mann näherte, der ihm den Weg verstellte, sah er, dass es Turiddu war. Mit dem Fatalismus der Betrunkenen ging er einfach weiter. Zehn Meter. Fünf. Zwei. Eins. Er machte sich auf die Hand an der Gurgel oder den Tritt in den Unterleib gefasst.

Dann war er an ihm vorbei, und nichts war passiert. Er spürte mehr, als er sah, dass Turiddu sich an seine Fersen heftete, wobei seine Schritte sich mit dem Brummen von Padeddas Motorrad vermischten. Zen zwang sich, nicht zu laufen und sich nicht umzudrehen. Gefolgt von den beiden Männern, ging er an verdunkelten Fensterreihen, geschlossenen Läden und verriegelten Türen vorbei, bis er schließlich die Piazza und das Hotel erreichte.

Jetzt, wo er das alles in seinem Zimmer noch einmal durchdachte und seine Gedanken wie die fassungslosen Überlebenden eines Erdbebens durch die Trümmer in seinem Kopf kreisten, wurde Zen klar, dass er sein Entkommen der Feindschaft zwischen den beiden Sarden zu verdanken hatte. Ohne Zweifel hatten beide den Betrüger bestrafen wollen, aber keiner war bereit, dem anderen diese Ehre zukommen zu lassen, und gemeinsam zuzuschlagen, war einfach undenkbar. Im Hotel hatte dann der Inhaber, von Padeddas Komplizen Patrizio gewarnt, sein Ultimatum verkündet. Es gab keine andere

Unterkunft im Dorf, und jetzt, wo Reto Gurtner als Betrüger entlarvt worden war, hatte es für Zen ohnehin keinen Sinn mehr, noch länger zu bleiben. Was immer er jetzt auch sagte oder tat, jeder würde annehmen, er sei ein Polizist oder ein Regierungsspion. Die Farce war vorbei. Er würde gleich an diesem Morgen nach Cagliari fahren und einen Platz auf der Nachtfähre zum Festland buchen. Wenn er später noch einmal in das Dorf zurückkehrte, wäre das in seiner offiziellen Funktion. Auf diese Weise könnte er sich wenigstens Respekt erzwingen.

Wie wenig ihm das derzeit gelang, zeigte sich überdeutlich darin, wie lange er unten in der Bar auf sein Frühstück warten musste. Mindestens ein halbes Dutzend Einheimische waren inzwischen hereingekommen und mit Cappuccino abgefüllt bereits wieder verschwunden, bevor man Zen endlich einen lauwarmen Kaffee servierte, der schmeckte, als ob er aus wiederverwendetem Kaffeesatz und mit Wasser verdünnter Milch gemacht worden wäre.

»Bis demnächst«, rief er im Hinausstolzieren dem Hotelbesitzer zu.

Diese Bemerkung wurde mit einem scharfen Blick quittiert, der gleichzeitig bangen Trotz und Feindseligkeit ausdrückte. Das amüsierte Zen einen Augenblick, bis ihm bewusst wurde, dass seine unterschwellige Drohung der erste Schritt auf dem Weg war, der zu den Gestapo-Methoden der Vergangenheit geführt hatte.

Das Wetter war umgeschlagen. Der Himmel war nun bedeckt, grau und nichtssagend. Zens Kater führte sich auf wie ein Oktopus, der jede Faser seines Wesens umklammerte. Auch wenn das Biest allmählich schwächer wurde, hatte es immer noch reichlich Energie. Jede Bewegung bedeutete einen mühevollen Kampf gegen seinen hartnäckigen Widerstand. Zen merkte, wie sehr er sich danach sehnte, sich genüsslich in die Lederpolster des Mercedes sinken zu lassen, dieses verdammte Dorf zu verlassen und dabei Radio Rom zu hören, eine Sendung aus dieser wunderschönen, zivilisierten Stadt, wo Tania gerade aufstand, ihren Morgenkaffee schlürfte und vielleicht sogar an ihn dachte. Diesen Traum konnte er sich erlauben. Nach allem, was er durchgemacht hatte, hatte er gewiss das Recht, sich auf so harmlose Weise ein wenig zu verwöhnen.

Mitten auf der Piazza, neben dem Kriegerdenkmal, musste Zen stehen bleiben, seinen Koffer abstellen und sich verschnaufen. Die Toten des Krieges von 1915–18 füllten zwei Seiten auf der rechteckigen Tafel, wobei derselbe Nachname oft sechs- bis achtmal, wie in einer Art Litanei, vorkam. Die Sarden hatten den Kern der italienischen Gebirgsdivisionen gebildet, und die Hälfte der jungen Männer aus dem Dorf musste bei Isonzo oder auf dem Piave umgekommen sein. Die späteren Konflikte hatten weniger Opfer gefordert. Dreißig waren zwischen 1940 und 1945 gestorben, vier in Spanien und fünf in Abessinien.

Als Zen den bleischweren Koffer wieder aufnahm, fiel ihm ein großer, dürrer Mann in einem beigen Mantel auf, der ihn neugierig anstarrte. Sein Täuschungsmanöver war inzwischen wahrscheinlich allgemein bekannt, überlegte er, und alles, was er tat, war nun ein Grund zum Argwohn. Er packte sein Gepäck in den Kofferraum und betätigte den Anlasser. Nichts passierte. Es war ein Zeichen dafür, wie benebelt er immer noch war, dass er mehrere Minuten brauchte, um zu erkennen, dass auch nichts passieren würde, egal wie oft er den Schlüssel im Zündschloss umdrehte. Zuerst dachte er, er hätte vielleicht das Licht angelassen, und die Batterie wäre leer, doch als er probeweise den Scheibenwischer anstellte, funktionierte der einwandfrei. In der letzten Nacht hatte er angebliche Probleme mit dem Mercedes als Vorwand benutzt, um zwischen sich und Turiddu und seinen Freunden das Eis zu brechen. Jetzt rächte das verdammte Auto sich offensichtlich und spielte ausgerechnet in dem Moment verrückt, wo er es dringend brauchte. Dann bemerkte er den Umschlag, der unter einem der Wischblätter steckte. Darin befand sich ein einzelnes Blatt Papier: »FURIO PADEDDA IST EIN LÜGNER«, las er. »ER WAR IN DER NACHT ALS DIE AUSLÄNDER ERMORDET WURDEN NICHT IN DER BAR ABER DER MELEGA-CLAN AUS ORGOSOLO WEISS WO ER WAR.«

Die Botschaft war in Blockbuchstaben von einer Hand geschrieben, die offenbar normalerweise mit größeren und schwereren Geräten als einem Kugelschreiber umging. Die Buchstaben waren sehr unregelmäßig, ein mühseliges Gekrakel, das groß und kühn anfing, doch dann am rechten Rand ängstlich zusammenrückte, als ob die Buchstaben vom Papier purzeln könnten.

Trotz seines Dilemmas musste Zen lächeln. Also hatte die erniedrigende Katastrophe der vergangenen Nacht doch etwas Gutes gehabt. Turiddu hatte die Gelegenheit gesehen, eine alte Rechnung mit seinem Rivalen zu begleichen, wobei er sein Gewissen bestimmt mit der Tatsache beruhigt hatte, dass Zen schließlich noch nicht offiziell als Polizist entlarvt worden war. Wenn die Mitteilung stimmte, wäre es möglicherweise genau das, was Zen brauchte, um einen Beweis gegen Padedda zu konstruieren und sich Palazzo Sisti vom Hals zu schaffen. Allerdings war Turiddu wegen seines Hasses gegen den »Ausländer« aus den Bergen – was immer der Grund dafür sein mochte – kein besonders zuverlässiger Informant. Trotzdem war an den paar Zeilen irgendwas, das Zen das Gefühl gab, es handele sich nicht um eine reine Erfindung, obwohl er in seinem derzeitigen Zustand nicht sagen konnte, was es war.

Er stopfte den Brief in die Tasche und fragte sich, was er als Nächstes tun sollte. Ganz aus heiterem Himmel beschloss er, Tania anzurufen.

Das Telefon war eins von der neuen Sorte, das sowohl Münzen als auch Marken nahm. Zen steckte seinen gesamten Vorrat an Kleingeld in den Apparat und wählte dann die Nummer. Noch nie war ihm die moderne Technologie wunderbarer vorgekommen als in diesem Augenblick, wo er von einem feindseligen, ärmlichen sardischen Dorf aus das Telefon in Tanias Wohnung klingeln hörte, Welten von ihm entfernt, in Rom.

»Ja?«

Es war die Stimme eines Mannes, kurz angebunden und schlecht gelaunt.

»Signora Biacis, bitte.«

»Wer ist da?«

»Ich rufe aus dem Innenministerium an.«

»Um Gottes willen! Wissen Sie denn nicht, dass Sonntag ist?«

»Natürlich weiß ich das!«, antwortete er ungeduldig. Die Münzen fielen mit alarmierender Geschwindigkeit durch den Schacht. »Glauben Sie, mir macht es Spaß, heute zu arbeiten?«

»Was wollen Sie von meiner Frau?«

»Ich fürchte, das ist vertraulich. Lassen Sie mich bitte mit ihr sprechen.«

»Oh nein, das werde ich nicht! Und Sie brauchen auch nicht noch mal anzurufen, weil sie nicht da ist! Sie wird nicht da sein! Niemals, jedenfalls nicht für Sie! Verstehen Sie? Meinen Sie, ich wüsste nicht, was da hinter meinem Rücken vor sich geht? Sie halten mich wohl für einen Idioten? Einen Einfaltspinsel! Da täuschen Sie sich aber! Ich werde Ihnen zeigen, was es heißt, sich mit einem Bevilacqua anzulegen! Verstehen Sie? Ich weiß, was Sie getan haben, und Sie werden dafür zahlen müssen! Sie Ehebrecher! Hurenbock!«

An dieser Stelle ging Zen das Geld aus und ersparte ihm den Rest von Mauro Bevilacquas Schimpfkanonade. Niedergeschlagen trottete er zum Mercedes zurück. Der Oktopus hatte mittlerweile seinen Griff ein wenig gelockert, aber Zen brauchte immer noch fünf Minuten, bis es ihm gelang, die Motorhaube zu öffnen. Als er das endlich geschafft hatte, wurde ihm auf der Stelle klar, weshalb der Wagen nicht ansprang. Das war kein Verdienst seiner technischen Kenntnisse, die gleich null waren. Doch selbst er konnte an dem Gewirr von Drähten, die da – alle fein säuberlich durchtrennt – aus dem Motor ragten, erkennen, dass irgendein wichtiges Teil entfernt worden war.

Er schloss die Motorhaube und schaute sich auf der Piazza um. Die Telefonzelle wurde jetzt von dem Mann mit dem beigen Mantel benutzt. Mit einem tiefen Seufzer kehrte Zen widerwillig ins Hotel zurück. Warum um alles in der Welt sollte ihn jemand daran hindern wollen abzureisen? Brauchte Padedda Zeit, um seine Spuren zu verwischen? Oder war dieser Sabotageakt Turiddus Art, seinen anonymen Brief mit den unerbittlichen Forderungen der Omertà zu vereinbaren?

Der Hotelbesitzer registrierte Zens Rückkehr mit völlig ausdruckslosem Gesicht, als ob er ihn noch nie gesehen hätte.

»Mein Auto hat den Geist aufgegeben«, erklärte Zen. »Gibt es hier einen Taxidienst, eine Autovermietung oder so was Ähnliches?«

»Es gibt einen Bus.«

»Und wann fährt der?«

»Um sechs.«

»Abends?«

»Morgens.«

Zen biss die Zähne zusammen. Dann fiel ihm die Eisenbahn unten im Tal ein. Es war zwar ein weiter Weg, aber inzwischen war er zu fast allem bereit, um von diesem verfluchten Ort wegzukommen.

»Und der Zug fährt sonntags nicht«, fügte der Wirt hinzu, als hätte er seine Gedanken gelesen.

Im Nebenraum fing ein Telefon an zu klingeln. Der Inhaber ging hinüber, um abzuheben. Zen setzte sich an einen der Tische und zündete sich eine Zigarette an. Er war nahe daran, zu verzweifeln. Ausgerechnet nachdem er eine Information erhalten hatte, mit deren Hilfe er seine Mission doch noch erfolgreich beenden könnte, wurden ihm plötzlich alle Türen vor der Nase zugeschlagen. Wenn das so weiterging, würde er die Carabinieri in Lanusei anrufen und sie freundlich bitten müssen, ihn abzuholen. Das war so ungefähr das Letzte, was er wollte. Um seine Undercover-Operation nicht zu gefährden, hatte er alle offiziellen Papiere zu Hause gelassen. Wenn er nun die rivalisierende Truppe einschaltete, würde das zu endlosen Erklärungen und Überprüfungen führen, wodurch unweigerlich herauskäme, in welcher höchst fragwürdigen Angelegenheit er sich hier aufhielt, was wiederum seine Chancen minderte, das Ganze befriedigend abzuschließen. Doch es schien keine andere Möglichkeit zu geben, wenn er nicht die kommende Nacht wie die Bettlerin auf der Straße oder in einer Höhle verbringen wollte.

Er sah auf, als der dünne Mann mit dem beigen Mantel hereinkam. Statt an die Bar zu gehen, steuerte er direkt auf Zens Tisch zu. »Guten Morgen, Dottore.«

Zen starrte ihn an.

»Erkennen Sie mich nicht?«, fragte der Mann.

Er schien enttäuscht zu sein. Zen betrachtete ihn genauer. Er war etwa vierzig und hatte das schlaffe und bleiche Aussehen von Leuten, die immer in geschlossenen Räumen arbeiten. Auf den ersten Blick erschien er groß zu sein, doch Zen bemerkte jetzt, dass dies daher kam, dass der Mann so extrem dürr war, und wohl auch mit der Tatsache zusammenhing, dass Zen sich mittlerweile an die sardische Norm gewöhnt hatte. Soweit er sich erinnerte, hatte er ihn noch nie im Leben gesehen. »Warum sollte ich?«, erwiderte er unfreundlich.

Der Mann zog einen Stuhl heran und setzte sich. »Tja, warum eigentlich? Es ist wohl wie in der Schule. Die Schüler erinnern sich alle an ihren Lehrer, selbst noch nach Jahren, doch man kann nicht erwarten, dass der Lehrer sich an all die tausend Kinder erinnert, die irgendwann mal durch seine Hände gegangen sind. Aber ich kenne Sie noch immer, Dottore. Ich habe Sie gleich erkannt. Sie sind nicht viel älter geworden. Oder vielleicht waren Sie damals schon alt.«

Er nahm eine Schachtel Toscani-Zigarren heraus, brach eine durch, steckte die eine Hälfte in die Schachtel zurück und die andere zwischen seine Lippen. »Haben Sie Feuer?«

Zen reichte ihm ganz automatisch sein Feuerzeug. Es kam ihm so vor, als ob das alles jemand anderem passierte, jemandem, der vielleicht wüsste, was hier gespielt wurde. Er jedenfalls hatte keine Ahnung.

Der Mann zündete die Zigarre mit großer Sorgfalt an. Er drehte sie ständig, und achtete peinlich darauf, dass die Flamme nicht mit dem Tabak in Berührung kam. Als sie richtig glühte, ließ er das Feuerzeug in seiner Tasche verschwinden.

»He, das ist meins!«, protestierte Zen wie ein Kind, dem man sein Spielzeug abgenommen hat.

»Sie werden es nicht mehr brauchen. Ich behalte es als Andenken.«

Er stand auf, zog seinen Mantel aus und legte ihn über einen Stuhl. Dann ging er an die Bar und klopfte mit seinen Knöcheln auf die blank polierte Stahlfläche. »He, Bedienung!«

Der Wirt kam mit wütendem Blick aus dem Nebenzimmer.

»Geben Sie mir ein Glas Bier. Aber was Anständiges, nicht diese Pisse von hier.«

Jetzt, wo er ohne Mantel dastand, sah man noch viel deutlicher, wie extrem dünn der Mann war. Dadurch wirkte er auf beunruhigende Weise zweidimensional, als ob er, wenn er sich zur Seite drehte, ganz verschwinden könnte.

Der Wirt knallte eine Flasche und ein Glas auf die Theke. »3000 Lire.«

Der dünne Mann warf ihm lässig eine Banknote hin. »Das sind fünf. Ich geb dir einen aus. Vielleicht hebt das deine Laune.«

Er nahm die Flasche und das Glas mit zum Tisch und fing an, sich das Bier genauso sorgfältig einzuschenken, wie er zuvor die Zigarre angezündet hatte. Er hielt Glas und Flasche schräg gegeneinander, sodass sich nur eine kleine Schaumkrone bildete. »Elende Scheißer, diese Sarden«, bemerkte er zu Zen. »Verzeihen Sie, wenn ich Ihnen nicht die Hand gebe. Mir hat mal einer gesagt, das bringe Unglück, und das kann ich jetzt wirklich nicht gebrauchen. Schon merkwürdig, dass Sie sich nicht an mein Gesicht erinnern. Aber vielleicht sagt Ihnen der Name was. Vasco Spadola.«

Die Zeit verstrich, vielleicht viel oder auch nur ein wenig. Der dürre Mann saß einfach da, rauchte und nippte an seinem Bier, bis Zen endlich seine Stimme wiederfand. »Woher wussten Sie, wo ich war?«

Das war eine dumme Frage. Aber vielleicht waren alle Fragen in diesem Augenblick dumm.

Spadola nahm seinen Mantel, klopfte gegen die Taschen, zog die gestrige Ausgabe von *La Nazione* hervor und warf sie auf den Tisch. »Das hab ich in der Zeitung gelesen.«

Zen klappte die Zeitung auf. Auf der unteren Hälfte der Seite war ein Foto von ihm, auf dem er sich kaum erkannte. Es musste vor Jahren aufgenommen und jetzt aus dem Zeitungsarchiv ausgegraben worden sein. Er fand, dass er darauf unreif und in lächerlicher Weise von sich selbst überzeugt aussah. Neben dem Foto war ein Artikel mit der Überschrift: »NEUES BEWEISMATERIAL IN DER BUROLO-AFFÄRE?« Zen überflog den Text.

»Wie aus dem Umkreis der Familie von Renato Favelloni, der beschuldigt wird, die Morde in der Villa Burolo geplant zu haben, zu erfahren war, ist erst kürzlich aufsehenerregendes neues Beweismaterial zu diesem Fall ans Licht gekommen. Das hat dazu geführt, dass Ermittlungen in eine Richtung wiederaufgenommen werden, die man bereits als abgeschlossen angesehen hatte. Ein höherer Beamter der ministeriellen Eliteabteilung Criminalpol, Vice-Questore Aurelio Zen, soll noch heute nach Sardinien geschickt werden, um sich vor Ort ein Bild zu machen und die weiteren Schritte zu koordinieren. Nähere Informationen werden in Kürze erwartet.«

Zen legte die Zeitung weg. Natürlich. Er hätte sich denken können, dass Palazzo Sisti dafür sorgen würde, seine bevorstehende Reise publik zu machen, schon allein um sicherzustellen, dass dem »aufsehenerregenden neuen Beweismaterial«, das er aus dem Hut zaubern würde, genügend Beachtung seitens der Justiz geschenkt würde.

»Schade, dass Sie mir in Rom entwischt sind«, sagte Spadola. »Giuliano hatte über eine Woche damit verbracht, alles vorzubereiten. Er hat Ihre Wohnung beobachtet, die Schlösser geknackt und diese kleinen Botschaften dagelassen, um Sie weich zu klopfen. Am Freitag wollten wir dann zuschlagen. Ich wusste allerdings nicht, dass Sie hinter die Sache mit dem Auto gekommen waren. Giuliano war in diesen Dingen schon immer etwas unvorsichtig. Wie mit dem Videoband, das er Ihnen anstelle Ihrer Brieftasche gestohlen hat. Ich nehme an, das kommt daher, dass er der älteste Sohn war, Mammas Liebling. Da meint man, man könne sich alles erlauben.«

Er hielt inne, um an seiner Zigarre zu ziehen.

»Als die Bullen angerückt sind, musste ich durch den Hinterausgang abhauen. Ich hatte Glück, überhaupt wegzukommen, mit der Waffe und so. Die musste ich in einem

Müllcontainer verschwinden lassen und mir später wiederholen. Alle Mühe für die Katz, und was das Schlimmste war, sie hatten Giuliano geschnappt. Ich wusste, er hätte nicht das Zeug, den Mund zu halten, wenn sie ihn erst mal in der Mangel hatten. Außerdem hab ich angenommen, ich müsste für ein paar Monate untertauchen, bis Sie es leid wären, ständig von einem Aufpasser begleitet zu werden und sich an irgendeinem sicheren Ort zu verkriechen. Am allerwenigsten hatte ich erwartet, zwei Tage später mit Ihnen in einem Café zu plaudern.«

Er brach in ein hämisches Lachen aus.

»Selbst als ich den Zeitungsartikel las, habe ich nicht geglaubt, dass es so einfach sein würde! Ich dachte, Sie wären irgendwo in einer Kaserne untergebracht, Tag und Nacht bewacht und von kugelsicheren Limousinen eskortiert. Trotzdem musste ich hierherkommen. Vielleicht hast du ja Glück, habe ich mir gesagt. Aber selbst in meinen kühnsten Träumen hätte ich mir das hier nie vorgestellt!«

Die Tür zur Bar wurde aufgerissen, und Tommaso kam mit einem älteren Mann herein. Sie begrüßten den Wirt ziemlich laut und warfen nervöse Blicke auf Zen und Spadola.

Zen drückte seine Zigarette aus. »Okay, Sie haben mich also gefunden. Und nun?«

Spadola blies eine Rauchwolke aus seiner Zigarre über Zens Kopf hinweg. »Und nun? Tja, nun werde ich Sie töten!«

Er nahm einen Schluck Bier.

»Deshalb wollte ich Ihnen nicht die Hand schütteln. Einer von denen, die ich im Gefängnis kennengelernt habe, stand in Diensten der Familie Pariolo in Neapel. Sie haben dort mal gearbeitet, oder? Gianni Ferrazzi. Sagt Ihnen der Name was? Vielleicht war das nach Ihrer Zeit. Jedenfalls hatte dieser Junge bereits zwanzig oder dreißig auf seinem Konto, er konnte sich nicht genau erinnern, wie viele, und alles lief gut, bis er eines Tages einem Opfer die Hand schüttelte, bevor er seinen Auftrag ausführte. Er hatte das nicht gewollt, weil er wusste, es würde Unglück bringen. Aber sie wurden einander vorgestellt, und der Mann streckte seine Pfote aus. Was sollte er da machen? Es hätte Verdacht erregt, wenn er sich geweigert hätte. Trotzdem hat er weitergemacht und den Typ umgebracht, obwohl er wusste, dass er dabei baden gehen würde. Das nenne ich echtes Profitum.

Ehrlich gesagt, hab ich gedacht, dass es bei Ihnen so ähnlich sein würde. Unpersönlich, meine ich, ganz anonym, wie ein bezahlter Job. Bei Bertolini war es leider so. Ich hatte die Sache nicht richtig durchdacht, schließlich war es das erste Mal. Der Drecksack wusste noch nicht mal, warum er starb. Ich hatte reichlich Stress, weil sein Fahrer eine Pistole zog und seine Frau sich vor dem Haus die Seele aus dem Leib schrie. Hinterher wurde mir klar, dass ich eigentlich viel mehr wollte, sonst hätte ich einfach jemanden anheuern können, um mir den ganzen Ärger zu ersparen. Ich meine, das Opfer muss verstehen, was los ist, es muss begreifen, wer du bist und warum du das tust, sonst ist das keine richtige Rache.

Also schwor ich, dass es bei Ihnen und Parrucci anders sein würde. Bei ihm bin ich bestimmt voll auf meine Kosten gekommen, aber bei Ihnen war es schon schwieriger. Wegen der Terroristenangst, die ausbrach, nachdem ich Bertolini erschossen hatte, schien es mir zu riskant, jemanden aus dem Ministerium zu entführen. Die hätten hart durchgegriffen, und ich hatte nicht die Absicht, mich erwischen zu lassen. Ich habe zwanzig Jahre für einen Mord gesessen, den ich nicht begangen habe, also habe ich diesen frei!«

Mit einem glückseligen Lächeln lehnte er sich in seinem Stuhl zurück.

»Aber so habe ich mir das wirklich nicht vorgestellt! Dass wir hier wie zwei alte Freunde zusammensitzen und an diesem Tisch miteinander plaudern würden, und dass ich Ihnen sage, dass ich Sie töten werde, und Sie wüssten, dass das wahr ist, dass Sie sterben werden! Und die ganze Zeit unterhalten sich diese beiden Arschlöcher da drüben über den Preis von Schafsmilch oder irgendeinen anderen Scheiß, der Barmann macht die Kaffeemaschine sauber, im Nebenraum plärrt der Fernseher, und in der Ecke brummt die Tiefkühltruhe. Und Sie werden sterben! Ich werde Sie töten, während all das weitergeht! Und es wird weitergehen, wenn Sie schon längst tot sind. Weil man Sie nicht braucht, Zen. Niemanden von uns. Haben Sie jemals darüber nachgedacht? Ich schon. Ich habe zwanzig Jahre lang darüber nachgedacht. Zwanzig Jahre, die ich für einen Mord gesessen habe, den ich nicht begangen habe!«

Spadola saugte den letzten, bitteren Zug aus seiner Zigarre und warf den Stummel auf die Erde.

»Wollen Sie wissen, wer Tondelli wirklich umgebracht hat? Das war sein Cousin. Es ging um eine Frau, eine Kneipenschlägerei. Als er erst mal tot war, witterten die Tondellis eine Möglichkeit, mir das anzuhängen, und bezahlten dieses Arschloch Parrucci dafür, dass er einen Meineid leistete. Den Rest habt ihr Schweine besorgt. Aber selbst mal angenommen, ich hätte ihn getötet, was solls? Dauernd sterben irgendwelche Leute auf die eine oder andere Art. Das ist doch wirklich scheißegal.

Aber genau das ist es, was Sie und Ihresgleichen nicht zulassen können. Da würdet ihr euch vor Angst in die Hose scheißen. Also stellt ihr eure kleinlichen Bestimmungen und Regeln auf, wie in der Schule, und wer dagegen verstößt, muss in der Ecke stehen mit einem spitzen Papierhut auf dem Kopf. Was für ein Haufen Scheiße! In Wirklichkeit seid *ihr* doch die Ersten, die gegen die Regeln verstoßen, die lügen und betrügen und Meineide leisten, um eine lausige Gehaltserhöhung, einen besseren Job oder eine fettere Pension zu kriegen! *Ihr* seid diejenigen, die man bestrafen müsste. Und ob Sie es glauben oder nicht, mein Freund, genau das wird passieren, jedenfalls dieses eine Mal. Begreifen Sie endlich, Zen! Sie werden sterben. Bald. Heute. Und ich erzähle Ihnen das, warne Sie, und Sie wissen, dass es stimmt, und trotzdem können Sie absolut nichts dagegen machen! Niente.«

Spadola legte seine Finger auf die Lippen und hauchte einen Kuss in die Luft wie ein Kenner, der einen edlen Wein würdigt.

»Das ist wirklich das Höchste! Ich habe mich noch nie so gefühlt. Das entschädigt mich für alles. Na ja, wir wollen nicht übertreiben. Nichts könnte mich für das entschädigen, was ich durchgemacht habe. Doch falls es Sie tröstet, kann ich Ihnen sagen, dass Sie mich heute sehr glücklich gemacht haben. Sie haben zwar mein Leben zerstört, aber Sie haben mir auch diesen Augenblick geschenkt. Meine Mutter – möge sie in Frieden ruhen – hat immer gesagt, ich sei für große Leiden und für große Freuden ausersehen. Und sie hat recht gehabt. Sie hat ja so recht gehabt.«

Er hielt inne, biss sich auf die Lippen, während ihm Tränen in die Augen stiegen.

»Ich nehme an, es hat keinen Sinn, wenn ich Ihnen sage, dass ich nichts mit dem gefälschten Beweismaterial gegen Sie zu tun hatte«, sagte Zen matt.

Spadola schaukelte wild auf seinem Stuhl vor und zurück, als ob er von einem plötzlichen Krampf geschüttelt würde. »Das kann ich nicht glauben! Das ist zu viel! Das ist einfach zu schön, um wahr zu sein!« Er schnappte nach Luft. »Erinnern Sie sich noch, was Sie an jenem Morgen auf dem Bauernhof bei Melzo zu mir gesagt haben? Ich sagte Ihnen, ich sei unschuldig. Ich sagte Ihnen, ich hätte es nicht getan. Ich wusste, dass man mich verraten hatte, das machte es für mich noch unerträglicher. Wenn ich tatsächlich diesen Scheiß-Südländer niedergestochen hätte, dann hättet ihr kein Wort aus mir herausgekriegt, aber da ich wusste, dass es eine abgekartete Sache war, glaubte ich, verrückt zu werden. Und wissen Sie, was Sie gesagt haben, als ich Ihnen meine Unschuld ins Gesicht schrie? Sie haben gesagt: ›Tja, was sollten Sie auch sonst sagen, nicht wahr?‹ Und dabei haben Sie mich auf diese verschmitzte Art angesehen, die ihr gebildeten Leute an euch habt, wenn ihr mit euch selbst zufrieden seid. Natürlich hatten Sie nichts damit zu tun, Dottore! Genau wie dieser – wie heißt er noch mal –, dieser Politiker in dem Mordfall, den Sie gerade untersuchen. Er hatte auch nichts damit zu tun, nicht wahr? Leute wie ihr haben nie was damit zu tun!«

»Ich wollte damit nicht bloß sagen, dass ich das Messer nicht dorthin geschmuggelt habe. Ich habe überhaupt nicht gewusst, dass das Ganze manipuliert worden war. Das geschah ohne mein Wissen, hinter meinem Rücken.«

»Dann sind Sie ein unfähiger Idiot. Das war Ihr Fall, Sie waren dafür verantwortlich! Ich habe zwanzig Jahre meines Lebens, des einzigen, das ich je haben werde, in einer stinkenden, feuchten Zelle verbracht, in der man sich kaum rumdrehen konnte, unzählige Stunden eingesperrt in der eiskalten Dunkelheit …«

Unkontrolliert zitternd hielt er inne, seine Wangen glänzten feucht. »Na los, sehen Sie es sich gut an! Ich schäme mich nicht wegen meiner Tränen! Warum sollte ich? Sie sind die Perlen des Leidens, meines Leidens. Ich sollte Sie zwingen, sie einzeln aufzulecken, bevor ich Ihnen Ihr bösartiges Hirn durchlöchere!«

»Hören Sie mit der Scheiße auf, Spadola!«, brüllte Zen. »Selbst wenn Sie Tondelli nicht umgebracht haben, haben Sie mindestens vier andere Morde auf dem Gewissen. Was ist mit Ugo Trocchio und seinem Bruder? Sie haben sie umbringen lassen, und das wissen Sie. Wir wussten es, jeder wusste es. Wir konnten es nur nicht beweisen, weil die Leute zu viel Angst hatten zu reden. Und so ging das immer weiter, bis ein paar von meinen Kollegen beschlossen, dass es an der Zeit sei, Sie aus dem Verkehr zu ziehen. Weil sie das nicht auf geradem

Weg tun konnten, machten sie es eben auf die krumme Tour. Wie ich bereits sagte, ich wusste nichts davon. Wenn ich es gewusst hätte, hätte ich es zu verhindern versucht. Das ändert jedoch nichts an der Tatsache, dass Sie die zwanzig Jahre Gefängnis mehrfach verdient hatten.«

»Darum geht es doch nicht!«, brüllte Spadola so laut, dass die Männer an der Bar sich nach ihm umdrehten. »Du lieber Gott, wenn jeder, der in diesem Land gegen das Gesetz verstößt, ins Gefängnis gesteckt würde, wer bliebe dann noch übrig, um auf all die Leute aufzupassen? Zunächst einmal brauchten wir einen kompletten Satz neuer Politiker! Aber so läuft das nicht, nicht wahr? Es ist ein Spiel! Und ich war gut! Ich war verdammt großartig! Man konnte mir nicht das kleinste bisschen anhängen. Ich hatte euch vollkommen schachmatt gesetzt. Also habt ihr die Torpfosten verrückt!«

»Das gehört auch mit zum Spiel.«

Spadola trank sein Bier aus und stand auf. »Vielleicht. Doch das Spiel ist hiermit zu Ende, Zen. Was jetzt passiert, ist Realität.«

Seine Stimme klang wieder vollkommen ruhig. Er starrte auf Zen herab.

»Ich weiß, was Sie denken. Sie denken, ich bin verrückt. Ihnen zu sagen, was ich vorhabe, Sie zu warnen, Ihnen eine Chance zur Flucht zu geben. Da hätte ich keine Chance zu entwischen, das denken Sie doch, oder? Nicht am helllichten Tag und mitten in diesem Dorf. Nun, wir werden sehen. Vielleicht haben Sie ja recht. Ich gebe zu, dass diese Möglichkeit besteht. Vielleicht sind Sie ja klüger als ich. Vielleicht finden Sie einen Weg, Ihre Haut zu retten, zumindest diesmal. Das beunruhigt mich nicht. Irgendwann krieg ich Sie, egal was passiert. Und bis dahin ist Ihre vage Hoffnung zu entkommen ein Teil Ihrer Strafe, Zen, so wie man mich mit all dem Gerede von wegen Berufung und Bewährung gequält hat, woraus nie etwas geworden ist.«

Er zog seinen Mantel an. »Sie haben wahrscheinlich schon bemerkt, dass Ihr Auto nicht funktioniert. Ich habe den Verteiler rausgenommen und alle Kabel durchgeschnitten. Um Ihnen Zeit zu ersparen, sage ich Ihnen auch noch, dass die Telefonzelle jetzt ebenfalls kaputt ist. Was die Einheimischen angeht, so bin ich sicher, dass die Ihnen nicht mal sagen würden, wie spät es ist. Ich habe ihnen nämlich die Zeitung gezeigt und erzählt, wer Sie sind. Merkwürdigerweise schienen sie nicht sonderlich überrascht zu sein. Ganz im Vertrauen gesagt, ich glaube, die hatten Sie längst durchschaut.

Also dann bis später, Dottore. Ich kann noch nicht sagen, wann genau. Auch das ist ein Teil der Strafe. Es könnte in wenigen Minuten sein, falls ich plötzlich den Drang verspüre. Oder erst am späten Abend. Das hängt ganz von meiner Stimmung ab, so wie ich mich gerade fühle. Ich werde wissen, wann der Augenblick gekommen ist. Das werde ich spüren. Und machen Sie sich keine Sorgen wegen der Schmerzen. Ich erledige es schnell und sauber, das verspreche ich Ihnen. Nichts Exotisches wie bei Parrucci. Den hatte ich wirklich auf dem Kieker. Man nannte ihn ›die Nachtigall‹, nicht wahr? Weil er so schön sang, nehme ich an. Zu guter Letzt hat er nur noch geschrien. Ich musste einen Spaziergang machen, weil ich es nicht mehr aushalten konnte. Er war jedoch zäher, als er aussah. Als ich nach ungefähr einer Stunde wiederkam, hat er immer noch gewimmert, jedenfalls das, was von ihm übrig war. Ich musste ihm mit der Pistole den Gnadenschuss geben. Wirklich widerlich. So, jetzt geh ich erst mal pissen.«

Er ging quer durch das Restaurant und verschwand hinter einer Tür mit der Aufschrift »Toiletten«.

»Ich muss Ihr Telefon benutzen!«, sagte Zen zum Wirt. »Dieser Mann ist ein ehemaliger Verbrecher. Er will mich töten. Ich bin Vice-Questore beim Innenministerium. Wenn Sie mir nicht helfen, machen Sie sich der Beihilfe an einem Mord schuldig.«

Der Wirt starrte ihn mit steinerner Miene an. »Aber Ihr Name ist doch Reto Gurtner. Ich habe Ihre Papiere gesehen. Sie sind ein Schweizer Geschäftsmann aus Zürich.«

»Mein Name ist Aurelio Zen! Ich bin ein hoher Beamter!«

»Beweisen Sie das.«

»Lassen Sie mich telefonieren! Schnell, bevor er zurückkommt!«

»Hier gibt es kein Telefon.«

»Ich habe es doch klingeln hören, als ich hereinkam.«

»Das war im Fernsehen.«

Hätte er ein bisschen mehr Zeit gehabt, wäre es Zen vielleicht gelungen, den Mann mit einer Mischung aus Drohungen und Bitten umzustimmen. Doch die wenigen Sekunden, die ihm blieben, bis Vasco Spadola wieder auftauchte, waren zu kostbar, um auf diese schwache Chance zu setzen. Außerdem würden die Carabinieri mindestens fünfzehn Minuten bis zum Dorf brauchen, und damit hätte Spadola genügend Zeit, seine Drohung in die Tat umzusetzen. Zen drehte sich auf dem Absatz um und rannte hinaus.

Draußen auf der Piazza trafen sich die Leute allmählich zu ihrem Spaziergang vor dem Mittagessen. Zen stand unentschlossen in der Tür. An wen könnte er sich wenden? Angelo Confalone? Aber es war Sonntag. Die Kanzlei war bestimmt geschlossen, und Zen hatte keine Ahnung, wo der Anwalt wohnte. Einen Augenblick dachte er daran, an die Menge zu appellieren, sich ihrer Gnade auszuliefern. Aber er hatte keine Zeit, öffentliche Reden zu schwingen, und außerdem war er als Spion gebrandmarkt, als erwiesener Lügner, ein Agent der verhassten Regierung in Rom. Jeder, der ihm helfen würde, ginge damit das Risiko ein, seine eigene Stellung in der Gemeinde zu gefährden. Spadola hatte recht. Er war ganz allein.

Dann sah er den Mercedes und erkannte, dass noch eine schwache Hoffnung bestand. Die hing zwar an einem seidenen Faden, aber er hatte nichts mehr zu verlieren. Alles war besser, als im Dorf herumzuschleichen, sich in irgendwelchen Winkeln zu verstecken und darauf zu warten, aufgestöbert und getötet zu werden.

Als er sich unsanft seinen Weg durch die Gruppen der Umherstehenden bahnte, bemerkte Zen Turiddu, der mit einigen anderen Männern zusammenstand. Alle starrten ihn an, sprachen mit leiser Stimme und zeigten auf einen gelben Fiat Uno mit römischem Kennzeichen, der ganz in der Nähe geparkt war. Am Ende des Platzes stand ganz allein Elia, die verrückte Bettlerin. Erst jetzt fiel Zen die Ähnlichkeit zwischen ihr und Turiddu auf, und ihm wurde klar, dass er der Bruder sein musste, mit dem sie nichts zu tun haben wollte. Das erklärte auch seinen Zorn, als er sie am vergangenen Abend in der Pizzeria sah. In einer Gemeinde wie dieser musste ein geisteskrankes Familienmitglied eine permanente Quelle der Schande sein.

Er machte die Handbremse des Mercedes los und stellte den Schaltknüppel auf Leerlauf. Dann stieg er aus und begann, unter Aufbietung aller Kräfte zu schieben, um das schwere Fahrzeug die leichte Steigung bis zur Hauptstraße hinaufzukriegen. Seine Kopfschmerzen erwachten zu neuem Leben, und seine schmerzenden Glieder protestierten. Nach einem gewaltigen Kraftakt rollte das Auto schließlich auf die gesprungenen Betonplatten der Straße. Zen drehte das Steuer so, dass der Wagen mit der Nase bergabwärts stand, dann schob er ihn an und sprang hinein. Schon bald rollte das Auto ziemlich schnell die steil abfallende Hauptstraße hinunter und um die Kurve, die aus dem Dorf führte. Er war noch nicht aus allem raus, noch bei Weitem nicht, doch dieser anfängliche Erfolg ermunterte ihn sehr. Als er die neuen Häuser am Ortsrand erreichte, war das Auto bereits so schnell, wie er auch unter normalen Umständen gefahren wäre. Einige Male musste er sogar hupen, um die Dorfbewohner vor seinem lautlosen Gefährt zu warnen.

Als ich ihn herauskommen sah, dachte ich, alles wäre verloren. Ich war ihm überallhin gefolgt, huschte mit der Flinte in der Hand durch die Schatten wie ein Mauersegler in der Abenddämmerung. Alles umsonst. Immer war jemand da, der meine Pläne durchkreuzte, als ob irgendein Gott ihn beschützte! Und jetzt war er für mich unerreichbar geworden.

Er glaubte, er wäre sicher, ich glaubte, ich hätte versagt. Was keiner von uns begriffen hatte, war, dass er seinen Tod bereits in sich trug, dass er in seinem Körper steckte, wie unsere Sünden in dem Blutenden Herzen über dem Kamin. Früher hatte ich geglaubt, dass das Herz von einem der Schweine stammte, die mein Vater geschlachtet hatte. Ich rechnete immer damit, die Eingeweide des Tiers an der anderen Wand zu finden, und seinen Schwanz und seine Eier über die Tür genagelt. Einmal ging mitten in einem Gewitter das Licht aus, und meine Mutter zwang mich, niederzuknien und um Vergebung zu bitten, weil Gott uns sonst auf der Stelle vom Blitz erschlagen lasse. Also kniete ich vor dem großen Schwein im Himmel, dessen Fürze Mutter so fürchterliche Angst einjagten, und betete, dass es nicht auf uns draufscheißen möge.

Was es dann doch tat, ein bisschen später. Pass auf, worum du betest. Du könntest Gott auf komische Ideen bringen.

Ich ging weg, ich wusste nicht, wohin, und es interessierte mich auch nicht. Ein Ort war jetzt wie der andere. Meine Füße trugen mich wie ein Pferd, das den Weg nach Hause kennt. Er war jetzt bestimmt schon weit weg, dachte ich, so wie er mit seinem weißen Auto durch die Flure des Lichts raste.

Aber es gab nur einen Ausgang aus dem Labyrinth, in dem wir beide gefangen waren. Als ich schon alle Hoffnung aufgegeben hatte, war er auf dem Weg dorthin und brachte mir den Tod, den ich brauchte.

Sonntag, 11.20–13.25

Erst als er die erste der Haarnadelkurven erreicht hatte, von der an die Straße vom Dorf aus ziemlich steil bergab lief, kam Zen der Gedanke, dass Vasco Spadola nicht nur den Motor des Mercedes, sondern auch seine Bremsen beschädigt haben könnte. Zu diesem Zeitpunkt fuhr der Wagen bereits 50 Stundenkilometer und beschleunigte immer mehr.

Die Bremsen packten ganz normal, und Zen sah ein, dass seine Befürchtungen grundlos gewesen waren. Spadolas exakte Vorstellungen von dem, was ihm zustand, machten es undenkbar, dass er ein so indirektes, mechanisches Mittel wählen würde, um seine Rache in die Tat umzusetzen. Seine Bedürfnisse waren dringend und persönlich. Sie mussten deshalb auch persönlich befriedigt werden, von Angesicht zu Angesicht, wie ein pervertierter Geschlechtsakt.

Der Wagen rollte in köstlicher Stille bergab. Der Wind schwieg, und nur das gedämpfte Summen der Reifen war zu hören. Fast pausenlos folgte eine Haarnadelkurve auf die andere. Die Bewegung erinnerte Zen an das Segeln auf den Lagunen Venedigs, wo man ständig mit seinem Boot den Kurs ändern musste, um die schmalen Kanäle zwischen den flachen, schlammigen Inselchen zu passieren. Er fühlte sich merkwürdig erregt in dieser Situation, da Leben und Tod von der Reaktion eines Bremspedals abzuhängen schienen, als ob man eine Münze werfen würde. Als er in Rom zum ersten Mal gespürt hatte, dass ihn jemand verfolgte, hatte er nichts als kalte Angst empfunden, ein lähmendes Ersticken. Doch hier in dieser primitiven Landschaft schien das, was gerade passierte, völlig natürlich und richtig zu sein. Dafür sind Männer geschaffen, dachte er. Alles andere müssen wir uns erst erarbeiten, aber das kommt von ganz alleine. Darin sind wir gut.

Doch trotz seines euphorischen Zustands war er sich darüber im Klaren, dass manche Männer darin einfach besser waren als andere, und dass Vasco Spadola ganz bestimmt zu gut für ihn war. Wenn er überleben wollte, musste er jetzt anfangen nachzudenken. Zum Glück schien sein Gehirn mit außergewöhnlicher Klarheit zu funktionieren, trotz des Katers. Bisher war hinter ihm noch kein Zeichen von seinem Verfolger zu sehen, doch sobald Spadola aus dem Hotel kam, musste er feststellen, dass der Mercedes verschwunden war, und ihm würde klar sein, dass er sich einzig durch die Schwerkraft bewegt haben konnte. Also brauchte er nur die Straße bergab zu fahren, und früher oder später – wahrscheinlich eher früher als später – würde er ihn einholen.

Unten endete die Straße bei der Kreuzung, an der Zen vierundzwanzig Stunden zuvor auf dem Weg zur Villa Burolo angehalten hatte, um einen Blick auf die Karte zu werfen. Auf der anderen Seite der Kreuzung führte – wie er sich erinnerte – ein unbefestigter Weg zu dem Bahnhof, der in jenen Tagen für das Dorf gebaut worden war, als die Leute noch bereit waren, vier oder fünf Kilometer zu Fuß zu gehen, um die Vorteile der neuen Eisenbahn zu nutzen. Dieser Bahnhof war Zens Ziel. Dort musste es ein Telefon geben, und der Bahnhofsvorsteher, der eher dem Staat als den Einheimischen Loyalität schuldete – schließlich verdankte er ihm seinen Job –, musste Zen dieses Telefon benutzen lassen. Alle Beamten der Criminalpol waren im Besitz eines Codeworts, das jeden Monat geändert wurde und seinen Benutzer bevollmächtigte, über sämtliche Einrichtungen der Ordnungskräfte landauf, landab zu verfügen. Ein kurzer Telefonanruf, und

Hubschrauber und Jeeps voller bewaffneter Polizisten würden über dieses Gebiet hereinbrechen und Spadola die Wahl lassen, entweder in die Gefängniszelle zurückzukehren, die er erst kürzlich geräumt hatte, oder in einem Kugelhagel zu sterben. Zen musste es lediglich schaffen, dass die Polizei vor Spadola kam.

Er hatte sich fest darauf verlassen, dass er die ganze Strecke mit dem Mercedes im Leerlauf zurücklegen könnte, doch sobald er den Weg erkennen konnte, bemerkte er etwas, das auf der Karte nicht eingezeichnet war: eine flache Erhebung zwischen Straße und Eisenbahn. Von den kurzen Blicken, die er von der letzten Haarnadelkurve aus darauf werfen konnte, war schwer abzuschätzen, wie steil diese Erhebung tatsächlich war. Einen Augenblick war er versucht, das Auto auf dem letzten geraden Stück schneller werden zu lassen und darauf zu hoffen, dass der gesammelte Schwung ausreichen würde, den Wagen über die Kuppe zu bringen. Doch das Risiko war zu groß. Wenn er es nicht schaffte, würde er den Mercedes am Rande der Schräge stehen lassen müssen, von der Straße aus deutlich sichtbar, womit er seine Absicht unübersehbar verriete. Spadola würde dann einfach den Weg entlangfahren und Zen problemlos überholen, bevor dieser zu Fuß den Bahnhof erreichen könnte.

Jetzt war er nur noch wenige Sekunden von der Kreuzung entfernt. Die einzige Alternative war, in die Hauptstraße einzubiegen, die rechts sanft bergab lief. Weil er nicht zu viel Geschwindigkeit verlieren wollte, nahm er die Abzweigung zu schnell, sodass die Reifen auf dem dreieckigen Schotterstück in der Mitte der Kreuzung den Bodenkontakt verloren und der Mercedes auf den gegenüberliegenden Straßengraben zuschoss. Im letzten Augenblick griffen die Räder plötzlich wieder, wodurch Zen beinah das Lenkrad aus den Händen gerissen wurde. Er steuerte auf die rechte Fahrbahn zurück, dankbar, dass auf den sardischen Straßen so wenig Verkehr war. Als der Wagen allmählich wieder schneller wurde, warf Zen einen Blick auf die Straße, die sich zum Dorf hinaufschlängelte. Mehrere Hundert Meter weiter oben entdeckte er einen kleinen, leuchtend gelben Fleck, der sich der zweiten Haarnadelkurve näherte. Dann schob sich eine Erhebung wie eine Welle dazwischen, und er verlor ihn aus den Augen.

Die Straße lief einladend sanft bergab. Zen spürte, wie die ruhige und gleichmäßige Bewegung des Autos seine Sorgen einlullte, doch er wusste, dass dieses Gefühl von Sicherheit eine Illusion war. Wenn Spadola erst mal auf der Hauptstraße war, würde sein Fiat den motorlosen Mercedes in wenigen Minuten überholen, während jeder Kilometer, den Zen vom Bahnhof wegfuhr, ein Kilometer war, den er mühsam zu Fuß zurückgehen müsste. Das Auto war jetzt nicht mehr so segensreich, wie es zunächst erschienen war, sondern eher eine Belastung. Er musste es loswerden, aber wie? Wenn er es am Straßenrand stehen ließe, wüsste Spadola, dass er in der Nähe wäre. Er musste es irgendwo verschwinden lassen, wo man es nicht sehen konnte, und damit Zeit gewinnen, zu Fuß zum Bahnhof zurückzukehren, während Spadola immer noch die Straßen nach dem weißen Mercedes absuchte, der sich anscheinend in Luft aufgelöst hatte. Unglücklicherweise boten die kargen, mit Gestrüpp bedeckten Hügel kaum Möglichkeiten, ein Fahrrad zu verstecken, geschweige denn ein Auto.

Weiter vorn sah er die Kreuzung, von wo die Seitenstraße zur Villa Burolo abging. Doch er nahm sie nicht, weil er sich daran erinnerte, dass sie in einem Tal endete, wo er dann festsäße. Was er brauchte, war eine kleinere, weniger auffällige Abzweigung, die Spadola vielleicht übersehen würde. Aber die Zeit wurde verdammt knapp! Immer wieder schaute er zwanghaft in den Rückspiegel und wartete mit Grauen auf den Augenblick, wo ihm der gelbe Fiat auf die Pelle rückte. Wenn das geschah, wäre sein Schicksal besiegelt.

Fast schon zu spät bemerkte er einen unscheinbaren Feldweg, der von der anderen Straßenseite abging. Es blieb keine Zeit, um lange nachzudenken. Mit einer schnellen Drehung der Handgelenke riss er den Mercedes quietschend über den Asphalt auf die blanke rote Erde, die von zwei tiefen Fahrspuren zerfurcht war. Schon nach wenigen Sekunden wäre das Auto fast an einer flachen Erhebung stehen geblieben, aber der Schwung reichte gerade noch aus. Nun konnte Zen nichts weiter tun, als den Wagen auf dem Weg zu halten, der in S-Kurven verlief und immer holpriger und abschüssiger wurde. Das Lenkrad wand und drehte sich in Zens Händen, bis der Weg allmählich gerader wurde und sanft in einer Mulde zwischen steilen und felsigen Abhängen endete, wo, umgeben von kümmerlichen Bäumen, eine kleine, fensterlose Steinhütte stand.

Zen hielt den Mercedes ganz am Ende des Weges außer Sichtweite der Hauptstraße an. Er stieg aus und blieb konzentriert lauschend stehen. In der hügeligen Landschaft um ihn herum staute sich die Stille wie Flüssigkeit in einem Topf. Das Ganze wurde nur von einem fernen Geräusch leicht gestört, das aber auch der Flügelschlag eines Insekts hätte sein können. Zen drehte den Kopf und verfolgte das Auto, das oben auf der Straße entlangfuhr; der Motorlärm verhallte, ohne dass er sich in Ton oder Intensität veränderte. Er ließ seine Schultern erleichtert sinken. Spadola hatte ihn nicht abbiegen sehen und auch die Reifenspuren auf dem Boden nicht bemerkt.

Er ging zu der Hütte, die ganz primitiv aus Steinen aufgetürmt und mit einem Wellblechdach abgedeckt worden war. Er beugte sich herunter und spähte durch den offenen Eingang, der niedrig und schmal war. Ein leichter Luftzug ließ einen starken Geruch nach Schafen aus dem dunklen Inneren nach draußen strömen. Früher hatte sie sicher als Schäferhütte gedient, wo man Käse lagerte und Felle trocknete, doch jetzt war sie eindeutig verlassen. Zen kniete nieder und schlängelte sich hinein, wobei er über den nackten Felsboden kroch. Der Schafgestank war überwältigend. Nachdem sich seine Augen an die Dunkelheit gewöhnt hatten, stellte Zen fest, dass er am Rande einer großen, unregelmäßigen Felsspalte stand. Und als er seine Hand über die Öffnung hielt, spürte er, dass der Durchzug, der die übel riechende Luft in der Hütte bewegt hatte, von dort kam.

Er erinnerte sich, dass Turiddu gesagt hatte, die ganze Gegend sei voller Höhlen, durch die einst das Wasser aus dem See in den Bergen nach unten geflossen war. Die Vorstellung von Wasser war sehr attraktiv. Sein Kater hatte ihm einen fürchterlichen Durst beschert. Natürlich gab es in den Höhlen kein Wasser mehr, seit man den Damm gebaut hatte. Das war offensichtlich auch der Grund, weshalb die Hütte verlassen worden war, wie so viele Bauernhöfe in der Gegend, einschließlich dem, den Oscar Burolo für einen Spottpreis gekauft hatte. Vermutlich war das hier einer der Eingänge in das Höhlensystem. Er war groß genug, um hindurchzukriechen, doch man konnte ja nicht wissen, was sich in der undurchdringlichen Dunkelheit dahinter verbarg, eine gemütliche Kuhle, in der er sich verstecken konnte, oder ein jäher Sturz in eine Höhle von der Größe einer Kirche.

Dennoch war er stark versucht zu bleiben. Er fühlte sich in der Hütte auf magische Weise sicher und geborgen. Rein rational wusste er natürlich, dass es selbstmörderisch wäre zu bleiben. Eigentlich hatte er schon viel zu viel kostbare Zeit verschwendet. Schon bald würde die Straße, die Spadola entlangfuhr, allmählich ansteigen, und dann würde er wissen, dass Zen dort nicht durchgekommen sein konnte. Das Gewirr von Seitenstraßen würde seine Suche zwar ein wenig erschweren, doch durch systematisches Abhaken musste er schließlich zwangsläufig zu dieser Schlucht und dem dort gestrandeten Mercedes kommen. Und das Erste, was er dann tun würde, wäre, die Hütte zu durchsuchen.

Dieses Wissen machte die einzig mögliche Alternative allerdings keineswegs attraktiver. Die Vorstellung, zu Fuß durch die Gegend zu laufen und nur vage zu wissen, in welche Richtung er musste, war für Zen ziemlich grauenhaft. Er sah sich die Natur am liebsten vom Fenster eines Zuges aus an, der ihn so schnell wie möglich von einer Stadt zur anderen trug. Die menschlichen Erfindungen waren ihm vertraut, doch in der freien Natur fühlte er sich verwundbar wie ein Fuchs in der Großstadt; er verfügte über keinerlei Überlebensstrategien, und seine angeborenen Instinkte waren kaum der Rede wert. Einzig das Wissen, dass sein Leben auf dem Spiel stand, konnte ihn dazu bewegen, die Hütte zu verlassen und den felsigen Abhang gegenüber hinaufzuklettern.

Er arbeitete sich mühsam hoch, wobei er an den steileren Stellen seine Hände zu Hilfe nahm, um sich an Felsvorsprüngen und Gestrüpp festzuhalten. Seine Kleider und Schuhe waren bereits von der unfruchtbaren roten Erde verdreckt, und der bleierne Himmel lastete schwer auf ihm. Er fühlte sich elend. Seine Glieder schmerzten, der Durst plagte ihn, und seine Kopfschmerzen hatten monströse Dimensionen angenommen. Auf halbem Weg machte er eine Pause, um sich zu verschnaufen. Während er dort stand und nach Luft schnappte und ihm auf grausame Weise bewusst wurde, wie wenig er auf diese Art Unternehmen vorbereitet war, flackerte in seinem Kopf plötzlich die Information auf, die sich ihm bisher entzogen hatte. In der anonymen Nachricht, die jemand unter den Scheibenwischer des Mercedes geklemmt hatte, hatte es geheißen, dass Padeddas Aufenthaltsort in der Nacht der Burolo-Morde »dem Melega-Clan aus Orgosolo« bekannt sei. Dieser Name war es gewesen, weshalb ihm die Behauptungen des Schreibers glaubwürdig erschienen waren. Antonio Melega war, wie Zen erst jetzt wieder einfiel, der junge Schäfer, den man ein paar Tage nach der gescheiterten Entführung von Oscar Burolo beerdigt hatte, nachdem er angeblich von einem nicht identifizierten Wagen überfahren worden war.

Das leise Summen eines vorbeifahrenden Autos zerstörte die tiefe Ruhe. Die Hauptstraße war noch außer seiner Sichtweite, und es gab keinen besonderen Grund anzunehmen, dass es sich bei dem Fahrzeug um Spadolas gelben Fiat gehandelt hatte. Doch der Zwischenfall machte Zen erneut seine exponierte Position am Berghang bewusst, oberhalb der Mulde, in der der Mercedes genauso auffiel wie ein ausrangierter Kühlschrank in einer Schlucht. Jeden anderen Gedanken verdrängend, nahm Zen den Berghang wie einen Feind in Angriff. Er boxte und trat, ächzte und fluchte, bis er schließlich den Gipfel erreichte, wo der Boden eben wurde und sich seinem Herausforderer geschlagen gab.

Vor ihm streckte sich eine monotone Landschaft weit entfernten, unliebsamen Horizonten entgegen. Zen schleppte sich weiter durch die Ödnis über stahlharte Pflanzen, die genauso gut hätten tot sein können, so wenig Lebenszeichen gaben sie von sich. Um sich von der grausamen Realität seiner gegenwärtigen Lage abzulenken, versuchte Zen, sich auszumalen, welche Konsequenzen die Information, die er erhalten hatte, für den Fall Burolo haben könnte. Je mehr er darüber nachdachte, umso mehr war er davon überzeugt, auf den Schlüssel zu dem ganzen Mysterium gestoßen zu sein.

Das Ironische an der Sache war, dass er eigentlich nach Sardinien geschickt worden war, um den Fall Burolo zurechtzubiegen, indem er Furio Padedda belastete, und nun hatte er Beweismaterial in der Hand, das stark darauf hindeutete, dass der Sarde tatsächlich schuldig war. Mit den Löwen, die Oscar nach dem Entführungsversuch gekauft hatte, war ein Mann gekommen, der sich Furio Pizzoni nannte. Sein wirklicher Name war, wie Palazzo Sisti festgestellt hatte, Padedda, und er stammte nicht aus den Abruzzen, sondern aus dem Gebirge in der Nähe von Nuoro. Und nach dem, was Turiddu am vorigen Abend in betrunkenem Zustand preisgegeben hatte, betrieben Padeddas Freunde neben dem traditionellen Diebstahl von Schafen auch dessen lukrativere moderne Variante, Entführungen nämlich. Turiddus Gefährten hatten ihn an diesem Punkt zwar zum Schweigen gebracht, doch es war klar, was das zu bedeuten hatte.

Es war nie infrage gestellt worden, dass die Familie Melega mit der Rache für ihren toten Bruder ein sehr einleuchtendes Motiv für den Mord an Oscar Burolo hatte. Ebenso verfügten diese Leute über die nötige Skrupellosigkeit, ihn auch konsequent durchzuführen. Niemand hatte jedoch erklären können, wie es einer Bande von sardischen Schäfern trotz der ausgeklügelten elektronischen Sicherheitsvorrichtungen gelingen konnte, in die Villa einzudringen. Wenn sie allerdings einen Verbündeten innerhalb des buroloschen Schutzwalles hatten, war dieses Hindernis schnell überwunden. Nach ihrer eigenen Aussage hatten Alfonso Bini und seine Frau zu der Zeit, als die Morde passierten, in ihrer Wohnung ferngesehen. Falls Padedda, anstatt im Dorf einen trinken zu gehen, sich auf dem Grundstück versteckt hatte, hätte ihn nichts daran hindern können, den Raum zu betreten, von wo aus die Alarmanlage überwacht wurde, und sie auszuschalten. In diesem Fall war es auch denkbar, dass er die Morde selbst ausgeführt hatte. Die Verletzung an seinem Arm, die Zen verdächtig nach einer Kugel aussah, passte zu der Tatsache, dass der Mörder von Vianello leicht verwundet worden war. Padedda hätte mit Sicherheit seine eigene, vertraute und bewährte Schrotflinte für die Morde benutzt, und dann eine von Burolos Waffen entfernt, um die Angelegenheit zu verwirren. Zen erinnerte sich an den Lüftungsschacht in der Wand des unterirdischen Gewölbes, zu dem die Blutspur geführt hatte. Hatte man dort nach der vermissten Waffe gesucht? Und waren Patronenhülsen aus der Schrotflinte, die Padedda in der Löwenhütte hängen hatte, mit denen verglichen worden, die man am Tatort gefunden hatte? Solche Untersuchungen sollten reine Routine sein, doch Zen wusste nur zu gut, wie oft die Routine unter dem Druck vorgefasster Vorstellungen von Schuld und Unschuld versagte.

Plötzlich ertönte aus dem Nichts das Geräusch eines Automotors, und Zen warf sich auf die Erde. Er lag dort mit angehaltenem Atem, das Gesicht in den Schmutz gepresst, und versuchte, sich so tief zu ducken, dass er in dem spärlichen Gestrüpp nicht zu sehen war, während ein paar Meter vor ihm ein gelbes Auto vorbeischoss. Es schien undenkbar, dass er nicht bemerkt worden war, doch das Auto fuhr weiter. Wenige Sekunden später war es verschwunden.

Er stand vorsichtig auf und strich sich über die Schnitte an Gesicht und Händen, die er sich bei seiner unsanften Landung in dem stacheligen Gebüsch zugezogen hatte. Jetzt, wo er wusste, dass sie vor ihm sein musste, konnte er die dünne graue Asphaltlinie sehen, die genau vor ihm die Landschaft durchschnitt. Er durfte keine Zeit mehr verlieren. Spadola hatte die Abzweigung ins Tal genommen und würde sehr bald feststellen, dass der Mercedes dort nicht war und auf der anderen Seite ganz bestimmt nicht hochgekommen wäre. Also würde er diese Straße von seiner Liste streichen, wenden und es noch einmal versuchen. Zens einziger Trost war, dass Spadola das verlassene Auto noch nicht gefunden hatte und deshalb nicht wusste, dass Zen zu Fuß unterwegs war.

Er rannte über den höher gelegenen Asphaltstreifen und immer weiter durch das Gebüsch auf der anderen Seite, bis ihn die Umrisse des Hügels vor der Straße verbargen. Jetzt konnte er die Eisenbahngleise sehen, die unter ihm auf dem Felsvorsprung entlangliefen, den man in den Abhang geschlagen hatte. Um nicht an Höhe zu verlieren, kletterte er nicht zu den Gleisen hinunter, sondern ging parallel dazu auf der Anhöhe weiter in der Hoffnung, auf diese Weise mehr oder weniger direkt zum Bahnhof zu kommen. Unterdessen fügten sich die einzelnen Stücke des Puzzles in seinem Kopf immer weiter zusammen, ohne dass er sich in irgendeiner Weise darum bemühen musste.

Wie bei Favelloni konnte man auch hier unmöglich wissen, ob Padedda die Morde tatsächlich selbst ausgeführt oder ob er lediglich für den Zugang zur Villa gesorgt hatte. Im Großen und Ganzen hielt Zen das Letztere für wahrscheinlicher. Wie Vasco Spadola hätten sich die Melegas die Genugtuung nicht entgehen lassen, persönlich Rache zu nehmen. Das erklärte auch die merkwürdige Tatsache, dass man nicht versucht hatte, das Videoband zu vernichten. Es war durchaus möglich, dass diese ungebildeten Männer – im Gegensatz zu Renato Favelloni – die Kamera nur für eine weitere technische Spielerei, mit denen das Haus ja vollgestopft war, gehalten und deshalb nicht weiter beachtet hatten. Und hinterher wäre es für die Melegas kein Problem gewesen, ein paar Dorfbewohner zu der Aussage zu bewegen, sie hätten Padedda an jenem Abend in der Kneipe im Ort gesehen, wobei die uralte Tradition der Omertà verhindern würde, dass irgendjemand dieser Aussage widerspräche. Das ergab alles Sinn, das passte zusammen.

Zen eilte weiter und zwang sich, ein mörderisches Tempo durchzuhalten. Auf der rechten Seite konnte er das ganze Tal überschauen, das sich bis zu dem Gebirgskamm auf der anderen Seite erstreckte, wo man die Villa Burolo verschwommen als hellen Fleck erkennen konnte. Weiter oben in den Bergen verschandelte das unnatürliche Grün des von dem undichten Damm bewässerten Waldes die Landschaft, als wäre dort irgendein Schadstoff abgelassen worden. Ein entferntes Dröhnen ließ ihn einen Augenblick innehalten, bis er merkte, dass es sich nicht um ein Auto, sondern um zwei Flugzeuge handelte. Es dauerte eine Weile, bis er die Düsenjäger als rasende schwarze Punkte erkennen konnte, die im Sturzflug aus den Bergen zu ihren Tiefflug-Manövern herabstießen. Dann verschwanden sie hinter einem Tal, und es wurde wieder still. Er lief weiter, zerrissen zwischen der Befriedigung, den Fall Burolo endlich geknackt zu haben, und der Frustration bei dem Gedanken, dass wenn er es nicht schaffte, an ein Telefon zu kommen, bevor Spadola ihn einholte, das Schweigen der Dorfbewohner nie gebrochen und Renato Favelloni für ein Verbrechen ins Gefängnis geschickt würde, das er nicht begangen hatte. Natürlich hatte Favelloni ohne Zweifel alle möglichen Gefängnisstrafen redlich verdient für Verbrechen, die ihm nie angelastet werden würden, da l'Onorevole seine Hand über ihn hielt. Doch, wie Vasco Spadola richtig bemerkt hatte, darum ging es gar nicht.

Er kam nur mühsam voran. In der roten Erde, die von der monatelangen Dürre hart geworden war, gedieh nichts außer ein paar kleinen Büschen, die sich wie Stachelschweine aufrichteten mit ihren Zweigen wie Draht, Blättern wie Schmirgelpapier und spitzen Dornen, die sich ständig in seiner Kleidung verhakten. Zum Glück standen die Pflanzen im Allgemeinen nicht sehr dicht zusammen, sodass man immer einen Durchgang finden konnte. Doch durch den dauernden Richtungswechsel vergrößerte sich die Entfernung, die er zurücklegen musste, und das machte das Ganze noch viel ermüdender. Und er war hundemüde. Seine Ausschweifungen in der vergangenen Nacht hatten ihm nur den leichten Schlaf eines Betrunkenen beschert, der seine immense Erschöpfung nur an der Oberfläche angekratzt hatte.

Schließlich erreichte er den Kamm der kleinen Erhebung, die eine Zeit lang seinen Horizont gebildet hatte, und sah – ungefähr einen halben Kilometer rechts von sich – zum ersten Mal den Bahnhof, ein gedrungenes Gebäude mit spitzem Giebel. Die Eisenbahnlinie selbst war aus dieser Entfernung nicht zu erkennen, sodass das Gebäude aussah, als sei es völlig willkürlich mitten ins Nichts gestellt worden. Am Fuß des Hügels schlängelte sich der Weg, den er ursprünglich mit dem

Auto hatte fahren wollen, durch das Gestrüpp. Zen lief hinunter, um dort weiterzugehen. Der Weg sah nicht so aus, als ob er in letzter Zeit benutzt worden wäre. Überall wuchsen kleine Büsche, und zwischen den Fahrspuren lugten Felsbrocken hervor. Doch jetzt, wo sein Ziel in Sichtweite war, machte ihm das Laufen fast Spaß.

Den ersten Hinweis auf das, was ihn erwartete, gab das Bahnhofsdach, das an einer Seite eingefallen war. Dann sah er, dass die Fenster und Türen nur gähnende Löcher waren. Als er schließlich das Gelände erreichte, war ganz offensichtlich, dass der Bahnhof vollkommen verfallen war. Aus den Räumen im Erdgeschoss war die gesamte Einrichtung herausgerissen worden, überall lagen Balken und von der Decke heruntergefallener Putz, die Wände waren in einer Ecke verrußt, wo jemand ein Feuer angezündet hatte. Draußen an der Giebelwand stand immer noch in verblassten Buchstaben der Name des Ortes und wie hoch er über dem Meeresspiegel lag. In diesem Bahnhof hatte eindeutig schon seit Jahren niemand mehr gearbeitet. Die ganze Eisenbahnlinie war ein nutzloser Anachronismus, und der eine Zug pro Tag diente lediglich dem Zweck, die lukrativen Subventionen aus Rom weiterfließen zu lassen.

Zen schüttelte den Kopf. Er konnte einfach nicht glauben, dass dies hier wirklich war. Es schien ihm wie ein böser Traum. Ganz automatisch griff er nach einer Zigarette, doch dann fiel ihm ein, dass Spadola ihm sein Feuerzeug abgenommen hatte. Er stieß wüste Verwünschungen aus, doch dann zwang er sich nachzudenken. Es war verlockend, sich vorzustellen, die Nacht im Bahnhof zu verbringen und am nächsten Morgen den Zug zu nehmen, doch das wäre so kurzsichtig, wie in der Schäferhütte zu bleiben. Es wäre jedoch ebenso töricht zu versuchen, sich quer über die Insel durchzuschlagen. Das Barbagia-Gebirge war eine der wildesten und am wenigsten besiedelten Gegenden der ganzen Insel. Ohne Karte und

Kompass waren die Chancen, sich zu verirren und schließlich zu verhungern oder sogar zu erfrieren, extrem hoch.

Also blieben ihm nur noch zwei Möglichkeiten: Er konnte zur Hauptstraße zurückgehen und dann versuchen, zu Fuß oder per Anhalter in die nächste Stadt zu kommen, oder er konnte den Eisenbahngleisen hinauf in die Berge folgen. Das Problem bei der Straße war das große Risiko, dass Spadola dort auftauchen könnte. Die Schienen entlangzulaufen, würde andererseits eine langwierige und ermüdende Angelegenheit sein, und unter Umständen müsste er eine Nacht im Freien verbringen. Doch wenn er tatsächlich in diesen sauren Apfel beißen musste, konnte er am nächsten Morgen den Zug anhalten oder sogar während der Fahrt aufspringen, bei der Geschwindigkeit, die er haben würde. Der entscheidende Vorteil war allerdings, dass die Eisenbahnlinie außer Sichtweite der Straße lag, auf der Spadola jetzt bestimmt mit wachsender Frustration entlangfuhr.

Mit der nicht angezündeten Zigarette zwischen den Lippen schritt Zen über die nicht mehr benutzte Wendeschleife, wo fleischige Kakteen wild wucherten, und begann, die rostigen Gleise entlangzuwandern, die, dem Berghang folgend, eine Linkskurve machten. Er hatte sich vorgestellt, dass es zwar langweilig, aber relativ entspannend wäre, die Eisenbahnlinie entlangzugehen, doch in Wirklichkeit war es genauso anstrengend, wie durch das Gestrüpp zu kurven. Die uralten Schwellen, die grob behauen, verwittert und gespalten waren, waren zu dicht hintereinander gesetzt, um auf jede draufzutreten, aber auch zu weit auseinander, um immer zwei auf einmal zu nehmen, und der Schotter dazwischen war kantig, uneben und von Pflanzen überwuchert.

Erneut ertönte in der Ferne ein donnerndes Dröhnen. Zen blieb stehen und schaute nach oben, um die Düsenjäger wieder bei ihren Spielchen in den Bergen zu beobachten. Nur Sekunden später wurde ihm klar, dass ihr Höllenlärm ein anderes Geräusch überdeckt hatte, ein rhythmisches Surren, das viel leiser, aber auch viel näher war. Einen Augenblick schien es ihm, als ob es von der Eisenbahnlinie käme, und bei Zen flackerte kurz neue Hoffnung auf. Dann drehte er sich um und sah den gelben Fiat den Weg zum Bahnhof entlangfahren.

Ganz instinktiv kauerte er sich, nach Deckung suchend, nieder, doch diesmal war es zu spät. Mit wütend aufheulendem Motor verließ der Fiat den Weg und kämpfte sich mit aller Gewalt durch das Gestrüpp auf ihn zu. Zen sprang auf und versuchte, so schnell er konnte, vor dem Auto davonzurennen. Doch fast im selben Moment stolperte er über einen verrosteten Signaldraht, stürzte und landete unglücklich auf einem kleinen Felsbrocken, wobei er sich schmerzhaft den Fuß verrenkte. Hinter ihm erreichte das verzweifelte Röhren des Automotors seinen Höhepunkt und erstarb dann ganz plötzlich. Eine Autotür wurde zugeschlagen. Zen zwang sich auf die Knie. Ungefähr 50 Meter von ihm entfernt hatte sich der Fiat im dichten Gestrüpp festgefahren. Neben dem Auto stand Vasco Spadola, eine Schrotflinte in der Hand.

Zen versuchte aufzustehen, doch sein linker Knöchel gab nach, und er geriet ins Straucheln. Er versuchte es noch einmal. Diesmal hielt der Knöchel, obwohl er grauenvoll wehtat. Auch wenn er wusste, dass Spadola ihn töten würde, konnte er doch nicht einfach stehen bleiben und es geschehen lassen, selbst wenn es bedeutete, dass er sich ganz umsonst quälen würde. Er fing an, so schnell er konnte, davonzuhumpeln, wobei er bei jedem Schritt keuchte. Wiederholt stolperte er, verlor sein unsicheres Gleichgewicht und landete auf Händen und Knien im steinigen Dreck. Er blickte sich nicht um. Das hatte überhaupt keinen Sinn. Selbst beim schnellsten Tempo, das er schaffen konnte, würde Spadola ihn in wenigen Minuten einholen. Er fragte sich, ein wie guter Schütze Spadola wohl war und ob er den Schuss hören würde, der ihn töten würde.

Als er schließlich doch stehen blieb, um sich umzusehen, stellte er fest, dass Spadola immer noch ungefähr 50 Meter hinter ihm herschlenderte, die Schrotflinte lässig in der Armbeuge. Stöhnend humpelte Zen weiter. So also würde das laufen. Spadola hatte keine Eile, ihn zu erledigen. Im Gegenteil, je mehr er diese Qual in die Länge zog, desto mehr konnte er seine Rache auskosten. Erst der Einbruch der Nacht würde ihn zwingen, näher heranzukommen und abzudrücken, damit sein Opfer ihm nicht im Schutz der Dunkelheit entwischen könnte. Doch dazwischen lagen noch viele Stunden. Bis dahin würde er sich damit begnügen, Zen hart auf den Fersen zu bleiben, ihn nicht überholen, ihn aber gleichzeitig auch nicht ausruhen lassen, sondern erbarmungslos in sein unvermeidliches blutiges Ende treiben.

Zen kämpfte blind weiter in einem Albtraum aus Schmerz, Verwirrung und Verzweiflung. Er wusste nicht mehr, in welche Richtung er ging, und das war ihm auch gleichgültig. All seine Hoffnungen und Überlegungen waren gescheitert. Wenn es Palazzo Sisti nicht noch in letzter Minute gelang, das Ganze auf politischem Wege zu verhindern, würde Renato Favelloni wegen der Burolo-Morde verurteilt, während Furio Padedda und die Familie Melega spöttisch lächelnd zusahen, nicht ahnend, dass sie ihre Freiheit einer Vendetta verdankten ganz ähnlich der, die Oscar und die anderen das Leben gekostet hatte. Und um dem Ganzen noch die Krone aufzusetzen, würde Spadola wahrscheinlich auch ungestraft davonkommen. Die Dorfbewohner würden nichts sagen, zumal man sie dann der Beihilfe an Zens Ermordung beschuldigen könnte. Wenn seine Leiche schließlich entdeckt wurde, würde man annehmen, dass er dem schon lange anhaltenden Guerillakrieg zwischen Inselbewohnern und Staat zum Opfer gefallen wäre. Seine Kollegen in Rom würden alle kopfschüttelnd darin übereinstimmen, dass es Wahnsinn gewesen sei, eine Undercover-Operation in Sardinien zu improvisieren, ohne auch nur einen einzigen Menschen davon in Kenntnis zu setzen. »Er hat es förmlich herausgefordert!«, würde Vincenzo Fabri triumphierend krähen, genau wie die Leute über Oscar geurteilt hatten, als er sich eine Villa direkt neben der Hochburg der Entführer aussuchte. Niemand würde allzu heftig an den noch offengebliebenen Fragen rühren wollen. Wie Zen nur zu gut wusste, war die Polizei in mehr als einem Sinne ein Teil der Ordnungskräfte. Man hatte es gern, wenn die Dinge einen Sinn ergaben, wenn die Akten geschlossen werden konnten. Wenn diese Ordnung zufällig der Wahrheit entsprach, umso besser, aber letzten Endes hatte man lieber eine falsche Lösung als überhaupt keine. Und ganz gewiss wurde niemand ermutigt, alles wieder durcheinanderzubringen, selbst wenn er den Eindruck hätte, dass möglicherweise nicht alles so wäre, wie es aussah.

Ohne die geringste Vorwarnung verdunkelte etwas enorm Großes und unglaublich Schnelles die Gegend, und der Himmel erzitterte unter einem höllischen Lärm. Zuerst dachte Zen, Spadola hätte auf ihn geschossen. Doch als er herumfuhr, sah er, dass der zweite Düsenjäger lautlos durch die Luft auf ihn zuschoss. Absurderweise fing er an zu winken, um Hilfe zu rufen! Vasco Spadola brach in ein höhnisches Gelächter aus, das in dem Getöse unterging, mit dem der Jäger über sie hinwegdonnerte und sich nicht im Geringsten dazu herabließ, die winzigen Geschöpfe zu beachten, die sich dort unten auf ihrer Spielwiese tummelten.

Danach verlor Zen jegliches Zeitgefühl. Die Realität schrumpfte auf ein Fleckchen ausgedörrte, rote Erde zusammen, das immer gleich und doch immer wieder anders war. Seine einzige Aufgabe bestand darin, einen Weg durch die dichten, stacheligen Pflanzen zu suchen. Manchmal standen sie weiter auseinander. Dann hatte er nur mit dem ständigen reißenden Schmerz in seinem Knöchel, dem brennenden Durst und den hämmernden Kopfschmerzen zu kämpfen. Aber meistens bildeten die Pflanzen ein Muster, das seine Bewegungen einschränkte, wie feindliche Figuren bei einem Brettspiel. Dann musste er den Blick heben und versuchen, einen Weg durch das Labyrinth zu finden. Wenn er etwas falsch machte oder die Pflanzen ihm vollkommen den Weg absperrten, musste er ihn sich erzwingen. Zweige stachen ihn, Dornen zerrissen seine Kleider und zerkratzten seine Haut. Mehrere Male blieb er fast stecken und konnte sich nur mit letzter Kraft wieder losreißen. Aber er durfte nicht stehen bleiben oder sich umdrehen, obwohl er selbst kaum noch wusste, warum.

An irgendeinem Punkt seines zeitlosen Martyriums sah er sich mit einem neuen Hindernis konfrontiert, das nach den Spielregeln, die bis dahin seine ganze Konzentration beansprucht hatten, völlig unerwartet kam. Es war ein ungefähr 4 Meter hoher Maschendrahtzaun, an Betonpfosten befestigt, der sich, soweit das Auge reichte, in beide Richtungen erstreckte. Ein Stück dahinter stand ein ähnlicher Zaun aus Stacheldraht.

Zens erster Gedanke war, dass es sich um eine Art militärische Einrichtung handelte. Erst als er das Schild »Achtung frei laufende Löwen« sah, wurde ihm klar, dass er gegen die Umzäunung der Villa Burolo gestolpert war. Er setzte sich am Zaun entlang bergaufwärts in Bewegung. Doch wo dieser mühelos das Gestrüpp durchschnitt und mit surrealistischer Präzision die Wildnis in zwei Teile teilte, musste Zen kriechen, sich schlängeln und Umwege machen, da ihm ständig irgendein Dickicht den Weg verstellte. Und weil er immer schwächer wurde, verlor er allmählich den Halt auf dem steilen Abhang. Schon bald waren seine Hände aufgerissen und zerkratzt, seine Kleidung in Fetzen, seine Beine voller blauer Flecken und blutig.

Nachdem er sich eine Weile so durchgekämpft hatte, kam ihm plötzlich die Idee, er könnte versuchen, das Alarmsystem der Villa auszulösen, um damit Aufmerksamkeit zu erregen.

Wenn er es schaffte, die Sirenen in Gang zu setzen, würde der Hausmeister vielleicht die Fernsehüberwachungsanlage anstellen, die bewaffnete Gestalt Spadolas sehen und die Polizei benachrichtigen. Das Problem war, dass – um die Zahl der Fehlalarme auf ein Minimum zu reduzieren – der äußere Zaun nicht an das System angeschlossen war, also musste Zen mit Steinen gegen den inneren Zaun werfen, an dem Sensoren angebracht waren. Doch der bestand nur aus einzelnen Strängen von messerscharfem Stacheldraht und war deshalb schwer zu treffen. Zens Zielgenauigkeit nahm zwar allmählich zu, doch bevor einer der Steine das Ziel berührte, schwirrte etwas an seinem Kopf vorbei, das sich wie ein Bienenschwarm anhörte. Eine Sekunde später hörte er den Knall.

Als er sich umdrehte, hatte Spadola die Schrotflinte bereits auseinandergeklappt und lud den leer geschossenen Lauf neu. Mit wütenden Gesten gab er Zen zu verstehen, er solle vom Zaun verschwinden. Dieser Zwischenfall erinnerte Zen erneut an seine tatsächliche Situation. Nach dem Geräusch zu urteilen, das die Schrotkugeln gemacht hatten, als sie über ihn hinwegfegten, waren sie schnell genug, um ihm erheblichen Schaden an Händen, Gesicht und Hals zuzufügen. Zumindest konnten solche Verletzungen zu einem bedenklichen Blutverlust führen, was dann wiederum einen Schockzustand auslösen könnte, wo ihm dann jeder weitere Widerstand unmöglich wäre. Spadola wäre jederzeit in der Lage, ihn zu treffen. Die Tatsache, dass er absichtlich nach oben gezielt hatte, war der Beweis dafür. Er hatte die Situation vollkommen in der Hand und würde den Mord genau dann ausführen, wann es ihm passte, und keine Minute früher. Bis dahin konnte Zen nichts weiter tun, als zu kämpfen wie ein Tier, das für wissenschaftliche Versuche benutzt wird, dessen Qualen Thema einer objektiven Untersuchung und dessen klägliche Versuche zu entkommen, ebenso vorhersagbar wie vergeblich waren.

Schließlich änderte der Zaun, den vergessenen Launen eines toten Mannes gehorchend, seine Richtung und bog nach Norden ab über den Berghang. Zen stand nun vor der Wahl, entweder dem Zaun in unbekanntes Gebiet zu folgen oder den Steilhang hinauf auf den giftgrünen Wald zuzulaufen, der sich am Eingang des Tales zusammendrängte, das jetzt durch den Damm versperrt wurde. Und er musste sich schnell entscheiden, da Spadola plötzlich das Tempo forcierte. Doch sobald er sah, dass sein Opfer sich in noch höhere und wildere Regionen vorkämpfte, fiel er wieder zurück. Vermutlich hatte ihm Sorgen gemacht, dass Zen versuchen könnte, um das Burolo-Anwesen herum auf die Hauptstraße zu gelangen. Falls er sich fragte, weshalb sein Opfer sich für die schwierigere und aussichtslosere Möglichkeit entschieden hatte, würde er das wahrscheinlich mit dessen zunehmender Verwirrung und Desorientierung erklären.

Zen schleppte sich über mehrere kleinere Erhebungen den Steilhang bis zum Wald hinauf. Hier oben wirkte der Gegensatz zwischen dem giftigen Grün der Koniferen und den düsteren Farbtönen der verdorrten, kargen Landschaft weniger eklatant als aus der Ferne. Aus der Nähe betrachtet, waren es nicht so sehr die äußeren Umrisse des Waldes, die ins Auge fielen, sondern seine tieferen Regionen. Hier herrschten dumpfe Brauntöne vor, weil alles Leben von den großen Siegern im Kampf ums Überleben vernichtet worden war. Diese bildeten mit ihren ausgebreiteten Ästen ein Dach, das kein Licht zum Erdboden durchdringen ließ, und verdammten damit ihre eigenen unteren Äste zusammen mit den übrigen Verlierern des Wettkampfs, deren spindeldürre Gerippe aus einer Schicht von Kiefernnadeln und verfaulenden Ästen ragten, zum Absterben. Darauf hatte Zen gehofft. Vasco Spadola glaubte, er könnte noch einige Stunden mit seinem Opfer Katz und Maus spielen, das Spielchen bis zum Einbruch der Dunkelheit in die Länge ziehen. Er hatte jedoch nicht bedacht, dass in diesem unnatürlichen Wald, unter diesen Bäumen, die gierig das Wasser des undichten Dammes aufsaugten, immer Nacht war.

Zen sah sich kurz um und stellte fest, dass Spadola zu laufen angefangen hatte. Mit zusammengebissenen Zähnen, damit er den pochenden Schmerz in seinem Knöchel weniger spürte, begann Zen ebenfalls zu laufen. Er rannte mit der Verzweiflung eines Mannes, der weiß, dass sein Leben davon abhängt, und während der ersten, entscheidenden Momente war er trotz seiner Verletzung schneller als Spadola, worauf dieser begann, den Abstand rapide zu verringern. Aber es war bereits zu spät. Zen hatte den Schutz der Bäume erreicht. Ein weiterer Schuss krachte, und Zen spürte einen stechenden Schmerz an Armen, Beinen und im Rücken. Er schlug sich mit der Hand in den Rücken, wie um eine Mücke zu zerquetschen, und als er sie zurückzog, war sie ganz blutig. Dann sah er die Bleikügelchen in seiner Hand, kleine schwarze Klümpchen, die unmittelbar unter der Haut saßen wie Zecken, die sich dort eingegraben hatten.

Während Zen tiefer in den Wald vordrang, wusste er, dass es keinen weiteren Aufschub geben würde. Spadolas sadistisches Vergnügen, seinen Feind in Etappen umzubringen, war nun dem dringenden Verlangen gewichen, ihn zu erledigen, bevor es zu spät war.

Nach so vielen Stunden im offenen Gelände kam er sich in dem Wald vor, als hätte er gerade ein riesiges Gebäude betreten: gedämpft, geheimnisvoll, im Detail schummerig und intim, im Ganzen riesig und komplex. Zen kämpfte sich weiter vor, indem er die störrischen Ranken beiseite zwang, die von den Baumstämmen herabhingen wie Algen unter Wasser. Nachdem sich seine Augen einmal daran gewöhnt hatten, lichtete sich das Dunkel und gab eine Sicht von ungefähr zehn Metern frei, außer an den Stellen, wo ein Felsen eine Lichtung in das dicht verwobene Dach des Waldes geschlagen hatte. An einer dieser Stellen erspähte er plötzlich eine Betonwand, die wie ein riesiger Vorhang über den Bäumen schwebte. Der Gedanke an den dahinter liegenden See verstärkte bei ihm noch den Eindruck, sich unter Wasser zu befinden. Außer dem ihn unmittelbar umgebenden Kreis von kahlen, säulenartigen Baumstämmen war nämlich fast nichts zu erkennen. Trotz der Feuchtigkeit, die durch die undichten Stellen im Damm austrat und den Untergrund permanent bewässerte, wuchs nichts unter der tödlichen Decke der Bäume. Der Wald war ein Reservoir an Stille und Dunkelheit. Nicht die geringste Brise drang ein, nichts bewegte sich.

Die nackte Erde, die von dem kompostierten organischen Abfall bereits ganz weich war, gluckste unter seinen Füßen. Zen erkannte, dass dieses Geräusch ihn verraten könnte. In der Totenstille unter den Bäumen würde selbst der geringste Laut seinen Standort preisgeben, und es war unmöglich, sich zu bewegen, ohne ein Geräusch zu verursachen. Aber auch Spadola konnte Zen nur hören, wenn er selbst stehen blieb, wodurch er immer weiter zurückfallen würde. Die Geräusche würden dann schwächer, und er könnte nicht mehr so genau feststellen, wo sie herkamen. Folglich bestand Zens Strategie darin, sich weiter vorzukämpfen, ohne auch nur eine Sekunde stehen zu bleiben oder sich umzusehen. Erst wenn er weit genug im Wald war, würde er anhalten und sich absolut ruhig verhalten. Dann musste sich das Blatt wenden. Ohne jeglichen Hinweis auf Zens Standort könnte Spadola nur wahllos die Richtung wechseln, wogegen das Geräusch, das er dabei machte, Zen rechtzeitig vor seinem Näherkommen warnen würde. Falls nötig, könnte Zen diesen Ablauf einfach so lange wiederholen, bis es dunkel wurde. Der Vorteil lag nun ganz auf seiner Seite.

Der Waldboden fiel sanft nach Osten ab, dem Verlauf des unsichtbaren Berghangs folgend. Zen ging weiter, wobei er die Arme vor sein Gesicht hielt, um es vor abgestorbenen

Zweigen, die aus den Baumstämmen ragten, zu schützen. Mehrere Male knickte er schmerzhaft um. Einmal stolperte er über eine Wurzel, die wie ein riesiger Wurm emporragte, und fiel gegen einen abgebrochenen Ast, an dem er sich die Stirn aufschlitzte. Doch er spürte so lange nichts, bis er endlich stehen blieb, glücklich darüber, dass er so weit gekommen war. Dann machten sich plötzlich alle seine Verletzungen mit geballtem Schmerz bemerkbar. Völlig erschöpft streckte Zen sich auf dem Boden aus und schloss die Augen.

Er wurde vom Lärm geweckt, knackende Geräusche ganz in der Nähe, deren Herkunft er in der unheimlichen Finsternis nicht ausmachen konnte. Zen schaute wild um sich und vergaß für einen barmherzigen Augenblick, wo er war. Dann sah er die schleifende Fußspur, die quer durch das hügelige Gelände zurücklief, und die baumelnden Äste, die er bei seiner überstürzten Flucht abgeknickt hatte, und verstand. Weit davon entfernt, unauffindbar in den Tiefen des Waldes zu verschwinden, hatte er eine Spur hinterlassen, die ein Kind hätte verfolgen können. Doch das Wesen, das ihn verfolgte, war kein Kind, und es hatte ihn fast eingeholt.

Er wusste, das war das Ende. Körperlich war er nach all diesen Strapazen bereits völlig fertig, Hunger, Durst und Blutverlust hatten ihn noch zusätzlich geschwächt, und nun zerstörte dieser letzte Schlag auch noch seine Moral. Jeder weitere Widerstand war sinnlos. Nichts von all dem, was er seit dem Verlassen des Dorfes getan hatte, hatte seine Situation auch nur im Geringsten verbessert. Er hätte genauso gut in der Bar sitzen bleiben, ein letztes Glas bestellen und auf den Tod warten können. Doch zu seiner eigenen Verärgerung war er auch jetzt noch nicht in der Lage, die Dinge einfach laufen zu lassen. Stattdessen zwang er sich, sei es aus Feigheit oder Schwäche, weiter durch diese versunkene Landschaft zu taumeln, durch diese Ansammlung abgestorbener Pflanzen, ohne Richtung und Ziel und endgültig ohne jegliche Kontrolle.

In dieser Verfassung konnte ihn nun nichts mehr überraschen, auch nicht, dass er plötzlich auf einen Pfad stieß, der sich durch den Wald schlängelte wie eine Straße über den Grund eines überfluteten Tals. Die zahlreichen Spuren ließen erkennen, dass der Pfad erst kürzlich benutzt worden war, wahrscheinlich von Wild, obwohl keinerlei Losung zu sehen war. Auf der einen Seite lief der Pfad bergab und kam wahrscheinlich in dem tiefer gelegenen Waldabschnitt heraus. Zen wandte sich in die andere Richtung. Die in den Weg ragenden Äste waren abgeknickt, und seine eigenen Fußabdrücke verloren sich in dem allgemeinen Spurengewirr auf dem Waldboden. Falls Spadola, wenn er an diesen Pfad kam, die falsche Richtung einschlug, hätte Zen genügend Zeit, einen sicheren Zufluchtsort zu suchen. Hoffnung ließ sein Herz schneller schlagen und riss ihn aus seiner fatalistischen Gelassenheit.

Der Pfad wand sich träge, aber stetig bergauf, was Zens Aufmerksamkeit einlullte, bis er plötzlich feststellte, dass er am Rande eines tiefen Abgrunds im Waldboden stand. Er ließ seine Augen über das dunkle Loch vor seinen Füßen gleiten, konnte jedoch nichts erkennen: keinen Pfad, keinen Grund, keine Bäume. Es war, als ob die Welt hier endete.

Nachdem er eine Weile unentschlossen herumgestanden hatte, wurde ihm klar, dass die Schlucht genau das Versteck war, nach dem er gesucht hatte, falls er es schaffte, den steilen Abhang hinunterzuklettern. Trotzdem kostete es ihn einige Überwindung, in dieses schwarze Loch zu steigen, obwohl er wusste, dass sein Widerwille absolut töricht war. Nicht die Dunkelheit musste er fürchten, sondern Spadola. Er beugte sich zu einer Felsnase herunter und begann mit dem Abstieg.

Zunächst war es einfacher, als er erwartet hatte, denn es gab zahlreiche Vertiefungen und Vorsprünge. Doch je tiefer er kam, desto schwächer wurde der Lichtschein von oben, bis er kaum noch die nächste Stelle erkennen konnte, auf die er seinen Fuß setzen musste. Von der Vorstellung, den Halt zu verlieren und ins Nichts zu stürzen, wurden seine Handflächen feucht, und seine Gliedmaßen fingen derart an zu zittern, dass die Chancen für einen Absturz stiegen. Einzig an den herunterfallenden Steinen, die er losgetreten hatte, konnte er abschätzen, wie tief die Schlucht war. Allmählich wurde ihr Geklapper kürzer und der Widerhall nahm ab, bis er mehr spürte als sah, dass er den Grund erreicht hatte.

Nachdem seine Pupillen ganz weit geworden waren, konnte er um sich herum überall die höckrigen Umrisse von Felsblöcken sehen, und ihm wurde klar, dass er in dem Flussbett stand, das sich das Wasser gegraben hatte, das von dem See aus in die Tiefe geflossen war, bevor der Damm gebaut wurde. Die Felsbrocken, die nun hier herumlagen, wären früher bei dem spektakulären alljährlichen Anschwellen des Stromes fortgespült worden.

Als er das klappernde Geräusch fallender Steine hinter sich hörte, war Zens erster Gedanke, dass der Damm nachgegeben hätte und die plötzlich befreite, dunkle Flut auf ihn zuschoss und alles, was ihr im Weg stand, mit sich riss. Doch dann merkte er, dass das Geräusch von oben gekommen war.

In panischer Angst begann er, sich einen Weg das Flussbett hinunter zu bahnen, kroch um zerschmetterte Granitblöcke herum oder über sie hinweg und versuchte, so viel Abstand wie möglich zwischen sich und den Mörder, der ihm auf den Fersen war, zu legen. Sobald die Geräusche, die Spadolas Abstieg begleiteten, verstummten, wollte Zen in irgendeinem dunklen Winkel untertauchen. Selbst eine Armee würde Wochen brauchen, um dieses chaotische Labyrinth abzusuchen.

Doch zu seinem Entsetzen endete das Flussbett beinah sofort wieder und weitete sich zu einem kreisförmigen, wie eine Badewanne abgerundeten Becken, das von einer Mauer aus grauweißem Felsgestein abgeschlossen wurde. Das Laubwerk darüber war ziemlich dürftig, weil an dieser Stelle nichts wuchs. Deshalb drang hier auch etwas mehr Licht in die

Tiefe. Zen betrachtete die bizarren Felsformationen, die ihn umgaben. Er konnte sich nicht erklären, wie sie entstanden waren, aber eins war klar. Die Mauer aus dem weichen, weißen Felsgestein war mindestens zehn Meter hoch und enorm steil. Zen konnte sie unmöglich erklimmen, und da Spadola ihm dicht auf den Fersen war, konnte er auch nicht umkehren. Er war in die perfekte natürliche Falle getappt, einen Schlachtplatz, aus dem es kein Entkommen gab.

Das Geräusch von herunterfallenden Steinen kündete das Nahen des Jägers an. Ohne innere Überzeugung, als ob er nur eine lästige Pflicht um des äußeren Scheins willen ausführte, kniete Zen nieder und zwängte sich in die enge Lücke unter einen schräg stehenden Felsblock. Sobald Spadola an den Rand des Beckens kam, würde ihm klar sein, dass Zen nicht hinaufgeklettert sein konnte und sich folglich irgendwo in der Nähe versteckt halten musste. Dann würde er ihn praktisch auf der Stelle aufstöbern. Das war wirklich das Ende. Er konnte nichts weiter tun, als abzuwarten. Er lag absolut reglos, als ob ein Teil des Felsens mit seinem Gewicht auf ihm lastete.

»Scheiße!« Zen fühlte sich in seiner Angst so einsam und verlassen, dass dieses Wort, das erste, das er hörte, seit er das Dorf verlassen hatte, ihm die Tränen in die Augen trieb. Plötzlich wollte er um jeden Preis leben; er hatte panische Angst vor dem Tod, dem Ausgelöschtwerden, dem Unbekannten. Wie kostbar waren gerade die banalsten Augenblicke des täglichen Lebens, gerade weil sie so banal waren!

Ein heftiges Donnern erschütterte das Becken mitsamt seiner Rückwand. Als der Widerhall des Schusses allmählich schwächer wurde, konnte man Spadolas irrsinniges Gelächter hören. »Nun komm schon raus, Zen! Das Spiel ist aus. Jetzt wird abgerechnet.«

Die Stimme kam ganz aus der Nähe, obwohl Zen nichts weiter erkennen konnte als durcheinanderliegende Felsblöcke.

»Wirst du herauskommen und wie ein Mann sterben, oder möchtest du Verstecken spielen? Nun, das liegt ganz bei dir, aber wenn du versuchst, mich zu verarschen, könnte ich auf die Idee kommen, dich ein bisschen langsamer sterben zu lassen. Vielleicht ein kleiner Schuss in die Eier, so für den Anfang. Normalerweise bin ich nicht besonders nachtragend, aber auch meine Geduld hat ihre Grenzen.«

Wie Ratten, die das sinkende Schiff verlassen, schienen sämtliche Kräfte aus Zens Körper zu schwinden, der dort in seinem Felsengrab eingezwängt war. Er war unfähig, sich zu bewegen, zu sprechen oder zu denken, bereits so gut wie tot.

Spadola lachte. »Ah, da bist du ja! Hast dich also doch entschlossen, mir keinen Ärger zu machen, was? Sehr schlau von dir.«

Zen konnte Spadola zwar immer noch nicht sehen, aber irgendwie war er wohl entdeckt worden. Diese merkwürdige Tatsache störte ihn allerdings nicht. Sie schien ausgezeichnet zu allem zu passen, was bisher geschehen war. Schritte kamen näher. Zen versuchte, in seinen letzten Momenten an irgendwas Bedeutsames zu denken, aber es gelang ihm nicht.

Ganz nahe an seinem Gesicht regte sich etwas. Weniger als einen Meter entfernt, zum Greifen nahe, trat ein Stiefel auf die Erde, und ein behostes Bein strich vorbei.

»Es hat keinen Sinn, sich zu verstecken«, brüllte Spadola, wobei seine Stimme leicht widerhallte. »Ich kann dich noch immer sehen. Bringen wir es endlich hinter uns, meinst du nicht auch? Es war zwar ganz lustig, aber …«

Es ertönte ein lauter Schuss, gefolgt von einem wütenden Schrei. Dann krachten zwei weitere Schüsse, der eine ohrenbetäubend nahe bei Zen, der andere eine Wiederholung des ersten. Schrotkugeln prasselten gegen die Felsen und prallten ab wie Hagelkörner.

Es schien unvorstellbar, dass nach einer so brutalen Ruhestörung jemals wieder Stille einkehren könnte, doch es dauerte nicht lange, und das Echo war verhallt, als ob nichts geschehen wäre. Zen hatte keine Ahnung, was passiert war, deshalb wartete er eine Zeit lang und kostete die Stille aus, bevor er aus seinem Versteck kroch. Fast im selben Augenblick stieß er auf Spadola, dessen Körper rückwärts gegen die Felsen geschleudert worden war, eine schlaffe, weggeworfene Hülle. Irgendetwas hatte einen offenen Krater in seinen Bauch geschaufelt, um den herum sich die Spuren kleinerer Zerstörung kreisförmig ausbreiteten wie Wellen auf einem Teich. Die Schrotflinte lag ganz in der Nähe, zwischen zwei Felsbrocken eingekeilt.

Leidenschaftslos durchsuchte Zen die Taschen des toten Mannes, bis er sein Feuerzeug fand. Dann setzte er sich auf einen Felsen und zündete sich eine Zigarette an. Von seinem Platz aus konnte er bis ans Ende des Beckens sehen. Unterhalb der weißen Felswand öffnete sich der Boden zu einer tiefen, unterirdischen Schleuse, deren Ränder sauber abgerundet waren. Während er dort saß und die Zigarette friedlich zwischen seinen Fingern glomm, erinnerte sich Zen an das, was Turiddu über das harte und das weiche Gestein gesagt hatte, und ihm wurde klar, dass die weiße Fläche, die das Becken abschloss, der Kalkstein war, in den das Wasser eine sanfte Wölbung gewaschen hatte, bevor es am Fuß der Klippe nach unten in den See der Dunkelheit verschwand, wo jetzt ein Haupteingang zu dem Höhlensystem war, das unter der ganzen Gegend lag.

Irgendwas glitzerte im Dunkeln, genau am Eingang der Höhle. Wie der Unsterbliche, der er damals zu sein schien, als er Gott mit dem Video von den Burolo-Morden spielte, ging Zen jetzt darauf zu, als ob er gegen jede Gefahr immun wäre. An dem grauen Felsen war etwas Klebriges, und als er daran roch, wusste er, dass es Blut war. Ein Remington-Vorderschaftrepetierer lag ganz in der Nähe. Das Metall war noch warm. Im flackernden Licht seines Feuerzeugs las Zen die auf dem Lauf eingravierte Inschrift: »Für Oscar, Weihnachten 1979, in Liebe, Rita.«

Wie unrecht ich hatte! Und wie recht! Ja, es war ein Tod erforderlich, und er brachte ihn. Aber wie konnte ich übersehen, dass die Person, deren Tod mich befreien würde, ich selbst war?

Die Dunkelheit bricht herein, berührt mich, nimmt mich wie ein Liebhaber. Damals floss auch Blut. Er schien es zu erwarten, aber ich war schockiert. Niemand hatte mir etwas davon gesagt. Ich dachte, ich müsste sterben. Bin ich aber nicht, jedenfalls damals nicht. Aber jetzt sind meine langen Wehen endlich beendet, und der Tod, den ich all die Jahre in mir getragen habe, wird gleich geboren. Noch ein paar Schmerzen, und alles ist vorbei. Es gibt nichts mehr zu tun, nichts mehr, was getan werden müsste.

Und dann? Ich habe versucht, ein braves Mädchen zu sein, aber versuchen reicht nicht. Alles hängt von seiner Gnade ab, oder von seiner Achtlosigkeit. Es ist erstaunlich, womit man manchmal ungeschoren davonkommen kann, und ein andermal verprügelt er einen ganz brutal für nichts und wieder nichts. Am Ende geschieht also Gerechtigkeit. Wer kann das wissen? Werden meine Leiden irgendetwas zählen, meine guten Taten? Werde ich diesmal der Vergebung für würdig befunden? Der Liebe?

Rom

Freitag, 11.20–20.45

Er hat tatsächlich gedroht, mich umzubringen?«

»Oh, ja! Mich im Übrigen auch. Aber das ist alles nur Gerede. Er schreit jedes Mal nach seiner Mutter, wenn er im Bad eine Spinne findet. Also wenn *sie* das gesagt hätte, dann müssten wir uns schon eher Sorgen machen.«

Das Café auf der Via Veneto spiegelte den verblassten Glanz der Straße selbst wider. Die warmen Töne von Marmor, Leder und Holz dominierten. Durch die schwache Beleuchtung wurde diskret die zurückhaltende Pracht eines Etablissements herausgestellt, das so renommiert war, dass es gar nicht erforderlich war, auf den Putz zu hauen. Sein berühmter Name war überall zu lesen, auf den Tassen und Untertassen, den Löffeln, der Zuckerdose und dem Aschenbecher, den pfirsichfarbenen Servietten, und der gleichfarbigen Tischdecke und auf den azurblauen Jacketts des Personals. Die Kellner verhielten sich wie früher der Hausdiener einer Familie, bewusst höflich, doch ohne jeden Anflug von Vertraulichkeit. Es herrschte eine erlesene Ruhe.

Das Café war zu weit vom Viminale entfernt, um ein Stammlokal der Ministeriumsbediensteten zu sein, die ohnehin davor zurückgeschreckt wären, 4000 Lire für eine Tasse Kaffee auszugeben, wenn man sie anderswo für 800 haben konnte und mit einer kräftigen Dosis römischen Chaos noch ganz umsonst dazu. Das war einer der Gründe, weshalb Zen Tania zu ihrem ersten Treffen nach seiner Rückkehr aus Sardinien hierher eingeladen hatte. Der andere war ein Bedürfnis, das er selbst noch nicht ganz verstand, manches anders zu machen, mit alten Gewohnheiten zu brechen, sein Leben zu ändern, sich selbst.

»Wie hat er das rausgekriegt?«

Sie lächelte, da sie seine Reaktion ahnte. »Er hat einen Privatdetektiv angeheuert.«

»Um dir zu folgen?«

»Um *dir* zu folgen!«

Für Mauro Bevilacqua also hatte Lederjacke gearbeitet, dachte Zen, und nicht für Spadola oder Fabri! Witzigerweise hätte er diese Möglichkeit schon früher in Erwägung gezogen, wenn er es nicht für Wunschdenken gehalten hätte, sich vorzustellen, Tanias Mann könnte einen Grund haben, auf ihn eifersüchtig zu sein.

»Er wollte noch nicht mal dem Detektiv gegenüber zugeben, dass seine Frau untreu sein könnte«, erklärte Tania. »Er hatte Angst, dass die Leute ihn auslachen und einen Hahnrei nennen könnten.«

»Was er natürlich nicht war, ich meine, ist.«

»Nun, das kommt ganz darauf an, wie man's betrachtet. Nach ganz strengen Maßstäben ist ein Mann bereits ein Hahnrei, wenn seine Frau auch nur daran *denkt,* untreu zu sein.«

Sie tauschten einen Blick.

»Dann wird wohl jeder Mann betrogen«, antwortete Zen leichthin.

»Deshalb konnte Mauro auch behaupten, dass seine Wachsamkeit vollkommen berechtigt sei.«

Diesmal lachten sie beide.

Zen zündete sich eine Nazionali an und betrachtete die junge Frau, die mit übereinandergeschlagenen Beinen ihm gegenübersaß und deren rechter Fuß sich leicht im Takt ihres Pulses hob und senkte. Mit ihrem modischen Outfit aus einem mittellangen schwarzen Mantel, einem kurzen schwarzen Rock und einer gemusterten schwarzen Strumpfhose, mit ihrem hellroten Lippenstift und den kurzen, mit Gel gestylten Haaren sah sie ganz anders aus, als er sie das letzte Mal gesehen hatte. Nicht dass ihn das störte. Der Tania, die er liebte – und er fühlte sich jetzt in der Lage, dieses Wort zu gebrauchen, zumindest sich selbst gegenüber –, konnten Veränderungen nichts anhaben. Und was dieses neue Image betraf, das sie der Welt präsentierte, das fand er aufregend, raffiniert und sexy. Noch vor einer Woche hätte er es gehasst, doch das Leben, das ihm auf so wunderbare Weise in Sardinien zurückgegeben worden war, war nicht mehr ganz so, wie es vor dieser traumatischen Erfahrung gewesen war.

»Aber das muss ja ein Albtraum für dich sein«, sagte er ernst. »Schon vorher war es bestimmt schlimm genug, dort leben zu müssen, doch jetzt, wo sich sein Verdacht bestätigt hat, beziehungsweise anscheinend bestätigt hat …«

»Ich wohne nicht mehr da.«

Einen Augenblick lang schwiegen beide; die Neuigkeit lag zwischen ihnen auf dem Tisch wie ein ungeöffneter Brief.

Tania nahm das Päckchen Nazionali und schüttelte eine Zigarette lose. »Darf ich?«

»Ich wusste nicht, dass du rauchst.«

»Erst neuerdings.«

Er hielt ihr das Feuerzeug hin. Sie zündete die Zigarette an und blies befangen den Rauch aus, wie ein Schulmädchen. »Weißt du, er hat mich geschlagen.«

Zen signalisierte sein Entsetzen, indem er tief Luft holte.

»Da habe ich zurückgeschlagen. Mit der Bratpfanne. Es war heißes Fett drin. Nicht viel, aber genug, um ihn bös zu verbrennen. Als seine Mutter das hörte, dachte ich, sie würde mit dem Tranchiermesser auf mich losgehen. Doch sie wich zurück und fing an, auf unheimliche Art vor sich hin zu brabbeln, hysterisch, aber durchaus zusammenhängend. Sie sagte, ich sei eine Hexe aus dem Norden, die ihren Sohn verzaubert hätte, aber sie wüsste, wie sie meine Macht zerstören könnte. Ich hab furchtbare Angst gekriegt. Da wusste ich, dass ich abhauen musste.«

»Wo bist du hingegangen?«

Er ließ die Frage ganz beiläufig fallen, wie es ihm als erfahrenem Vernehmungsbeamten ähnlich sah, als ob es sich um ein nebensächliches Detail ohne besondere Bedeutung handelte.

»Zu einer Freundin.«

»Ah, eine Freundin.«

Sie nahm Notizbuch und Kuli aus ihrer Handtasche, schrieb eine Adresse auf und gab sie ihm. Er las: »Tania Biacis, bei Alessandra Bruni, Via dei Gelsi 47, Tel.: 788447.«

»Das ist in Centocello. Ich bleibe dort zunächst, bis ich was für mich gefunden habe. Du weißt, wie schwierig das ist.«

Er nickte. »Und Mauro?«

»Mauro? Der wohnt noch immer bei seiner Mamma.«

Irgendwie schien neuerdings alles, was sie sagte, ein bisschen aufmüpfig zu klingen, und Zen war nicht sicher, ob ihre letzte Bemerkung nicht eine ironische Anspielung auf seine eigene Situation war.

Er ignorierte es und sagte: »Dieses Restaurant an der Piazza Navona hat heute Abend auf.«

Sie wartete, dass er es aussprach. »Würdest du vielleicht … ich meine, du hast wahrscheinlich keine Zeit oder so, aber …«

»Sehr gerne.«

»Wirklich?«

Sie lachte, diesmal ohne jede Bosheit. »Nun guck doch nicht so überrascht!«

»Ich bin aber überrascht.«

Ihr Lachen verstummte abrupt. »Ich, ehrlich gesagt, auch.

Ich versteh selbst nicht ganz, wie das so gekommen ist. Aber egal, was solls.«

»Was solls«, stimmte er zu und gab dem Kellner ein Zeichen.

Auf dem breiten Bürgersteig draußen zog Zen Tania zu sich heran und küsste sie kurz auf beide Wangen. Es hätte rein freundschaftlich sein können, wenn sie Freunde gewesen wären. Sie wurde ein bisschen rot, sagte aber nichts. Dann, nachdem sie vereinbart hatten, sich heute Abend im Restaurant zu treffen, hielt Tania ein Taxi an, das sie zum Palazzo Montecitorio, dem Parlamentsgebäude, fahren sollte, wo sie für Lorenzo Moscati etwas erledigen musste, während Zen zu Fuß ins Ministerium zurückging.

Die von der Luftverschmutzung dunstige Wintersonne erzeugte eine wohltuende Wärme, die die anhaltenden Schmerzen in Zens Körper linderte. Ein Chirurg in Nuoro hatte drei Stunden gebraucht, um die Schrotkugeln aus seinen Gliedmaßen und dem unteren Teil seines Rückens herauszuholen, doch abgesehen von diesen kleineren subkutanen Verletzungen und einem leicht geschwollenen Knöchel hatte sein qualvolles Erlebnis keine bleibenden Spuren hinterlassen. Ohne Eile schlenderte er dahin und saugte das, was er sah und hörte, förmlich auf. Wie kostbar erschien ihm alles, wie reich und vielfältig, einmalig und voll interessanter Details! Er verbrachte fünf Minuten damit, einen alten Mann zu beobachten, der vor einem Schuhgeschäft Pappkartons einsammelte und jeden einzelnen geschickt auseinanderfaltete und platt drückte. Ein grauer Lieferwagen ohne Firmenaufschrift, aber mit reflektierenden Scheiben an den Hintertüren kam donnernd angebraust und hielt am Straßenrand, wobei er einen der Pappkartons zerdrückte. Der alte Mann ballte hilflos die Faust, dann holte er sich den Karton zurück, machte ihn wieder gerade und wischte ihn sauber, bevor er ihn auf den großen Stapel schichtete, den er bereits in den uralten Kinderwagen gepackt hatte, den er als Handkarren benutzte.

Zen ging am offenen Eingang einer Metzgerei vorbei, aus dem laute Schläge und der Geruch von Blut drangen. Der Lieferwagen donnerte vorbei und parkte mit laufendem Motor an der Straßenecke in der zweiten Reihe. Vor einer Tierhandlung hingen mit Wasser gefüllte Plastikbeutel an einem Gestell. In jedem Beutel bewegte sich ein einsamer Goldfisch ruckartig hin und her, gefangen in seiner dünnwandigen Blubberwelt. Ein Straßenreinigungsfahrzeug rollte vorbei und ließ eine glänzende Asphaltbahn zurück, während es um den den Verkehr behindernden grauen Lieferwagen kurvte. Niemand stieg dort ein oder aus. Es wurde nichts ein- oder ausgeladen. Ein verwegen aussehender junger Mann, glatt rasiert mit kurz geschorenen Haaren saß hinter dem Lenkrad und starrte geradeaus. Er nahm keine Notiz von Zen.

In den Räumen von Criminalpol im dritten Stock des Ministeriums waren die anderen Beamten in eine hitzige Diskussion vertieft, bei der Vincenzo Fabri im Mittelpunkt stand. »Die Briten, die haben die richtige Einstellung«, verkündete Fabri lautstark. »Sie auf frischer Tat erwischen und sofort abknallen. Diese ganze juristische Scheiße kann man doch wohl vergessen.«

»Aber das ist ganz was anderes!«, protestierte Bernardo Travaglini. »Die IRA, das sind Terroristen.«

»Da gibt es keinen Unterschied! Sizilien, Neapel und Sardinien, das ist unser Nordirland! Wir sind bloß dumm genug, jedermanns Grundrechte zu achten und immer streng nach Vorschrift zu verfahren.«

»Darum geht es nicht, Vincenzo«, unterbrach De Angelis. »Die Thatcher hat eine absolute Mehrheit, sie kann machen, was sie will. Aber hier in Italien haben wir eine Demokratie. Man muss auf die Meinung der Leute Rücksicht nehmen.«

»Scheiß auf die Meinung der Leute!«, brüllte Fabri. »Das

hier ist Krieg! Und das Einzige, was zählt, ist, wer ihn gewinnt, der Staat oder ein Haufen Verbrecher. Und die Antwort lautet: sie, wenn wir nicht aufhören, uns in die Hose zu machen, und genauso erbarmungslos werden wie sie.«

Er erspähte Zen, der sich vorbeidrückte, und hielt plötzlich inne. »Nun, da haben wir jemanden mit der richtigen Einstellung«, rief er. »Während der Rest von uns unten in Neapel rumsitzt und abwartet und versucht, einen Haufen Krimineller zu schützen, die besser tot wären, hüpft unser Aurelio mal schnell nach Sardinien rüber und treibt, Zitat: ›Neues Beweismaterial im Fall Burolo‹, Zitat Ende, auf, das zufälligerweise den Kumpel eines gewissen Politikers entlastet. So muss man es machen! Egal, was da Recht oder Unrecht ist! Einzig und allein auf die Ergebnisse kommt es an.«

Resigniert wandte sich Zen seinem Peiniger zu. Das war eine Machtprobe, vor der er sich nicht drücken konnte. »Wie meinst du das?«

Fabri täuschte ein komplizenhaftes Lächeln vor. »Also, jetzt mach mal einen Punkt! Ich will dir doch gar nichts! An deiner Stelle hätte ich genau dasselbe getan. Aber das beweist doch nur, was ich gerade gesagt habe. Wenn du alles nach Vorschrift machst wie wir dummen Trottel, was bringt dir das? Jede Menge Kopfschmerzen, Überstunden und einen Tritt in den Hintern, wenn was schiefgeht. Wenn man dagegen vor allem an sich selbst denkt, die richtigen Kontakte pflegt und die Formalitäten vergisst, dann wird man mit Ruhm bekleckert, liest seinen Namen in der Zeitung und hat Freunde an höchster Stelle!«

»Fairerweise muss allerdings gesagt werden, dass dir auch ein Teil des Verdienstes zukommt«, antwortete Zen.

»Mir? Wovon redest du da?«

»Du hast mich schließlich empfohlen, oder?«

Fabris Augen zogen sich bedrohlich zusammen. »Dich empfohlen, wem denn?«

»Palazzo Sisti.«

Vincenzo Fabri unterbrach das sekundenlange Schweigen mit einem ziemlich gezwungenen Lachen. »Nun mach aber mal einen Punkt! Ich gehe nicht mit Politikern ins Bett, und wenn ich es täte, würde ich mich ganz bestimmt nicht mit diesem Haufen Verlierer abgeben!«

»Ist schon gut, Vincenzo«, beruhigte ihn Zen. »Sie haben es mir gesagt. Ich hatte gefragt, wie sie auf mich gekommen wären, und sie sagten, durch ihre Kontaktperson im Ministerium.«

Fabri lachte mit einer wegwerfenden Handbewegung. »Und was hat das mit mir zu tun?«

»Tja, sie sagten, diese Kontaktperson, also dieser Mensch habe bereits versucht, den Fall Burolo für sie hinzubiegen, allerdings habe er dabei ein totales Chaos veranstaltet. Soweit ich weiß, bist du der Einzige, der an diesem Fall gearbeitet hat.«

»Du lügst!«

Nun war es an Zen, ein komplizenhaftes Lächeln aufzusetzen. »Hör mal, es ist schon in Ordnung, Vincenzo! Wir sind hier unter Freunden. Wir wollen uns doch nichts, wie du ganz richtig sagtest. Ich würde dir das jedenfalls nie zur Last legen. Aber das kann ich mir auch wohl kaum erlauben.«

Fabri starrte ihn wütend an. »Ich erkläre dir jetzt ein für alle Mal, dass ich absolut gar nichts mit Palazzo Sisti zu tun habe! Ist das klar?«

Zen schien über dieses energische Dementi überrascht zu sein. »Bist du sicher?«

»Natürlich bin ich verdammt sicher!«

Zen schüttelte bedächtig den Kopf. »Nun, das ist merkwürdig. Wirklich sehr merkwürdig. Ich kann nur wiedergeben, was man mir erzählt hat. Aber wenn du sagst, dass das nicht stimmt ...«

»Natürlich stimmt das nicht! Wie kannst du es wagen, so etwas auch nur anzudeuten?«

»Zugegeben, ich kann zwar nichts beweisen«, murmelte Zen.

»Natürlich nicht!«

»Kannst *du* das denn?«

Die Frage kam schnell und pointiert. Fabri schreckte vor ihr zurück wie vor einem gezückten Messer. »Was? Was soll ich können?«

»Kannst du beweisen, dass die Behauptungen von l'Onorevoles Privatsekretär nicht stimmen?«

»Das brauche ich auch nicht zu beweisen!«, brüllte Fabri.

Niemand hatte sich bewegt, doch Zen spürte, dass sich die Anordnung der Gruppe auf subtile Weise verändert hatte. Bisher hatten alle seiner Kollegen eine einheitliche Front gegen ihn, den Außenseiter, gebildet. Jetzt stand um ihn und Fabri eine lockere Ansammlung von Individuen, die von einem Fuß auf den anderen traten und sich unsichere Blicke zuwarfen.

»Brauchst du nicht?«, antwortete Zen ruhig. »Nun, wenn das so ist, dann gibt es wohl nichts mehr zu sagen.«

Er wandte sich ab.

»Ganz genau!«, rief Fabri hinter ihm her. »Da gibt es nichts mehr zu sagen!«

Als Zen die Trennwände erreichte, die seinen Schreibtisch abteilten, wandte er sich noch einmal um. Die Beamten standen nun in kleineren Grüppchen zusammen, die sich leise unterhielten. Vincenzo Fabri redete in Höchstgeschwindigkeit mit gedämpfter Stimme und gestikulierte auf dramatische Weise, um die ungeteilte Aufmerksamkeit zu fordern, die ihm seiner Meinung nach zustand. Doch einige seiner Zuhörer starrten in einer Weise auf den Fußboden, die zu erkennen gab, dass Fabris Beteuerungen sie nicht vollkommen überzeugten. Sie glaubten, dass Zen ein skrupelloser Karrierist war. Doch jetzt begannen sie zu ahnen, dass auch Fabri so einer war, und dass seine Bitterkeit nicht auf moralischer Entrüstung beruhte, sondern auf der Tatsache, dass sein Rivale erfolgreicher war.

Giorgio De Angelis, der sich wie immer mit beiden Seiten gut stellen wollte, klopfte Fabri etwas gönnerhaft auf die Schulter, bevor er zu Zen hinüberging. »Gratuliere. Wurde aber auch Zeit, dass Vincenzo mal eins auf den Deckel kriegte.«

Ein mattes Lächeln erhellte Zens Gesichtszüge.

»So, jetzt erzähl mir mal alles der Reihe nach!«, fuhr De Angelis fort. »Wie um alles in der Welt hast du das geschafft?«

Zens Lächeln erstarb. Von all seinen Kollegen war De Angelis derjenige, zu dem er den meisten Kontakt hatte, doch auch der Kalabrese ging eindeutig davon aus, dass Zen den Fall Burolo zurechtgebogen hatte. Nun, wenn ihm ohnehin keiner glaubte, dann konnte er zumindest die Anerkennung für seine angebliche Schurkerei einstecken!

Er setzte sein Lächeln wieder auf. »Das Komische ist, dass ich die Frau zunächst gar nicht benutzen wollte. Derjenige, an den ich gedacht hatte, war Furio Padedda. Er schien der perfekte Kandidat zu sein.«

»Aber Padedda steckte doch auch mit drin, oder?«, fragte De Angelis.

Zen schüttelte den Kopf. Niemand schien die Geschichte richtig zu verstehen, zweifellos deshalb, weil das Einzige, was die Leute wirklich interessierte, die Schlagzeilen waren, die die Medien – sorgfältig instruiert vom Palazzo Sisti – die ganze Woche lang herumposaunt hatten, dass nämlich die Anklage gegen Renato Favelloni zusammengebrochen war.

»Padedda und die Familie Melega planten, Burolo – diesmal erfolgreich – zu entführen, und eine enorme Geldsumme von der Familie zu erpressen. Vielleicht hätten sie ihn auch getötet, nachdem sie bezahlt worden waren, aber das lag alles noch in weiter Ferne. An dem Abend, als die Morde stattfanden, war Padedda bei einer Versammlung der Bande oben in den Bergen. Aber ich hätte ihn natürlich benutzen können, wenn alles andere gescheitert wäre. Er hatte sogar die passende Narbe am Arm. Seine Blutgruppe war zwar eine andere als die bei den Spuren in der Villa, aber das hätten wir schon irgendwie hingekriegt.«

Nach und nach waren auch die anderen Beamten näher gekommen, um sich Zens Geschichte anzuhören. Das war eine für ihn ganz neue Situation, die er eher peinlich fand. Im Gegensatz zu Fabri hatte er es nie genossen, im Mittelpunkt zu stehen. Doch die Dinge hatten sich verändert. Während Fabri sich nicht länger in seinem Starruhm sonnen konnte, so konnte Zen den Folgen der – wenn auch leicht fragwürdigen – Berühmtheit, die er erlangt hatte, nicht entgehen.

»Doch letztlich brauchte ich Padedda überhaupt nicht. Gleich nachdem ich den Tatort besichtigt hatte, wusste ich, wie ich vorgehen musste. Wie ihr wahrscheinlich wisst, war Burolos Villa ursprünglich ein Bauernhof. Die Höfe in dieser Gegend sind alle über Höhlen errichtet, die Zugang zu einem unterirdischen Fluss hatten, von dem sie ihr Wasser kriegten. Als ich den Keller der Villa Burolo inspizierte, fiel mir auf, dass die Luft sehr frisch war. Der Hausmeister erklärte mir, der Keller habe eine natürliche Belüftung, und wies auf eine Öffnung in Fußbodenhöhe hin. Da wir uns unter der Erde befanden, war mir sofort klar, dass die Luft nur aus dem Höhlensystem kommen konnte.«

Die anwesenden Beamten nickten voller Bewunderung.

»Niemand hatte bisher bei dem berühmten Zugangsproblem an diese Lösung gedacht, aus dem einfachen Grund, weil die Öffnung für einen normalen Erwachsenen zu klein war. Aber genau das fand ich an dieser Idee so anziehend. Es gab bereits mehrere Hinweise darauf, dass der Mörder möglicherweise ungewöhnlich klein war. Zum einen der nach oben gerichtete Schusswinkel und die Tatsache, dass in dem Video Burolo und sogar Vianellos Frau, die selbst sehr klein war, auf die Person, die ihnen gegenübersteht, *herunterblicken*. Dann war da die Sache mit dem Geist, den das Kind angeblich eines Nachts gesehen hatte, eine Frau, die wie eine kleine alte Hexe aussah. Sobald diese Elia im Dorf auf mich zugehumpelt kam und mich um Geld anbettelte, habe ich zwei und zwei zusammengezählt und fünf herausbekommen.«

Das rief ein anerkennendes Gelächter hervor.

»Aber könnte sie es nicht wirklich getan haben?«, fragte Carlo Romizi ernsthaft. »Ich meine, ich habe diesen Bericht im Fernsehen gesehen, der anzudeuten schien …«

Zen machte eine ungeduldige Geste. »Natürlich könnte sie! Ansonsten hätte sie mir wohl nicht viel genützt, oder?«

»Nein, ich meine wirklich.«

Zen zog die Stirn in Falten. »Ach, du meinst wirklich?«

Er wandte sich an die anderen. »Ruft doch mal schnell im Palazzo Sisti an. Deine Visage wird in sämtlichen Morgenzeitungen erscheinen, Carlo. ›Italiener hält Favelloni für unschuldig. Nach monatelangen Nachforschungen kündigte Palazzo Sisti gestern Abend an, sie hätten jemanden ausfindig gemacht, der an Renato Favellonis Unschuld glaubt. Er ist zwar ein Umbrier, räumte ein Sprecher l'Onorevoles ein, aber wir haben das sichere Gefühl, dass sich damit ein bedeutsamer Umschwung in der öffentlichen Meinung anbahnt.‹«

Zen trat zurück und ließ die Wogen des Gelächters über sich ergehen. Ich könnte mich daran gewöhnen, dachte er, an diese gutmütigen, lockeren Scherze und diese gegenseitige Bestätigung in der Männergesellschaft. Da er von frühester Kindheit an ohne Vater aufgewachsen war und niemand ihm die ungeschriebenen Regeln beigebracht hatte, war es ihm immer schwergefallen, das Spiel mit dem erforderlichen Selbstvertrauen und der entsprechenden Natürlichkeit zu spielen. Aber vielleicht war es noch nicht zu spät.

»Ich verstehe immer noch nicht, wie du es geschafft hast, am Schluss alles so sauber auf die Reihe zu kriegen«, bemerkte Travaglini.

»Das war wirklich keine Kunst«, antwortete Zen bescheiden. »Es gab verschiedene Möglichkeiten, wie ich hätte vorgehen können, doch als Spadola im Dorf auftauchte, schien es mir eine gute Idee, sozusagen gleich zwei Galgenvögel mit einem Stein zu töten. Natürlich konnte ich nicht genau vorhersagen, was passieren würde, wenn ich ihn und Elia zusammenbrachte, doch ich rechnete mir gute Chancen aus, dass einer oder sogar beide das nicht überleben würden. Was mir natürlich hervorragend in den Kram passte. Das Letzte, was ich wollte, war, dass die Richter eine Gelegenheit bekämen, Elia zu vernehmen.«

»Hat man ihre Leiche inzwischen gefunden?«, fragte jemand.

Zen schüttelte den Kopf. »Das Höhlensystem ist sehr ausgedehnt und nie kartografisch erfasst worden. Wie ihr euch vorstellen könnt, haben die Einheimischen nicht viel Zeit für Höhlenforschungen. Sie haben die Höhleneingänge als Lagerräume und Unterschlupfplätze benutzt, aber außer Elia hat sich nie jemand die Mühe gemacht, sie weiter zu erkunden. Die Carabinieri haben eine Sondereinheit, die in Höhlenforschung ausgebildet ist, eingeflogen …«

»Alles komplett mit Designer-Neoprenanzügen von Armani«, warf De Angelis ein.

Alles lachte. Das glanzvolle Image ihrer paramilitärischen Rivalen war stets ein wunder Punkt bei der Polizei.

»Bis Mittwoch hatten zwei Carabinieri es geschafft, sich selbst zu verirren«, fuhr Zen fort, »und die anderen waren vollauf damit beschäftigt, nach ihnen zu suchen. Alles, was sie bisher von der Frau gefunden haben, sind ein paar Blutspuren, die zu denen in der Villa passen, und eine Sammlung von allerlei Krimskrams, den sie offenbar gestohlen hatte, vollkommen wertloses Zeug.«

Travaglini bot Zen eine Zigarette an. Obwohl es eine Marke war, die er nicht besonders mochte, fühlte er sich gezwungen, sie anzunehmen. Das ist der Preis für die Beliebtheit, überlegte er.

»Was machst du mit dem Motiv?«

»Kein Problem. Einer der Dorfbewohner, ein Mann namens Turiddu, hatte behauptet, dass der Bauernhof, den Burolo gekauft hat, ursprünglich seiner Familie gehörte. Zunächst glaubte ich, er wollte nur angeben, doch dann stellte sich heraus, dass es stimmte. Die Carabinieri bestätigten zudem, dass Elia Turiddus Schwester war und dass man sie im Keller eingesperrt gefunden hatte. Dazu gehört folgende Geschichte. Als sie fünfzehn war, verliebte sich Elia in einen Mann, der ihrem Vater nicht passte. Der Mann schlug vor, sie zu schwängern, um damit ihren Vater zu zwingen, einer Heirat zuzustimmen. Einfältig, wie sie war, war Elia damit einverstanden. Nachdem er ein paar Mal mit ihr geschlafen hatte, änderte der junge Mann natürlich seine Meinung, was die Heirat betraf. Obwohl sie nicht schwanger war, erzählte Elia ihrem Vater, was passiert war, in der Hoffnung, er würde den Mann zwingen, sein Wort zu halten. Unglücklicherweise kriegte ihr Liebhaber davon Wind und setzte sich zu Verwandten nach Turin ab.

Da er somit außer Reichweite war, nahm Elias Vater stattdessen an seiner Tochter Rache. Er sperrte sie im Keller ein und erzählte allen Leuten, dass sie bei Verwandten auf dem Festland lebte. So verbrachte sie die nächsten dreizehn Jahre im Keller, in völliger Finsternis und Einsamkeit, und schlief auf dem Fußboden in ihrem eigenen Dreck. Zweimal am Tag brachte ihre Mutter ihr was zu essen, aber sie sprach nie wieder mit ihr oder fasste sie gar an. Turiddu hat uns erzählt, dass man ihm verbot, sie auch nur zu erwähnen, selbst in der Familie. Das machte ihn natürlich umso neugieriger auf die sonderbare Schwester, die diese furchtbare, namenlose Sünde begangen hatte. Er fing an, in den Keller hinunterzuschleichen, wenn seine Eltern nicht da waren, um sie anzugaffen.

Und dann stellte er eines Tages mit Erstaunen fest, dass sie nicht da war.

Es gab keine Möglichkeit, wo sie sich hätte verstecken können, und es war unvorstellbar, dass sie durch die verriegelte Tür, die ins Haus hinaufführte, entkommen war. Nach einer Weile kam er drauf, dass sie es geschafft haben musste, durch das Loch zu kriechen, das zu dem unterirdischen Fluss führte. Er machte seine Laterne aus und legte sich auf die Lauer. Und tatsächlich hörte er sie ein paar Stunden später zurückkommen. Er zündete ein Streichholz an und erwischte sie dabei, wie sie sich durch das Loch wand, das sie durch ständiges Reiben allmählich vergrößert hatte, bis es gerade weit genug war, dass sie hindurchschlüpfen konnte. Das Verbot seines Vaters, Elias Existenz auch nur einzugestehen, machte es Turiddu unmöglich, ihr Geheimnis zu verraten, selbst wenn er es gewollt hätte. Allerdings schien es ihm auch nicht besonders wichtig. Aus seiner Sicht waren die Höhlen, durch die der Fluss lief, nur eine Ausdehnung des Kellers. Elias Gefängnis mochte zwar ein bisschen weiträumiger sein, als ihr Vater annahm, aber es war immer noch ein Gefängnis.

Das kam alles heraus, als wir Turiddu am Montag und Dienstag verhörten. Zunächst gab er sich knallhart, aber nachdem ich ihm klargemacht hatte, dass seine Schwester tot war, dass ihr die Schuld anstelle von Favelloni zugeschoben würde und dass er, falls er sich nicht kooperativ zeigte, 5 bis 10 Jahre wegen Beihilfe aufgebrummt kriegte, besann er sich eines Besseren. Trotz seines großmäuligen Getues war er im Grunde ein Feigling mit einem schlechten Gewissen. Seit Langem bestand eine Fehde zwischen seiner Familie und einem Clan in den Bergen. Die übliche Geschichte, Viehdiebstahl und sonstige Übergriffe. Turiddus Vater erschoss ›versehentlich‹ einen der Männer aus den Bergen, als er auf Jagd war, und sie haben es ihm heimgezahlt, indem sie seinen Lieferwagen überfielen. Beide Eltern wurden getötet. Nun war es

Turiddus Pflicht, die Vendetta weiterzuführen, aber er hat sich davor gedrückt. Dieses Gefühl der Schande schürte seinen Hass gegen alle, die aus den Bergen kamen, wie zum Beispiel Padedda. Dennoch haben wir von ihm bekommen, was wir wollten. Nachdem er einmal losgelegt hatte, spuckte er die Einzelheiten in einem derartigen Tempo aus, dass der Sergeant, der Protokoll führte, kaum mitkam. ›Äh, entschuldigen Sie, könnten Sie vielleicht ein bisschen langsamer gestehen?‹, sagte er immer wieder.«

Erneut brach Gelächter unter den Beamten aus, die an Zens Lippen hingen.

»Also ist das Motiv Rache«, sagte De Angelis. »Aus der Sicht dieser Frau war jeder, der oben in dem Haus lebte, daran schuld, dass sie bestraft worden war.«

Zen zuckte die Achseln. »Irgend so was in der Art. Das spielt jetzt eh keine Rolle mehr. Sie war verrückt und zu allem fähig. Und wir brauchen kein Geständnis. Die Flinte, die sie fallen ließ, nachdem sie Spadola erschossen hatte, war dieselbe, die auch bei den Burolo-Morden benutzt worden war, und ihre Fingerabdrücke stimmen mit den bisher nicht identifizierten auf dem Waffenständer in der Villa überein.«

»Aber wie erklärst du die Tatsache, dass sich jemand an Burolos Aufzeichnungen zu schaffen gemacht hat?«, wandte Travaglini ein.

»Ganz einfach. Das hat niemand. In unserer Version ist das Chaos im Keller deshalb entstanden, weil die neuen Regale, die Oscar hatte aufstellen lassen, die Öffnung blockierten, durch die Elia in ihrem alten Zuhause ein und aus ging. In der Mordnacht löste sie die Halterungen, dann warf sie die gesamte Regaleinheit um, wodurch die Videobänder und Floppy Disks durch die Gegend flogen, was das Geräusch auslöste, das man auf der Videoaufnahme hört. Übrigens, Jungs, was meint ihr, wie unsere Freunde mit dem flackernden Flämmchen jetzt dastehen werden? Die Carabinieri hatten das gesamte Material unmittelbar nach den Ermordungen beschlagnahmt. Wenn unser Mörder nicht die belastenden Daten auf den Disketten gelöscht hat, wer denn?«

De Angelis schüttelte bewundernd den Kopf. »Du bist ein Genie, Aurelio! Wie zum Teufel hast du es bloß geschafft, bei der Moro-Geschichte eine solche Scheiße zu bauen?«

Einen Augenblick lang glaubte Zen, seine coole und zynische Fassade würde brüchig werden. Das ging zu tief ins Mark, war zu schmerzhaft. Aber schließlich kriegte er auch das hin. »Wir machen alle unsere Fehler, Giorgio. Da kann man nur hoffen, dass man nicht immer wieder denselben macht.«

»Ich verstehe immer noch nicht, wie du es hingekriegt hast, dass die Schrotflinte, die bei den Burolo-Morden verwendet wurde, in der Höhle auftauchte, wo diese Elia war«, insistierte Romizi. »Oder wie du die Fingerabdrücke manipuliert hast.«

Zen lächelte herablassend. »Na, hör mal. Du kannst doch nicht erwarten, dass ich dir alle meine kleinen Geheimnisse verrate!«

»Renato Favelloni läuft also frei herum«, schloss Travaglini mit einem tiefen Seufzer.

»Ganz zu schweigen von l'Onorevole«, setzte Romizi hinzu.

Einen Augenblick lang schien es, als ob die Stimmung umschlagen würde. Dann warf sich De Angelis theatralisch in Positur. »›Ich habe mein Gewissen geprüft‹«, erklärte er, wobei er einen berühmten Ausspruch des fraglichen Politikers zitierte, »›und habe festgestellt, dass es vollkommen rein ist.‹«

»Was nicht weiter erstaunlich ist«, warf Zen ein, »wo er es doch nie benutzt.«

Die Unterhaltung brach unter zynischem Gejohle ab.

Bevor er sich mit Tania Biacis zum Abendessen traf, hatte Zen noch einige lästige Pflichten zu erfüllen. Zunächst einmal musste er den weißen Mercedes zurückbringen. Am Montagmorgen hatte ein Carabinieri-Jeep den Wagen in aller Frühe nach Lanusei abgeschleppt, wo er repariert wurde. Sobald Zen wieder in Rom war, hatte er eine Nachricht für Fausto Arcuti in der Rally Bar hinterlassen, und im Laufe des Vormittags hatte Arcuti angerufen und Zen gebeten, das Auto gegenüber dem Haupteingang des ehemaligen Schlachthofs abzustellen.

»Was ist mit den Türen?«, hatte Zen gefragt.

»Schließen Sie sie gut ab, Dottore! Das Testaccio ist eine Räuberhöhle.«

»Und die Schlüssel?«

»Lassen Sie sie im Auto.«

»Und wie kriegst du es dann auf?«

»Was meinen Sie, wie ich es beim ersten Mal aufgekriegt habe?«, wollte Fausto wissen. Jetzt, wo der Informant nicht mehr um sein Leben bangen musste, hatte seine ungekünstelt respektlose Art wieder die Oberhand gewonnen.

Nach dem Mittagessen mit De Angelis und Travaglini machte Zen sich mit dem Mercedes auf den Weg. Dabei dachte er über die widersprüchlichen Gefühle nach, die die Tatsache in ihm auslöste, wieder in der Männerzunft aufgenommen zu sein, die nicht nur Criminalpol beherrschte, sondern auch das Ministerium, die Mafia, die Kirche und die Regierung. Auf den ersten Blick schien es sehr wohltuend, wie man sich gegenseitig auf den Rücken klopfte und das Ego stärkte, gemeinsame Werte hochhielt und die Voraussetzungen nicht hinterfragte. Doch noch bevor das Mittagessen beendet war, setzte eine Gegenreaktion ein, und Zen stellte fest, dass dieses behagliche Debattieren und das blasierte Gefühl einer angeborenen Überlegenheit bereits ihren Reiz verloren. Man wurde leicht davon übersättigt, es erinnerte alles ein bisschen zu sehr an den sich selbst beglückwünschenden Nationalismus der faschistischen Ära. Was auch immer zwischen ihm und Tania passierte, er wusste, es würde nicht leicht sein. Aber vielleicht war es genau aus dem Grund die Mühe wert.

Als er in der Schlange darauf wartete, sich in das Verkehrsgewühl rund ums Kolosseum einzufädeln, bemerkte Zen drei oder vier Fahrzeuge hinter sich einen unbeschrifteten grauen Lieferwagen. Er verstellte den Außenspiegel, bis er den Fahrer sehen konnte. Es schien nicht der Mann zu sein, den er am Morgen gesehen hatte, aber sie konnten natürlich in Schichten arbeiten.

Zen fuhr weiter nach Süden, am Palatinischen Hügel vorbei und bog dann nach rechts ab, passierte den Circus Maximus und überquerte den Fluss in Richtung Trastevere. Der graue Lieferwagen blieb treu hinter ihm. Er wurde verfolgt. Das allein war schon schlimm genug. Aber was es noch viel schlimmer machte, war die Tatsache, dass Zen sicher zu wissen glaubte, wer dahintersteckte.

Trotz seiner großen Töne musste Vasco Spadola geahnt haben, dass bei einer Vendetta im Alleingang der Erfolg nicht hundertprozentig garantiert war. Es kann immer etwas schiefgehen, aus diesem Grund schließen die Leute Versicherungen ab. Und es konnte kaum ein Zweifel daran bestehen, dass der graue Lieferwagen Spadolas Rückversicherung war. Die Männer, die er in dem Lieferwagen gesehen hatte, waren keine geifernden Psychopathen wie Spadola selbst, die bei dem Gedanken ans Töten einen Steifen kriegten. Noch waren sie drittklassige Cowboys wie Lederjacke. Sie waren Profis, die das taten, wofür sie bezahlt wurden, die einen Vertrag erfüllten, der im Fall von Spadolas Tod wirksam werden sollte. Die einzige andere Erklärung war, dass Mauro Bevilacqua in einem zweiten Anlauf Rache nehmen wollte, aber das schien reichlich unwahrscheinlich. Tania hatte seine Drohungen eindeutig nicht ernst genommen. Außerdem boten Profi-Killer ihre Dienste nicht in den Gelben Seiten an, und ein Bankangestellter würde wohl kaum wissen, wie er an sie herankommen sollte.

Zen bog von der Lungotevere ab und steuerte aufs Geratewohl durch die Seitensträßchen in der Nähe der Fabrik, wo seine geliebten Nazionali-Zigaretten hergestellt wurden. Dieser Zwischenfall stürzte ihn in dumpfe Verzweiflung. Egal was passierte, diese Männer würden nicht aufgeben. Sie mussten an ihren Ruf denken. Es hätte auch keinen Sinn, das Team aus dem Lieferwagen festnehmen zu lassen. Es würde einfach durch eine andere Crew ersetzt. Seine einzige, wenn auch ziemlich vage Hoffnung bestand darin, herauszufinden, mit wem Spadola diesen Vertrag abgeschlossen hatte, und zu versuchen, einen neuen Deal auszuhandeln. Aber das war Zukunftsmusik. Jetzt war seine dringlichste Aufgabe, seine Verfolger abzuschütteln. Unglücklicherweise brauchte man dazu virtuose Fahrkünste, die Zen aber nicht besaß.

Letzten Endes erwies sich gerade seine Unfähigkeit als Rettung. Als er an der Porta Portese das Gewirr von Seitenstraßen wieder verließ, war er über all seine Probleme so tief in Gedanken versunken, dass er nicht bemerkte, dass die Ampel bereits auf Rot umgeschlagen war. Der weiße Mercedes schaffte es gerade noch, sich zwischen dem Verkehr, der von beiden Seiten auf ihn zuschoss, durchzuquetschen, doch der graue Lieferwagen blieb stecken. Zen überquerte erneut den Fluss, scherte in die Via Marmorata aus und bog dann, als er außer Sichtweite des Lieferwagens war, rechts in das Testaccio-Viertel ein. Er ließ das Auto mit den Schlüsseln im Handschuhfach von innen abgeschlossen stehen, so wie ihn Arcuti angewiesen hatte, dann machte er sich zu Fuß auf den Rückweg zur Via Marmorata, wobei er sich im Eingang der prunkvollen Feuerwache versteckte, bis er eine Straßenbahn der Linie 30 auf die Haltestelle zufahren sah.

In der Nähe der Porta Maggiore stieg er aus der Bahn und ging zu Gilberto Nieddus Wohnung, wo seine Mutter seit einer Woche untergebracht war. Zen hatte versprochen, sie heute Nachmittag abzuholen, doch jetzt würde er um Aufschub bitten müssen. Gilberto hatte versichert, dass alles gut gelaufen sei, aber was hätte er auch sonst sagen sollen. Zen wusste, dass es eine ziemliche Zumutung war, sich um seine Mutter kümmern zu müssen, und nun würde sich das Ganze auch noch in die Länge ziehen. Aber bevor er das Problem mit dem grauen Lieferwagen nicht gelöst hatte, konnte seine Mutter unmöglich nach Hause zurückkehren. Es lag ihm schwer im Magen, wie er den Nieddus diese Nachricht schonend beibringen sollte.

Gilberto war bei der Arbeit, also begrüßte Rosella Nieddu ihn an der Tür ihrer hübschen, modernen Wohnung in der Via Carlo Emanuele. Zu Zens großer Überraschung spielte seine Mutter gerade ein Brettspiel mit den beiden jüngsten Nieddu-Töchtern. Es war schon so lange her, dass er sie etwas anderes hatte tun sehen, als apathisch vor dem Fernseher herumzuhocken, dass er diese ganz normale häusliche Szene so merkwürdig und schockierend fand, als ob die Straßenbahn, mit der er gerade gefahren war, plötzlich aus den Schienen gesprungen und frei auf der Straße auf die Passanten losgerast wäre.

»Hallo, Aurelio!«, rief sie fröhlich und sandte ein unkonzentriertes Lächeln in seine Richtung. »Alles in Ordnung?«

Ohne seine Antwort abzuwarten, wandte sie sich wieder den Kindern zu. »Nein, nicht dahin! Sonst schmeiße ich euch raus, einfach so, zack, zack, zack, zack!«

Die Mädchen kicherten ganz aufgeregt. »Nein, Tante, da kannst du nicht hin, das geht nicht«, erklärte die Ältere.

»Oh! Du hast recht! Wie dumm von mir. Dumme, alte Tante.«

Zen spürte einen eifersüchtigen Schmerz, der umso stärker war, weil er völlig absurd war. Sie ist nicht eure Tante, hätte er am liebsten geschrien. Sie ist meine Mamma! Sie gehört mir alleine!

Er nahm Rosella Nieddu beiseite und rückte zögernd mit

der Frage heraus, ob seine Mutter noch eine Nacht länger bleiben könnte.

»Das ist ja wunderbar!«, antwortete sie und unterbrach abrupt seine bewusst vagen Erklärungen. »Habt ihr das gehört, Kinder? Tante Zen verlässt uns heute doch noch nicht!«

Auf der Stelle strahlten beide Kindergesichter vor Freude. Sie rasten herum und vollführten in den höchsten Tönen kreischend eine Art Kriegstanz um die alte Dame, die ihnen glücklich dabei zusah, wie ein gutmütiger Totempfahl.

»Deine Mutter ist wirklich ein Schatz!«, schwärmte Rosella Nieddu.

»Äh, wie bitte? Ja, natürlich.«

»Sie war absolut unermüdlich mit den beiden. Ich liebe meine Töchter natürlich sehr, aber manchmal habe ich das Gefühl, dass sie mich in den Wahnsinn treiben. Doch deine Mutter hat die Geduld einer Heiligen. Und sie kennt all diese wunderbaren Spiele, Geschichten und Tricks! Ich musste überhaupt nichts machen. Es war der reinste Urlaub für mich. Endlich konnte ich mich mal wieder ein bisschen meinen eigenen Interessen widmen. Gilberto hilft mir natürlich, so gut er kann, aber er hat zurzeit schrecklich viel zu tun. Jedenfalls haben wir ausgemacht, dass deine Mutter einmal die Woche zu uns kommt, wenn sie wieder zu Hause ist, meine ich. Ich hoffe, das ist dir recht.«

Zen starrte sie an. »Du willst tatsächlich, dass sie kommt?«

Für einen Augenblick wich die Heiterkeit aus Rosella Nieddus Gesicht, und sie schaute ihn verwirrt an. »Natürlich will ich das! Und, was genauso wichtig ist, sie will es auch. Sie hat gesagt, sie wäre … Egal, auf jeden Fall möchte sie kommen.«

Zen starrte sie an. »Was hat sie gesagt?«

»Ich glaube nicht, dass sie es so gemeint hat.«

»Was gemeint hat?«

»Nun …«

»Ja?«

»Es war wahrscheinlich nur so eine Redensart, weißt du, aber sie hat gesagt, sie wäre es leid, zu Hause eingesperrt zu sein.«

»Eingesperrt?«, ereiferte sich Zen. »Wie zum Teufel meinst du das? Sie ist doch diejenige, die sich geweigert hat, einen Fuß vor die Tür zu setzen!«

»Nun, sie ist in der Zeit, wo sie hier war, viel draußen gewesen.«

»Sie wollte doch überhaupt nicht hierherziehen. Sie hasst Rom!«

»Nein, das tut sie nicht! Am Sonntag sind wir alle zusammen in den Borghese-Gärten gewesen. Sie konnte es gar nicht glauben, all diese Jogger und Radfahrer und die Väter, die ihre Kinder im Kinderwagen schoben. Danach sind wir in den Zoo gegangen und haben draußen zu Mittag gegessen. Es war wirklich sehr schön. Sie sagt, sie hätte seit Jahren nicht so viel Spaß gehabt.«

Zen stand mit offenem Mund da. Das ist nicht meine Mutter, wollte er protestieren, das ist eine Betrügerin! Meine Mutter ist eine griesgrämige alte Frau, die ihre Zeit zu Hause vor dem Fernseher verbringt. Diese wundervolle, geduldige, einfallsreiche und lebenslustige alte Dame will ich nicht! Ich will meine Mamma! Ich will meine Mamma!

»Das freut mich natürlich zu hören«, sagte er trocken. »Dann ist es also kein Problem, wenn sie noch eine Nacht bleibt?«

»Es ist ein Vergnügen für uns.«

Zen fuhr mit dem Aufzug nach unten und fühlte sich gereizt, erleichtert und auf seltsame Art schuldig. Es war natürlich nicht sein Fehler. Wie sollte es auch? Er hatte seine Mutter nicht in der Wohnung eingesperrt. Sie hatte sich selbst eingesperrt. Zugegebenermaßen hatte er es akzeptiert, weil es für ihn bequem war, weil er dadurch machen konnte, was er wollte, besonders damals, als er mit Ellen zusammen war. Er hatte es immer vermieden, Ellen seiner Mutter vorzustellen, da er sie aus diesem Bereich seines Lebens heraushalten wollte. Das war offenbar auch einer der Gründe, weshalb Ellen ihn schließlich verlassen hatte. Vielleicht war es zum Teil tatsächlich seine Schuld. Er hatte die Situation zwar nicht geschaffen, aber er hatte sie stillschweigend geduldet und für seine Zwecke ausgenutzt. Er war nicht grausam gewesen, nur träge, gedankenlos und egoistisch.

Vom ersten Café, an dem er vorbeikam, rief er den Hausmeister bei sich zu Hause an. Dann ging er zur Porta Maggiore zurück und stieg in eine Straßenbahn der Linie 19, mit der er um die ganze Innenstadt herum bis zur Endstation fuhr, die nur einen kurzen Fußweg von seiner Wohnung entfernt lag. Wie erwartet war von dem grauen Lieferwagen nichts zu sehen, doch es bestand die Möglichkeit, dass das Haus beobachtet wurde. Zen spazierte lässig die Straße hinunter und ging dann in das Geschäft neben seinem Haus, einen altmodischen Laden, der alles verkaufte von Korkenziehern über Wärmflaschen bis zu getrockneten Bohnen und Heilkräutern. Er wirkte eher wie ein Museum als wie ein Geschäft, und die ältere Frau, die ihn führte, hatte das überhebliche und desinteressierte Verhalten eines Kustos. »Sie sind vom Elektrizitätswerk?«, fragte sie, während Zen sich zwischen Regalen und Schränken hindurch einen Weg zur Theke bahnte.

»Das ist richtig.«

Sie wies mit dem Daumen auf eine Tür im hinteren Teil des Ladens. Das Sortiment an Schrubbern und Besen, das normalerweise davorstand, war beiseitegeräumt worden. »Fassen Sie bloß nichts an!«, ermahnte sie ihn. »Ich weiß, wo alles steht! Wenn nachher irgendwas fehlt, gibts Ärger, das verspreche ich Ihnen.«

Zen öffnete die Tür. Dahinter lag ein dunkler Gang, der fast vollständig mit Kartons in unterschiedlichen Größen vollgestopft war. Am Ende war eine zweite Tür, die auf den Hof seines eigenen Hauses führte. Im Flur traf er Giuseppe, bei dem er sich dafür bedankte, dass er die Ladenbesitzerin dazu gebracht hatte, die Türen aufzuschließen.

»Was ist denn los, Dottore?«, fragte der Hausmeister besorgt.

»Nur ein eifersüchtiger Ehemann.«

Giuseppe lachte meckernd und tippte sich an die Stirn. »Der hat aber bestimmt auch guten Grund dazu, möchte ich wetten!«

Zen zuckte bescheiden die Achseln. Darauf lachte Giuseppe noch heftiger. »Wie man bei uns in Lucania sagt, auch wenn auf dem Dach Schnee liegt, im Ofen brennt immer noch ein Feuer! Was, Dottore!«

Nachdem er sich geduscht und rasiert hatte, zog Zen einen Abendanzug an, den er aus der Eichentruhe ausgegraben hatte, in der er geruht hatte, seit Zen zum letzten Mal an einem formellen Anlass teilgenommen hatte. Er wanderte entmutigt im Wohnzimmer auf und ab und kämpfte mit einem widerspenstigen Kragenknopf. Durch die Abwesenheit seiner Mutter und Maria Grazias, der Laren und Penaten des Hauses, schien die Wohnung leer und unwirklich, wie ein Bühnenbild, das trotz aller Genauigkeit nicht ganz überzeugt.

Als sein Blick in den Spiegel oberhalb der Anrichte fiel, stellte Zen mit Erstaunen fest, dass er gar nicht so nervös und lächerlich wirkte, wie er sich vorkam, sondern elegant und distinguiert. Wie schade, dass Tania ihn in dieser Aufmachung nicht sehen würde! Aber er konnte die Verabredung unmöglich einhalten, solange gedungene Mörder Spadolas Vendetta über das Grab hinaus ausüben wollten. Er hatte ihr Leben schon einmal zu viel aufs Spiel gesetzt.

Er nahm die Karte aus glattem Karton, die gegen den Spiegel lehnte, in die Hand und überflog die in Kursivschrift gesetzten Zeilen, in denen um seine geschätzte Anwesenheit bei einem Empfang im Palazzo Sisti heute Abend um sieben Uhr gebeten wurde. Selbst l'Onorevole und seine Genossen besaßen nicht die Frechheit, den Zusammenbruch der Anklage gegen Renato Favelloni offen zu feiern, deshalb fand der Empfang nominell zu Ehren eines aufsteigenden Stars innerhalb der Partei statt, der soeben in ein wichtiges Ressort des erneut umgebildeten Regierungskabinetts berufen worden war. Zen hatte zunächst nicht recht gewusst, ob er überhaupt hingehen sollte, besonders nachdem Vincenzo Fabri ihn am Morgen so angegriffen hatte, doch das Auftauchen des grauen Lieferwagens hatte alle seine Zweifel beseitigt.

Es hatte keinen Sinn, wenn er versuchte, die Leute zu kaufen, die Spadola angeheuert hatte. Selbst wenn er das nötige Geld hätte, so hatte die Unterwelt doch in diesen Dingen ihre strengen Regeln zum Schutz des Verbrauchers. Spadola hatte mit Sicherheit eine erhebliche Zahlung im Voraus geleistet und den Rest bei einem vertrauenswürdigen Dritten hinterlegt. Diese Anzahlung konnte jetzt, wo Spadola tot war, nicht zurückerstattet werden, und somit würde die Nichtausführung des Mordes einem Vertragsbruch gleichkommen. Hier galt ein extrem strenger Verhaltenskodex. Zens einziger Ausweg bestand darin zu versuchen, die betreffende Organisation davon zu überzeugen, dass es in ihrem eigenen Interesse wäre, in diesem Fall eine Ausnahme zu machen. Er selbst hatte nicht genügend politischen Einfluss dazu, aber den sollte l'Onorevole eigentlich haben, oder zumindest sollte er die richtigen Leute kennen. Und l'Onorevole war ihm was schuldig.

Er griff nach dem Telefon und wählte die Nummer, die Tania ihm am Vormittag gegeben hatte, doch es meldete sich niemand. Inzwischen war es zehn vor sieben und von dem Taxi, das er bestellt hatte, noch keine Spur. Also rief er dort an, um sich zu beschweren. Zu seiner Bestürzung stritt der

Mensch bei der Zentrale den ersten Anruf nicht nur ab, sondern gab sogar zu verstehen, dass Zen diesen nur erfunden hätte, um die fünfundvierzigminütige Wartezeit, die im Augenblick bestand, zu umgehen. Nach einem kurzen, giftigen Wortwechsel knallte Zen den Hörer auf und ging zur Tür. Der Abend war sehr mild, und die Entfernung war so, dass er auch gut zu Fuß gehen konnte. Selbst wenn er es nicht schaffte, unterwegs ein Taxi aufzugabeln, würde sich seine Verspätung noch durchaus im Rahmen halten.

Er rannte, immer zwei Stufen auf einmal nehmend, die Treppe hinunter auf die Straße und überlegte sich dabei, wie er seine Bitte am besten formulieren könnte, ohne dass es so aussah, als nähme er ganz selbstverständlich an, dass Palazzo Sisti Kontakte zur Unterwelt hatte. Er war so in Gedanken, dass er den unbeschrifteten grauen Lieferwagen gar nicht bemerkte, der ein Stück weiter in zweiter Reihe parkte, und auch nicht die dunkle Gestalt, die ganz in der Nähe aus einem Hauseingang schlüpfte und sich an seine Fersen heftete.

Er nahm dieselbe Strecke, die er eine Woche zuvor mit Tania gegangen war, am Justizpalast vorbei, über den Fluss und nach Süden über die Piazza Navona. Während er zügig voranschritt, bemerkte er die Blicke der vorübergehenden Passanten überhaupt nicht, die sich über die elegante Erscheinung wunderten, die da wie Aschenputtel auf dem Heimweg vom Ball durch die Gegend lief.

An der kleinen Piazza gegenüber der verrußten Barockkirche Sant'Andrea della Valle musste er wegen des Verkehrs auf dem Corso Vittorio Emanuele eine Zeit lang warten. Eine Frau, die aus ihrem am Brunnen geparkten Auto ausstieg, wies ihn schreiend auf irgendwas hin. Zen wandte sich um und sah einen zierlichen, dunkelhäutigen Mann, der mit einer Pistole vor ihm herumfuchtelte. »Du hast mein Ehebett besudelt und …«

Er hielt inne, atemlos von der Anstrengung, die es ihn gekostet hatte, mit Zen Schritt zu halten. »... und Schande über mein Haus gebracht! Dafür sollst du zahlen, so wahr ich Mauro Bevilacqua heiße!«

So soll es also enden, dachte Zen. Er musste beinah lachen bei dem Gedanken, dass er das Schlimmste, was ein Vasco Spadola zuwege brachte, überlebt hatte, um dann dem Toben eines eifersüchtigen Bankangestellten zum Opfer zu fallen.

»Ihr habt beide geglaubt, ihr hättet das fein hingekriegt, was?«, sagte Bevilacqua mit einem höhnischen Grinsen. »Ihr dachtet, ihr könnt auf meine Kosten euren Spaß haben und ungeschoren davonkommen. Da muss ich euch allerdings sagen ...«

Mit quietschenden Reifen kam der graue Lieferwagen vor dem sauberen faschistischen Büroblock auf der anderen Seite der Piazza zum Stehen. Männer in grauen Overalls, auf denen in leuchtend gelben Buchstaben das Wort POLIZIA prangte, sprangen mit Maschinenpistolen in der Hand auf die Straße. »Keine Bewegung!«, dröhnte eine verzerrte Stimme aus dem Lautsprecher. »Lassen Sie Ihre Waffe fallen!«

Mauro Bevilacqua blickte absolut entgeistert um sich. Er wandte sich dem Lieferwagen zu, die Pistole noch immer in der Hand. Eine Salve von Schüssen ertönte. Man hörte das Geräusch von zersplitterndem Glas und den Schrei einer Frau.

»Lass um Himmels willen das Scheißding fallen, bevor die uns noch alle umbringen!«, fauchte Zen.

Die Pistole fiel klappernd auf das Kopfsteinpflaster.

»Das ist nur eine Attrappe«, murmelte Bevilacqua.

Die Frau, die Zen durch ihr Geschrei gewarnt hatte, betrachtete schockiert ihr Auto, dessen Windschutzscheibe jetzt von Kugeln durchlöchert war. Zwei von den Männern in den grauen Overalls drückten Bevilacqua mit hochgehaltenen Armen gegen den Wagen und durchsuchten ihn auf ziemlich brutale Weise. Ein anderer kam auf Zen zu und salutierte. »Ispettore Ligato, NOCS-Einheit 42! Wie ich sehe, sind Sie unverletzt, Dottore. Tut mir leid, dass wir Sie heute Nachmittag verloren haben. An der Ampel waren Sie wohl ein bisschen zu schnell für uns. Nun, es ist ja nichts passiert. Schließlich waren wir da, als es drauf ankam.«

Er ging zu Bevilacqua hinüber, der nun mit dem Gesicht nach unten auf dem Pflaster lag, die Arme mit Handschellen auf dem Rücken gefesselt. Ligato gab ihm versuchsweise einen Tritt in die Rippen. »Und was dich angeht, du Schwein, so kannst du froh sein, dass du noch lebst!«

Zen legte dem Beamten beschwichtigend eine Hand auf die Schulter. »Gehen Sie nicht zu hart mit ihm um«, sagte er. »Seine Frau hat ihn gerade verlassen.«

Palazzo Sisti war hell erleuchtet, und es herrschte hektische Betriebsamkeit. Zen spazierte mit federnden Schritten über den Hof an zahlreichen Limousinen vorbei, die darauf warteten, ihre illustren Passagiere auszuladen. Es geht bergauf, dachte er. Wenn es so weiterging, könnte er sogar noch seine Verabredung mit Tania einhalten. Aber zunächst einmal musste er diesen Empfang hinter sich bringen.

Der winzige Pförtner, außer sich angesichts dieses wichtigen Ereignisses, hielt gerade einem Chauffeur eine Strafpredigt, der versucht hatte, auf einem Platz zu parken, der für irgendeinen wichtigen Parteifunktionär reserviert war. Zen schlich sich an ihm vorbei und stieg die Treppe hinauf. Oben traf er auf eine vertraute, affenartige Gestalt, die man mit wenig überzeugendem Ergebnis in die Livree eines Lakaien gesteckt hatte.

»Guten Abend, Lino.«

Der Leibwächter starrte Zen finster an. »Da entlang«, sagte er und schwenkte seinen Daumen.

»Hier entlang?«, fragte Zen gut gelaunt.

Linos Blick wurde noch finsterer. »Treib mich nicht zur Weißglut!«, warnte er.

»Tut mir leid, zu spät. Heute Abend hat schon einer gedroht, mich umzubringen. Ich fürchte, es gibt bereits eine Warteliste. Ich könnte dich für irgendwann im nächsten Monat eintragen.«

»Du bist bescheuert«, murmelte Lino.

Zen ging an einem verstümmelten, antiken Torso vorbei, der seine Erinnerungen an einen besonders scheußlichen Mordfall wieder wachwerden ließ, mit dem er einmal zu tun gehabt hatte. Durch eine doppelflügelige Tür aus Rosenholz gelangte man in eine Reihe von Salons, deren bescheidene Ausmaße und erlesene Ausstattung dem Charakter des gesamten Palastes entsprachen. In den Räumen drängten sich die Menschen. Die am nächsten zur Tür standen, musterten Zen kurz und wandten sich wieder ab. Auch wenn sie ihn nicht erkannten, so sah er jedenfalls viele Gesichter, die ihm vom Fernsehen und aus der Zeitung vertraut waren. Wie er da am Rande der Versammlung herumstand und mit niemandem ins Gespräch kam, fühlte er sich auf merkwürdige Weise an die Dorfkneipe in Sardinien erinnert. Wenn auch offenkundige Gegensätze bestanden, so waren die Ähnlichkeiten ebenfalls nicht zu übersehen. Zum einen schaffte er es auch hier nicht, was zu trinken zu bekommen, weil die Kellner in den weißen Jacketts immer gerade außerhalb seiner Reichweite vorbeigingen und seine Zeichen ignorierten. Aber, was noch viel entscheidender war, auch hier war er ein Eindringling, jemand, der in einen Privatclub hineinplatzt. Diese Leute waren einander vertraut, man traf sich regelmäßig bei Empfängen dieser Art und bei noch wichtigeren Zusammenkünften. Jeder achtete peinlichst darauf, was der andere tat oder sagte. Sie waren eine Familie, ein Stamm, dem Zen nicht angehörte. Sie hatten sich zwar verpflichtet gefühlt, den Mann einzuladen, der für sie die Drecksarbeit getan hatte, doch in Wirklichkeit war seine Anwesenheit irritierend und peinlich, für ihn selbst wie für alle anderen.

Zu Zens Bestürzung war das erste vertraute Gesicht, das er sah, das von Vincenzo Fabri, der in einem aerodynamisch gestylten Outfit glänzte, neben dem Zens Anzug aussah, als hätte er ihn bei einem Kostümverleih geborgt. Fabri kam mit einem Lächeln auf ihn zu, das nichts Gutes verhieß. »Ich wusste nicht, dass du hier sein würdest, Zen.«

»Das Leben ist halt voller Überraschungen.«

»Ja, nicht wahr?«

Fabri winkte ihn mit gekrümmtem Finger näher zu sich heran. »Rate mal, was passiert ist?«

Zen starrte ihn unbewegt an.

»Ich bin zum Questore befördert worden!«, flüsterte er triumphierend.

Er piekste Zen mit dem rechten Zeigefinger in den Brustkorb. »Vermutlich sollte dir fairerweise ein Teil des Verdienstes zukommen, wie du heute Morgen gesagt hast. Doch was letzten Endes zählt, ist das Ergebnis, nicht wahr? Bari oder Ferrari scheinen im Moment am wahrscheinlichsten zu sein, falls ich mich nicht entschließe, ein paar Monate Urlaub zu nehmen und zu warten, bis sich was Besseres ergibt. Man munkelt, dass Pacini nicht mehr lange in Venedig bleiben wird. Das wäre doch was, oder? Nun, ich muss noch eine Runde drehen. Wir sehen uns im Ministerium. Ich komme noch meinen Schreibtisch ausräumen.«

Zen wusste, dass er ganz schnell gehen musste, bevor er etwas sagte oder tat, das er sich nie verzeihen würde. Als er sich durch die Menschenmenge schob, spürte er plötzlich eine Hand an seinem Arm.

»Wohin wollen Sie denn so eilig, Dottore? Ich war gerade dabei, eh … das heißt, ich wollte Sie gerade, eh, jemandem vorstellen, der sehr rege und sehr persönlich an den Ereignissen der letzten Tage Anteil genommen hat.«

Der junge Sekretär steuerte mit Zen auf eine distinguiert aussehende Gestalt Mitte sechzig zu, die mitten im Raum Hof hielt, dort, wo die Menschenmenge am dichtesten war. Zen erkannte ihn sofort. Im Gegensatz zu anderen berühmten Persönlichkeiten, deren reale Erscheinung in krassester Weise ihrem geschönten Medienimage widerspricht, sah dieser Mann genauso aus wie auf den Fotos, die Zen von ihm gesehen hatte. Sicher schon älter, doch ohne gebrechlich zu wirken, erfahren, aber nicht resigniert, vermittelte er ganz den Eindruck, in der Blüte seiner Jahre zu stehen.

»Wir haben vorhin über Sie gesprochen«, nahm der junge Mann seine Rede wieder auf, während er sich und Zen mühelos in den inneren Kreis der Eingeweihten schob. »Ja, ich hoffe, Sie halten mich nicht für indiskret, wenn ich Ihnen sage, dass l'Onorevole voller Zufriedenheit festgestellt hat, wie tief wir in Ihrer Schuld stehen wegen Ihres, eh, wirkungsvollen und prompten Einsatzes.«

Die distinguierte Gestalt, die in ein Gespräch mit zwei jüngeren Männern vertieft war, deren eifrige Dienstfertigkeit peinlich mit anzusehen war, schenkte ihnen nicht die geringste Aufmerksamkeit.

»Es wäre gewiss nicht übertrieben zu sagen, dass der Partei aufgrund Ihrer, eh, Initiative, eine höchst unangenehme Erfahrung erspart geblieben ist«, fuhr der junge Mann fort. »Zunächst waren wir zwar ein bisschen überrascht über die Wahl ... das heißt, über die Tatsache, dass sich diese Frau, eh, als schuldig herausstellte. Jedoch bei näherer Betrachtung sind wir mit dieser Lösung uneingeschränkt einverstanden, zumal sie uns erlaubt, auf Padedda zurückzugreifen, sollten weitere Probleme auftauchen. Wir sind Ihnen wirklich sehr dankbar, jawohl, aufrichtig dankbar. Nicht wahr, l'Onorevole?«

Eine Sekunde lang glitten die Augen des älteren Mannes über Zens Gesicht wie das Feuer eines Leuchtturms. »Wenn Sie jemals irgendwas brauchen ...«, murmelte er.

Zen gab die angemessenen Laute von sich und zog sich dann elegant zurück. Als er auf den Ausgang zusteuerte, dem Abend mit Tania entgegen, klangen die Worte immer noch in seinem Ohr: »Wenn Sie jemals irgendwas brauchen.« Das ist mehr als Geld auf der Bank, dachte er. Mehr als Geld auf der Bank!

Michael Dibdin im Unionsverlag

AURELIO ZEN ERMITTELT

Commissario Aurelio Zen zieht durch ganz Italien, von Fall zu Fall. »Unter den britischen Krimiautoren kann es keiner mit Michael Dibdin aufnehmen. Keiner reicht an seinen grandiosen Stil, seine Imaginationskraft und seinen Umgang mit den Abgründen der menschlichen Seele heran.« *The Times*

Entführung auf Italienisch Aurelio Zen ermittelt in Perugia

Vendetta Aurelio Zen ermittelt in Sardinien

Himmelfahrt Aurelio Zen ermittelt in Rom

Tödliche Lagune Aurelio Zen ermittelt in Venedig

Così fan tutti Aurelio Zen ermittelt in Neapel

Schwarzer Trüffel Aurelio Zen ermittelt im Piemont

Sizilianisches Finale Aurelio Zen ermittelt in Sizilien

Roter Marmor Aurelio Zen ermittelt in der Toskana

Im Zeichen der Medusa Aurelio Zen ermittelt in Südtirol

Tod auf der Piazza Aurelio Zen ermittelt in Bologna

Sterben auf Italienisch Aurelio Zen ermittelt in Kalabrien

Vicente Alfonso *Die Tränen von San Lorenzo*

Einer der Ayala-Zwillinge wird des Mordes verdächtigt. Das Problem: Sie sind identisch. Von Rómulo fehlt jede Spur – Remo ist in therapeutischer Behandlung. Was hat das Verschwinden der heiligen Niña damit zu tun und warum interessiert sich ein hoher Politiker dafür? Wie nah kommt man der Wahrheit, wenn sie wie Perseiden an uns vorbeizieht?

Friedrich Glauser *Schlumpf Erwin Mord*

Wachtmeister Studer blickt hinter die Kulissen eines vermeintlichen Routinefalls. Was er sieht, gefällt ihm nicht. Er kämpft für einen Verdächtigen, von dessen Unschuld er überzeugt ist. Glausers berühmter Kriminalroman in der einzig authentischen Textfassung.

Nii Parkes *Die Spur des Bienenfressers*

In einem Dorf im Hinterland Ghanas, in dem sich seit Jahrhunderten kaum etwas verändert hat, verschwindet ein Mann. Der Städter Kayo, der den Glauben der Dorfbewohner an Übersinnliches nicht teilt, wird mit der Aufklärung beautragt – muss jedoch bald einsehen, dass westliche Logik und politische Bürokratie ihre Grenzen haben.

Claudia Piñeiro *Betibú*

Inmitten einer idyllischen Wohnsiedlung wird ein Unternehmer mit aufgeschlitzter Kehle in seinem Lieblingssessel aufgefunden. Im ersten Moment deutet alles auf Selbstmord hin, doch schon bald erwachsen Zweifel. – Claudia Piñeiro nimmt mit scharfem Blick das Verhältnis zwischen Medien und politischer Macht unter die Lupe.

Avtar Singh *Nekropolis*

Kommissar Dayal und sein Team müssen die aufsehenerregendsten, rätselhaftesten Kriminalfälle Delhis lösen. Sie arbeiten mit modernster Technik und stoßen auf archaische Bräuche. Ihre Ermittlungen führen uns durch alle Schichten dieser brodelnden, vielgesichtigen und geschichtsträchtigen Stadt, in die Villen der Reichen, in die Hütten der Slums.

Bill Moody *Auf der Suche nach Chet Baker*

Ein klassischer Fall von Jazz & Crime: Rauchige Clubs, amerikanische Musiker im selbstgewählten europäischen Exil, die Coffee-Shops und kleinen Gassen in Amsterdam bilden den Hintergrund für einen spannenden Kriminalroman, der den Spuren des von den Drogen und der Musik getriebenen Trompeters nachgeht.

Celil Oker *Schnee am Bosporus*

Seit Remzi Ünal als Pilot bei Turkish Airlines rausgeflogen ist, sorgt sein Job als Privatdetektiv fürs nötige Kleingeld. Als er aber bei seinem ersten Fall nicht nur einen ausgerissenen Studenten finden soll, sondern auch noch über eine Leiche stolpert, lernt er die verborgenen Seiten von Istanbul kennen.

Jörg Juretzka *Der Willy ist weg*

Willy Heckhoff, Millionenerbe mit Villa und triebgesteuertes Maskottchen einer Bikergang, ist verschwunden. Spurlos. Der Verdacht, er könnte entführt worden sein, bestätigt sich, als bei den Bikern Erpresserbriefe mit horrenden Lösegeldforderungen eingehen. Ruhr-City-Ermittler Kryszinski läuft zur Höchstform auf.

Unionsverlag Taschenbuch

Maeve Brennan Tanz der Dienstmädchen (UT 707)
Pramoedya Ananta Toer Kind aller Völker (UT 706)
Romesh Gunesekera Riff (UT 705)
Yaşar Kemal Das Lied der Tausend Stiere (UT 704)
Tschingis Aitmatow Ein Tag länger als ein Leben (UT 703)
Jörg Juretzka Equinox (UT 702)
Petra Ivanov Geballte Wut (UT 701)
Michael Dibdin Tödliche Lagune (UT 700)
Michael Dibdin Himmelfahrt (UT 699)
Galsan Tschinag Gold und Staub (UT 698)
Peter Fröberg Idling Pol Pots Lächeln (UT 697)
Leonardo Padura Ketzer (UT 696)
Nury Vittachi Der Fengshui-Detektiv (UT 695)
Jørn Riel Vor dem Morgen (UT 694)
Friedrich Glauser Schlumpf Erwin Mord (UT 693)
Galsan Tschinag Der Wolf und die Hündin (UT 692)
Inge Sargent Dämmerung über Birma (UT 691)
Jury Rytchëu Traum im Polarnebel (UT 690)
Claudia Piñeiro Ganz die Deine (UT 689)
Nii Parkes Die Spur des Bienenfressers (UT 688)
Leonardo Padura Ein perfektes Leben (UT 687)
Nagib Machfus Die Midaq-Gasse (UT 686)
Sahar Khalifa Der Feigenkaktus (UT 685)
Yaşar Kemal Memed mein Falke (UT 684)
Jean-Claude Izzo Total Cheops (UT 683)
Salim Alafenisch Die acht Frauen des Großvaters (UT 682)
Tschingis Aitmatow Du meine Pappel im roten Kopftuch (UT 681)
Jörg Juretzka TaxiBar (UT 680)
Richard Woodman Die Wette (UT 677)
Daniel Defoe Kapitän Singleton (UT 676)
Rudyard Kipling Genau-so-Geschichten (UT 675)
Nagib Machfus Ehrenwerter Herr (UT 674)
Juri Rytchëu Der letzte Schamane (UT 673)
Scharuk Husain (Hg.) Von Hexen, Nixen und Feen (UT 672)
Mitra Devi Das Kainszeichen (UT 671)
Claudia Piñeiro Betibú (UT 670)
Claire Keegan Durch die blauen Felder (UT 669)
Germano Almeida Das Testament des Herrn Napumoceno (UT 668)

Mehr über alle Bücher und Autoren auf *www.unionsverlag.com*